Evelyn Anthony

Y CYLCH
YN CAU

Addasiad William Gwyn Jones

©Anthony Enterprises (UK) Ltd, 1966
Cyhoeddwyd gyntaf gan Hutchinson 1967
Teitl gwreiddiol: *The Rendezvous*
Ⓗ y testun Cymraeg: William Gwyn Jones, 1990
Argraffiad Cymraeg cyntaf: 1990
ISBN 0 86074 054 4

Cyhoeddwyd dan gynllun comisynu'r
Cyngor Llyfrau Cymraeg.

Dymuna'r cyhoeddwyr gydnabod cymorth a
chyfarwyddyd Adrannau'r Cyngor Llyfrau Cymraeg
a noddir gan Gyngor Celfyddydau Cymru.

gan Wasg Gwynedd, Caernarfon.

I

'Deffra cariad, deffra.' Plygodd drosto gan feddwl ei gusanu, ond yna penderfynodd beidio; roedd o mor flin ar ôl cyntun, waeth pa mor lwyddiannus fu'r caru rhyngddyn nhw cynt. Doedd dda ganddo fo gael ei bryfocio na'i fwytho. Agorodd ei lygaid yn araf cyn troi i edrych arni. 'Helô,' meddai gan wenu arno. 'Ma' hi bron yn bump.' Edrychodd ar ei wats a chododd ar ei eistedd gan daflu'r gynfas ar lawr. Roedd ganddo gorff cyhyrog, hardd; corff oedd wedi cael pob gofal. Roedd o'n ddyn disgybledig iawn, a dyna a ddenodd Julia; dyna oedd yn ei wneud o'n wahanol i'w dau gyn-ŵr boliog, cyfoethog, hawdd eu casáu. Doedd dim modd casáu Karl Amstat. Eu dynoldeb oedd cryfder tramor-wyr; roedd dynes yn gwybod lle'r oedd hi'n sefyll efo tramorwr. Feiddiai rhywun ddim bod yn hy efo nhw rhag ofn iddyn nhw strancio a mynd. Ac yn dawel bach roedd hyn hefyd yn denu Julia. Fo oedd y meistr; gwyddai a pharchai hynny. Byddai amau yn golygu ei golli o; dyna'r gwir plaen.

'Dwi'n mynd i ga'l cawod,' meddai gan wenu arni dros ei ysgwydd. 'Dwi'n nabod dy gampa di'n rhy dda. Unwaith y cei di dy droed i mewn i'r stafall 'molchi 'na yno y byddi di tan Dolig!'

''Ti mor hunanol,' gwenodd hithau. 'Anodd gwbod weithia pam dwi'n dy ddiodda di. Dwi'n mynd i ga'l diod bach.' Cododd o'r gwely a'i lapio'i hun mewn coban sidan. Cribodd ei gwallt gan syllu ar ei llun yn y drych. Roedd hi'n edrych yn dda, yn dda iawn hefyd. Roedd hi'n un ar ddeg ar hugain oed, yn brydferth, yn gyfoethog; ac yn bwysicach fyth, roedd hi'n nabod y bobl iawn. Roedd hi ar ben ei digon, a chanddi gariad nad oedd byth yn mentro dweud ei fod o'n ei charu, ac a fachai'r stafell 'molchi o'i blaen hi bob gafael! Chwarddodd yn uchel wrth iddi gerdded i'r gegin i nôl diod. Oedd, mi'r oedd hi'n hapus.

Clodd Karl ddrws y stafell 'molchi a llithrodd dan y gawod. Roedd o'n flin am fod Julia'n mynnu yfed mor gynnar. Newydd droi pump oedd hi a dyna hi yng ngheg y botel wisgi'n barod. Doedd o ddim yn fodlon a gwyddai hi hynny'n iawn, ond brathu ei dafod wnâi o'r un fath. Roedden nhw'n gyfforddus efo'i gilydd ac yntau'n meddwl y byd ohoni, am ei bod hi'n ddel ac am ei bod hi hefyd wedi llwyddo i ddenu nifer go dda o gwsmeriaid newydd, cyfoethog, tebyg iddi hi'i hun, ato fo. Pobl oedd eisiau iddo gynllunio tŷ haf iddyn nhw ar lan y môr, neu oedd am iddo godi palas newydd ar eu cyfer yn rhywle, tan iddyn nhw flino unwaith eto a chodi eu pac. A dyna, i raddau mae'n debyg, oedd yn ei wneud o'n bensaer llwyddiannus — er mai cynllunio swyddfeydd newydd oedd ei brif fara menyn. Ond roedd yna ddiben arall i ffrindiau Julia. Roedden nhw'n creu cefndir iddo fo — neu'n hytrach gefndir ychwanegol. Roedd o'n 'perthyn' yn Efrog Newydd bellach. Ar ôl dim ond chwe blynedd roedd o'n rhywun; roedd pawb o bwys yn gwybod pwy oedd o, neu o leiaf wedi clywed amdano fo. Karl Amstat, y pensaer. Syllodd arno'i hun yn y drych; gwthiodd ei grib yn araf drwy ei wallt golau gan edrych ar bob modfedd ohono'i hun. Doedd o ddim wedi newid fawr; dim ond ei fod o wedi rhoi'r gorau i'r hen driciau o dyfu barf a gwisgo sbectol. Mewn rhyw ffordd fach ryfedd roedd ei gorff lluniaidd wedi bod o fantais iddo. Roedd hi'n llawer haws i rywun prydferth ymdoddi i'r cefndir. Ar drwynau mawr, cegau cam a chreithiau y sylwai pobl; ar bethau nad oedd modd eu newid. Erbyn hyn, fo'i hun oedd o eto, dim ond ei fod o ugain mlynedd yn hŷn. O'r diwedd, medrai bwyso rhywfaint ar ei rwyfau. Doedd neb yn mynd i gael gafael arno fo bellach.

Roedd Julia eisiau priodi. Gwenodd wrth feddwl am hynny. Anodd oedd ei gwrthod ar y dechrau, a hithau mor benderfynol — yn union fel pob Americanes arall oedd wedi hen arfer â chael beth fyd a fynnon nhw. Methu dirnad pam ei fod o'n gwrthod priodi roedd hi. Dywedai ei bod hi'n ei garu o a fedrai yntau ddim gwadu hynny; beth bynnag roedd caru'n ei olygu iddi hi. Wedi'r cwbl, roedd hi a'i ffrindiau crachaidd yn caru popeth, o gath i gyfoeth. Roedd hi'n daer am briodi, yn gwthio'r gair i mewn i'r sgwrs bob hyn a hyn, gan gymryd arni nad oedd o'n bwysig iddi hi o gwbl. Cafodd ei demtio i gytuno unwaith neu ddwy. Wrth gwrs y prioda i di, ond mae gen i rywbeth bach i'w ddweud wrthat ti'n gyntaf, meddyliai.

Bu Karl yn unig iawn yn ystod ei flwyddyn gyntaf yn y ddinas. Cafodd swydd mewn swyddfa pensaer, ond doedd neb a diddordeb ynddo, neb eisiau bod yn ffrindiau ag o. Roedd Efrog Newydd yn lle oeraidd i fyw ynddo fo heb na chyfoeth na chysylltiadau, ac roedd ymgyrraedd tuag at y rheini'n broses araf a thorcalonnus. Yna, fel popeth arall yn Efrog Newydd, dros nos trodd ffawd o'i blaid. Comisiynwyd o i gynllunio ffatri ar gyrion y ddinas. Agorodd hynny'r llifddorau. Gadawodd y cwmni a dechrau cynllunio ar ei liwt ei hun. Roedd ganddo fwy o waith nag o amser. Ac am y tro cyntaf ers cyrraedd America, roedd ganddo arian yn ei boced a ffrindiau i'w ganlyn. Doedd dim ysgaru ar y ddau yn Efrog Newydd ac mi wyddai Karl hynny; wedi'r cwbl roedd o wedi bod yno'n ddigon hir bellach i dderbyn pethau felly. Mewn parti y cyfarfu â Julia Adams. Roedd hi'n arbennig o hardd, ac er ei bod hi'n gwisgo'r un math o ddillad â phawb arall, llwyddai i edrych yn wahanol. Roedd ganddi dlysau drudfawr ac wyneb prydferth, ac roedd Karl wedi mynd â hi allan am swper cyn iddo sylweddoli'n union beth oedd yn digwydd. Ar ôl yr ail swper mi aeth o'n ôl i'w fflat hi a chysgu efo hi. Doedd dim yn newydd yn hynny, roedd o wedi cysgu efo degau o ferched, puteiniaid gan amlaf, ac un neu ddwy arall hefyd, ond ddangosodd o ddim tamaid o barch tuag at y naill na'r llall. Am bron i ugain mlynedd roedd o wedi osgoi mynd yn rhy agos at neb. Wedi *gorfod* osgoi hynny.

* * *

Julia oedd ei allwedd i fywyd newydd. Roedd o wedi dechrau cael blas ar ei fwynhau ei hun eto; drwyddi hi y cafodd ailafael ar ei hyder a'i allu i ymlacio. Buasai wrth ei fodd yn cael ei phriodi. Roedd hi wedi rhyw hanner sôn unwaith y byddai'n fodlon cael ei blentyn, os oedd *o* eisiau hynny. Roedd o'n hoff iawn ohoni ac roedd hithau'n fodlon ufuddhau iddo; roedd hi'n dda yn y gwely hefyd a dyna pam eu bod nhw mor hapus efo'i gilydd. Ond allai o ddim mo'i phriodi hi. Allai o ddim mentro bod mor agos â hynny at neb — roedd hi wedi dechrau holi pam nad oedd arno eisiau bod yn ddinesydd Americanaidd. A dyna droi'r drol. Gallai hynny fod yn beryglus. Dogfennau, pobl yn tyrchio drwy'i orffennol, yn holi cwestiynau di-ben-draw. Doedd ganddo ddim dewis ond bod ar ei ben ei hun am weddill ei oes. Ac roedd *o*'n un o'r rhai lwcus.

Dim ond am hanner awr y bu hi'n ymbincio; ond rhoes hynny gyfle iddo wisgo a dechrau bodio drwy'r papur newydd. 'Karl?' gwaeddodd o'r llofft.

'Ia. Be' sy'?'

'Ty'd â wisgi a soda i mi.'

8

'Na. 'Ti 'di ca'l un yn barod. Ma' yfed yn magu rhycha ar dy focha di 'sti.'

''Ti'n gythral weithia! Dwi'n dechra poeni pan 'ti'n deud petha fel 'na. 'Sgen i'm rhycha, nac oes?'

'Mi fydd gen ti, os 'ti'n mynnu yfed mor gynnar â hyn.'

Daeth i lawr o'r llofft a phlygodd yntau ei bapur. 'Wna i'r tro?'

Roedd ganddi ffrog sidan felen amdani gydag anferth o ddiamwnt yn cau'r gwddw. Gweddai'r lliw i'w gwallt tywyll a'i llygaid brown i'r dim. ''Ti'n brydferth,' atebodd Karl. 'I le ydan ni'n mynd?'

Eisteddodd wrth ei ochr a thanio sigarét. 'Os ddeuda i, mi 'nei di 'gáu dŵad efo fi.'

'Ma'n siŵr. Wel, ella.'

'Wyt ti o ddifri pan 'ti'n deud 'mod i'n brydferth?'

'Ydw.' Gwenodd arni. Oedd, mi'r oedd o'n hoff ohoni. Gafaelodd yn ei llaw a'i gwasgu. 'Deuda wrtha i i le 'ti isio mynd.'

'I barti.'

'O, 'rarglwydd! Julia, 'ti'n gwbod na fedra i ddim diodda rhyw hen betha felly. Heidia o bobol a heb le'n y byd i ista. Parti pwy ydi o beth bynnag?'

'Ruth Bradford Hilton. Ma' hi newydd ddŵad yn ôl o India, efo gŵr newydd i'w chanlyn. Cyfla i bawb ga'l 'i gyfarfod o ydi'r parti 'ma. Mi fyddi di 'di gwirioni efo hi, ma' hi mor annwyl — ac ynta hefyd yn ôl pob sôn. A dydw inna ddim 'di gweld hi ers cantoedd — mi aeth hi am drip o gwmpas y byd ar ôl iddi ga'l ysgariad. Taro ar y gŵr newydd 'ma yn yr Eidal wna'th hi. Wedyn mi aeth y ddau i India efo'i gilydd. Yli, dwi'n mynd i'r parti, a dwi isio i chdi ddŵad efo fi. Cofia, ma'r Bradfords yn deulu pwerus a phwysig iawn yn Efrog Newydd. Mi ddylat ti'u cyfarfod nhw. Ac ma' brawd

9

Ruth a'i wraig i lawr hefyd. Yn Boston ma'n nhw'n byw ond bod gynnyn nhw fflat fach yma yn Efrog Newydd. Robert Bradford ydi o. Ma' gynnyn nhw dŷ yn y Bahamas hefyd ac yn Florida dwi'n meddwl — ma'n nhw'n drewi o bres beth bynnag! 'Ti'n siŵr o fod 'di clywad amdanyn nhw.'

'Naddo,' meddai. 'Ond dyna ni, dim ond Ewropead bach di-nod ydw i. Dydw i ddim yn rhy gyfarwydd â mawrion America!'

'Yna, mi ddylat ti fod,' meddai Julia. 'Ar 'u cefna nhw 'ti'n byw. Sbïa, ma' hi'n ugain munud i saith rŵan — ma' rhaid i mi fynd yno'n gynnar er mwyn ca'l gair efo Ruth. Ty'd yn dy flaen. Er 'y mwyn i. Dwi angan gŵr bonheddig i afa'l yn 'y mraich i.'

'Iawn,' ochneidiodd. 'Dim ond am dipyn.'

'Awr, 'na'r cwbwl,' meddai Julia. Ei gael o yno oedd yn bwysig. Roedd hi ar dân eisiau dangos i Ruth beth roedd hi wedi llwyddo i gael gafael arno ar ei rhiniog ei hun. Roedd o mor berffaith, yn rhy berffaith o lawer i golli gafael arno beth bynnag.

Ar ddeunawfed llawr un o dyrau carreg Park Avenue yr oedd fflat y Bradford Hiltons. Wrth i Karl a Julia ddynesu yn y lifft gallent glywed y sŵn yn byrlymu o'r parti. Edrychodd Karl arni dan wingo.

O fewn munudau roedden nhwythau'n rhan o'r sŵn. Gwasgodd Julia ei ffordd drwy'r gwesteion gan aros am ennyd bob hyn a hyn er mwyn gweiddi a sgrechian ar ffrindiau a chydnabod. Dilynodd Karl hi fel cynffon. Welodd o neb i weiddi arnyn nhw, felly beth arall allai o'i wneud.

'Ruth — cariad! Sut wyt ti? Dwi mor falch o dy weld di — a titha'n edrach mor dda hefyd!'

Roedd gan Mrs Ruth Bradford Hilton wyneb boch-goch hardd a chwerthiniad uchel; roedd hi'n fychan o gorffolaeth ac yn edrych yn llawer hŷn na'r rhan fwyaf o'i chyfoeswyr Americanaidd cyfoethog. Allai hi ddim bod fawr mwy na phump a deugain. Gallai Karl ei dychmygu hi'n mynd i saethu teigrod yn India neu'n croesi'r Sahara ar gefn camel efo pa ddyn bynnag roedd hi'n digwydd bod yn briod ag o, ac yn mwynhau pob munud o'i hantur hefyd. Roedd hi'n ymgnawdoliad o ddelwedd y ddynes Americanaidd ganol-oed, gyfoethog — yn wynebgaled a blaengar. Gallai olrhain ei llinach yn ôl at gyndadau gwyn America, ac er ei bod hi'n werth ei miloedd ac wedi ei gwisgo mewn ffrog ddrudfawr, roedd yr hen waed arloesol yn dal i lifo yn ei gwythiennau. Sais clên, crachaidd efo wyneb digrif oedd ei gŵr tawedog.

Trodd at Karl Amstat a'i lygadu'n ofalus. Roedd yntau'n ymwybodol iawn ei bod hi'n mesur ei hyd a'i led; yn categoreiddio cariad Julia. Roedd yn gas ganddo'i hagwedd nawddoglyd. Gwenodd arni a'i holi ynglŷn ag India.

"Lle bendigedig. Fuoch chi yno 'rioed, Mr Amstat?'

'Naddo,' meddai. 'A plîs, galwch fi'n Karl.'

'Karl. Chwara teg i chi! Wel, ma' rhaid i chi fynd yno. Efo'r Jam Singhs arhoson ni — wel 'dydi Aysha'n ffrind bora oes? Mi dreulion ni ha' cyfa efo'n gilydd yn Ewrop pan oeddan ni'n genod — hen gariad ydi hi — mi wyddoch sut rai ydi merched India — wel, doedd byw na marw gan George, ac ynta'n medru saethu mor dda, felly mi benderfynon ni fynd i aros efo'r Jam Singhs yn lle mynd ar fis mêl . . .' Siaradodd fel melin glep am hydoedd, gan dawelu ambell waith pan ddeuai rhyw beunes arall draw i'w chusanu neu i sgrechian rhes o ystrydebau am ei gwedd a'i dillad a'i gŵr. Ond dychwelyd at Karl a wnâi bob tro gyda thamaid arall o'r wledd yn India; disgrifiodd bob twll a chornel o'r palas;

broliodd sut roedd ei ffrind wedi dod yn rym pwerus yng ngwleidyddiaeth fregus India, a sut y saethodd ei gŵr a hithau deigrod yn farw. Roedd o wedi colli Julia. Doedd dim golwg ohoni yn unman. 'Ond dyna ddigon amdanan ni, Karl,' meddai Ruth yn sydyn, 'Be' ydi'ch hanas chi? Be' ydach chi'n 'i 'neud? Ac un o lle ydach chi? O'r Almaen, ia?'

'Na,' meddai. 'O'r Swistir. Pensaer ydw i, Mrs Hilton.'

Lledodd gwên lydan dros ei hwyneb euraidd. Roedd ganddi bersonoliaeth swynol. 'Rhaid i chitha 'ngalw i'n Ruth os ydw i am 'ych galw chi'n Karl. Dda gen i na George ddim rhyw hen lol — nac oes, cariad?'

Edrychodd ei gŵr yn dyner arni. 'Nac oes. Ddim o gwbwl.'

Doedd hwn ddim wedi ei phriodi hi am ei harian yn unig, meddyliodd Karl. Er, efallai, mai oherwydd hynny yr arhosai o efo hi hefyd.

'A phensaer ydach chi, felly — diddorol yntê. Ers faint ydach chi'n nabod Julia?'

'Dwy flynadd,' atebodd Karl ar ei ben. Oedd hi'n mynd i holi a oedden nhw'n byw efo'i gilydd? Roedd hi'r teip o ddynes i ofyn, os oedd hi eisiau gwybod.

'Dwi mor falch,' meddai. 'Ma' hi'n edrach yn well nag erioed. Hen gythral oedd 'i gŵr d'wetha hi — diolch byth 'i bod hi wedi gweld drwyddo fo. Ydach chi 'di priodi? George, galwa ar y gwas 'nei di, mae o'n mynd i gadw'r *champagne* ac ma' 'ngwydryn inna'n wag . . .'

'Nac ydw, dydw i ddim 'di priodi. Hen lanc ydw i. Un bodlon 'i fyd hefyd, ma' arna i ofn.'

Gwenodd arno eto. 'Digon o amsar i newid hynny. Dwi'n nabod Julia ers cantoedd. O, dacw 'mrawd a'i wraig. Damia, lle ma' George 'di mynd — na, peidiwch â mynd Karl, liciwn i i chi'u cyfarfod nhw. Robert,

cariad; Thérèse — Robert, dyma Karl Amstat.'
Ysgydwodd law efo Americanwr tal, golygus, ac yna
clywodd Ruth Hilton yn dweud, 'A dyma Thérèse
Bradford, fy chwaer yng ngyfra'th. Mr Amstat.'
Roedd y ddynes gwallt golau byr a'i chefn ato, yn
brysur yn siarad efo rhywun arall. Trodd ac estyn ei llaw
iddo. Edrychodd i fyw ei lygaid. 'Sut ydach chi,'
holodd. Ar ôl ugain mlynedd roedd o'n sefyll wyneb yn
wyneb â Thérèse Masson unwaith eto.

★ ★ ★

'Be' 'di d'enw di?'
'Mi wyddoch chi hynny. Ma'r papura gynnoch chi.'
Gwelodd Willi Freischer yn symud tuag ati.
'Na!' gorchmynnodd. 'Gad iddi.'
Dyna oedd dull Freischer o drin carcharorion. Taro
cyn dechrau holi. Dyrnio dynion a wnâi o. Eu cicio nhw
yn eu cefnau neu rhwng eu coesau. Taro merched.
Bonclust ar ôl bonclust nes bod eu trwynau nhw'n
gwaedu a'u gwefusau'n hollti. Os oedden nhw'n
meiddio'i ateb yn ôl, byddai'n eu dyrnio yn eu bronnau.
Roedd o'n syniad ardderchog gadael i'r ferch hon *weld*
Freischer, er mwyn iddi wybod beth i'w ddisgwyl petai
hi'n gwrthod helpu. Edrychodd arni'n gwbl ddigyffro; ei
waith o oedd bod yn dawel a chadw'r ddysgl yn wastad
rhwng dull y llarpiwr, cyhyrog o Gestapo a safai y tu ôl
i'w ddesg a'i ddull bonheddig yntau o holi.
Merch ifanc a arestiwyd wrth iddi ddod oddi ar y trên
o Lyons a safai o'i flaen. Roedd hi'n ymddangos yn
ifanc iawn, deunaw oed yn ôl ei phapurau. Petai hi heb
fod mor ofnus, mi fyddai hi'n brydferth. Roedd ofn yn
chwarae triciau efo'r wyneb, yn tynnu a melynu'r croen
ac yn dylu'r llygaid.
Roedd arswyd arni; gallai ddweud hynny oddi wrth y

13

modd y clymai ei dwylo am ei phennau gliniau. Roedden nhw'n crynu ac roedd hithau'n cloi ei chyhyrau er mwyn ceisio cuddio hynny. Dysgasai Alfred Brunnerman lawer am yr ymateb dynol i ofn a phoen yn y ddwy flynedd oddi ar iddo ymuno ag adran arbennig yr Heddlu Cudd. Asesu'r unigolyn oedd ei waith. Pwyso a mesur eu cryfder neu ddiffyg cryfder. Penderfynu faint o amser oedd ei angen i chwalu eu hamddiffynfa nhw. Os oedd ei ddull o'n methu, yna byddai'n anfon ei garcharorion i fyny i'r pedwerydd llawr at Willi Freischer. Roedd y ferch hon, Thérèse Masson, yn garcharor pwysig. Doedd hi ei hun ddim yn bwysig; wedi'r cwbl, doedd hi fawr mwy na negesydd. Ond roedd hi'n ddigon anffodus i fod yn gwybod rhywbeth oedd yn bwysig. Dyna pam mai ato fo, ac nid at Freischer, yr anfonodd y Cadfridog Knochen hi'n gyntaf. Roedd tuedd gan Freischer i fynd dros ben llestri; bu farw nifer o garcharorion o'i herwydd. Ac roedd gan Knochen ffydd yn nulliau deallusol Brunnerman hefyd; wedi'r cwbl, roedd ganddo doreth o lwyddiannau i'w enw oddi ar iddo ymuno â'r Gestapo yn 1940.

'Dy enw di ydi Thérèse Masson. Rwyt ti'n ddeunaw oed. Mi gest ti dy eni yn Nancy ar y deunawfed o Fehefin 1925. Rwyt ti 'di colli dy dad ac rwyt ti'n lletya efo Mademoiselle Jerome yn 22 Rue Bonnard. Dyna sy' ar y papur. Mi gewch chi fynd rŵan, Capten Freischer.'

Saliwtiodd Freischer a cherddodd o'r stafell. Syllodd ar y ferch wrth iddo gerdded heibio iddi. Roedd o'n gobeithio fod hon yn un o'r rhai cryf; roedd o'n ysu am gael gafael ynddi. Mi wnâi o'n siŵr y byddai'r ast yn gwingo. Roedd o'n ffieiddio llawer mwy at y Ffrancwyr nag at y Pwyliaid a'r Iddewon a phob hil arall israddol. Wyddai o ddim pam, efallai mai oherwydd eu

14

diwylliant cyfoethog neu oherwydd eu coginio aruchel neu efallai oherwydd fod pawb wedi gwirioni ar Baris ac yn siarad yn ddi-ben-draw am y lle, fel petai'r un ddinas arall yn bod. Er nad oedd o'n wrywgydiwr fel ei ddau gynorthwyydd, roedd o'n dal i fwynhau curo merched, yn arbennig merched o Ffrainc. Teimlai'n fileinig tuag atyn nhw am eu bod nhw i fod mor alluog, mor brydferth ac mor dda yn y gwely. Cerddodd allan a chau'r drws yn glep. Ddywedodd Brunnerman yr un gair. Trawodd nodyn ar ddarn o bapur ac yna pwyso'n ôl yn dawel yn ei gadair, fel petai o angen ennyd i feddwl.

Pleser fu gweithio i'r S.S. yn ystod y flwyddyn gyntaf. Roedd o'n mwynhau croesholi ysbïwyr ac oherwydd ei ddull deallusol o wneud hynny carlamodd o un dyrchafiad i'r llall. Yn wleidyddol, roedd ei deulu ac yntau'n gefnogwyr brwd i'r Natsïaid; apwyntiwyd ei dad yn Athro Athroniaeth ym Mhrifysgol Frankfurt wedi i'w ragflaenydd o Iddew ffoi o'r Almaen am ei fywyd. Roedd teulu Brunnerman yn perthyn i'r crach, ac fel pob mab arall i deulu o'r fath ymunodd yntau â'r S.S. Os oedd dyn yn dangos addewid, yna câi ei ddyrchafu. Gan ei fod yn weinyddwr medrus ac yn groesholwr penigamp, roedd Brunnerman yn gyrnol yn bedair ar hugain oed. Yn wahanol i Freischer a Natsïaid cynnar Bafaria, casâi greulondeb a mynnai fod camdrin corfforol yn ddianghenraid ac yn aneffeithiol. Yn ŵr ifanc astudiodd seicoleg ac athroniaeth a chafodd ei swyno gan theorïau gwyddonydd o Rwsia o'r enw Pavlov. Dadleuai Pavlov fod dyn yn cael ei reoli gan gyfres o negeseuon gan y nerfau ac y gellid newid hyn drwy ymyrryd â'r ymennydd. Ymhelaethu ar hyn a wnaeth Brunnerman a chredai fod modd gwneud hynny heb arteithio carcharorion yn gorfforol. Profodd hynny dro ar ôl tro gyda phobl debyg i'r ferch a eisteddai o'i flaen yn awr.

Casâi greulondeb o bob math a ffieiddiai wrth ei gydweithwyr am beidio ag arfer dulliau eraill o groesholi. Roedd curo a chicio yn diraddio pawb. Yn anffodus, roedd y dulliau hynny'n boblogaidd ymysg Gestapo Paris a chorddai perfeddion Brunnerman fwyfwy wrth weld y fath gam-drin. Roedd croesholi Thérèse Masson yn mynd i fod yn fwy anodd nag arfer. Daethpwyd â hi'n syth i bencadlys y Gestapo ar yr Avenue Foch. Fu hi ddim ar gyfyl carchar budr, gorlawn Frenses yn gyntaf. Carchar yn byrlymu o ferched wedi eu cyhuddo o bob trosedd dan haul, o buteindra i lofruddiaeth. Roedd hi'n llawer haws i Brunnerman gael y gwir gan ferched oedd wedi treulio diwrnodau dirifedi yn Frenses cyn dod i'r Avenue Foch. Roedd y rheini ar lwgu. Cynigid pryd o fwyd iddyn nhw'n gyntaf. Gwledd hyd yn oed. Ar ôl llowcio hwnnw roedden nhw un cam yn nes at ildio. Roedd hi'n bwysig fod y merched yn fudr a blêr hefyd. Gallai gwisg lân wneud byd o wahaniaeth i agwedd feddyliol a hyder merch. Roedd hi'n anodd bod yn ddewr mewn dillad budron, drewllyd, llawn chwain. Doedd pethau ddim mor hawdd efo dynion, doedden nhw ddim fel petaen nhw'n poeni am eu delwedd.

Treuliodd Thérèse Masson y noson mewn cell yn y seler, efo dyn S.S. yn ei gwylio rhag ofn iddi geisio gorwedd neu gysgu. Gwnaethpwyd iddi sefyll yn syth yn erbyn wal am deirawr. Edrychodd Brunnerman arni eto; edrychodd hithau drwyddo, ond roedd ofn yn bradychu ei hwyneb digyfaddawd. Roedd hi'n hynod o brydferth; bechod iddi erioed gyrraedd yr Avenue Foch, meddyliodd. Petai o wedi cyfarfod â hon mewn parti byddai pethau wedi medru bod mor wahanol.

'Rŵan, mademoiselle. Dwi 'di hel Capten Freischer o 'ma er mwyn i ni ga'l sgwrs fach. Sigarét?'

'Na,' atebodd Thérèse Masson. 'Peidiwch â gwastraffu'ch amsar. Ddeuda i ddim byd wrthach chi.'

Gwenodd arni wrth iddo danio'i sigarét ei hun. "Sdim rhaid i chdi fod yn ymosodol efo fi; dydw i ddim yn mynd i dy frifo di. Gwiriondeb ydi peidio cymryd sigarét — 'ti'n mynd i fod yma am sbel. 'Ti isio bwyd? Ond ella dy fod ti 'di ca'l tamad o rwbath ar y trên ar y ffordd 'nôl o Lyons, brechdan ella — pwy ofynnodd i ti fynd i Lyons?'

'Neb,' atebodd y ferch.

Wnaeth hi ddim hyd yn oed gymryd arni fod yn onest. Syllodd arno fel llygoden mewn trap. Syllu gyda'i llygaid mawr brown. Rhyfedd fod ganddi lygaid mor dywyll a gwallt mor olau hefyd. Ar ôl rhyw awr o groesholi byddai'r rhan fwyaf o'i garcharorion yn rhegi a phoeri ato; y merched yn gweiddi a sgrechian er mwyn chwalu'r awyrgylch gartrefol roedd o'n llwyddo i'w greu. Ond roedd hon yn mynd i fod yn wahanol, roedd hon yn mynd i ymladd am ei fod o'n ymddwyn yn groes i'r graen. Doedd o ddim yn ei bygwth na'i tharo hi. Roedd o'n hamddenol, bron â bod yn gyfeillgar. 'Faint ydi dy oed di?' holodd yn sydyn.

'Mi wyddoch chi hynny. Ma'r papura gynnoch chi,' atebodd hithau.

'Deunaw,' meddai Brunnerman. "Ti'n rhy ifanc i fod yn rhan o hyn. Allan efo dy gariad y dylat ti fod heno. Allan yn mwynhau dy hun.'

"Sgen i'm cariad,' meddai. 'Rydach chi 'di gneud yn siŵr o hynny. 'Di mynd â phob dyn ifanc o 'ma i weithio ne' i farw.'

Anwybyddodd ei geiriau. 'Mi est ti i Lyons er mwyn rhoi neges i ddyn yn y Café Madeleine ar Rue

Castigilione,' meddai. 'Dyna ti'n ista wrth fwrdd ac
ynta'n dŵad i ista wrth dy ochor di, yn cymryd arno'i
fod o'n dy ffansïo di. Mi est ti i ista wrth fwrdd arall,
ond mi adewist ti ddarn o bapur dan dy blât iddo fo. Ar
ôl gorffen dy ginio, mi est ti am dro o gwmpas y dre
cyn mynd am y trên yn ôl i Paris. Dyna be' 'nest ti. Pan
ddangosist ti dy docyn yn y Gare de Lyons mi gest ti
d'arestio ac mi dda'th yr heddlu â thi yma. 'Ti isio
gwbod sut dwi'n gwbod hyn i gyd?'

'Nac oes,' meddai. ''Sgen i'm isio gwbod dim.'

Rhoddodd ei dwylo y gorau i fwytho'i phen-glin.
Gafaelodd yn dynn yn ochr ei chadair.

''Ti'n mynd i ga'l gwbod beth bynnag,' meddai. 'Ma'
gen ti hawl i wbod. Ca'l dy fradychu 'nest ti. Roedd 'na
un o'n dynion ni yn disgwyl yn y Café Madeleine — mi
welodd o ti'n cyfarfod â dy ffrind, yn gada'l negas iddo
fo. Mi arestiwyd dy ffrind fel roedd o'n gada'l y lle. Mi
wn i am bob dim 'nest ti; roeddan ni isio dy holi di yma
ym Mharis, dyna pam y cest ti lonydd i ddŵad yn ôl ar
y trên. Ma' dy ffrind di'n ca'l 'i holi yn Lyons rŵan. Dwi
am ffonio i weld faint mae o 'di agor ar 'i geg.'

'Fydd o ddim 'di deud dim,' meddai Thérèse
Masson. ''Sdim rhaid i chi ddeud celwydda wrtha i.
'Sgen i'm mymryn o'ch ofn chi.' Pwysodd yn erbyn cefn
ei chadair; roedd ei chorff yn gwingo o flinder.

Cododd Brunnerman y ffôn a siarad yn Almaeneg.

''Sdim rhaid i ti fod f'ofn i,' meddai. 'Wna i ddim mo
dy frifo di, dwi 'di addo hynny. Ond mi ddylat ti fod ag
ofn Capten Freischer.'

Roedd hi'n anodd ca'l drwodd i Lyons; triodd eto gan
danio sigarét arall. Dyma ran gyntaf y cynllun. Roedd
rhywun yn siŵr o fod wedi rhybuddio'r ferch o'i
thynged petai hi'n cael ei dal. Roedd hi'n disgwyl
creulondeb a cham-drin, yn barod i ddioddef; yn barod

18

i ddal ei thir. Roedd hyd yn oed y rhai corfforol wan yn gryf yn feddyliol, yn fodlon cyrraedd y bedd cyn agor eu cegau. Doedd ysbryd Thérèse ddim yn mynd i fod yn hawdd i'w dorri, ond roedd hi'n dechrau gwanio, yn plygu fymryn dan yr amgylchiadau annisgwyl. A gwyddai fod rhywun wedi ei bradychu, rhywun wedi ei thaflu i ganol ffau'r llewod — a'r rhywun hwnnw'n ffrind, nid gelyn. Ac roedd y dyn yn Lyons yn cael ei holi hefyd. Faint roedd o wedi'i ddweud — pa mor ddewr oedd o'n medru bod? Doedd ei hunllef hi ond megis dechrau. Roedd o wedi llwyddo i gorddi ei meddwl yn barod, wedi ei bygwth heb iddi sylweddoli hynny'n iawn. 'Ond mi ddylat ti fod ag ofn Capten Freischer.' Nid rhywbeth i'w ruthro oedd cynllun Brunnerman, roedd treiddio i'r meddwl yn cymryd amser, ond unwaith y llwyddai . . . Roedd y theori'n syml, ond y gweithredu'n anodd. Un bradwr ofnus yn ceisio cuddio'i gyfrinachau. Ei adael i hel meddyliau, gwrthod gadael iddo orffwys na bwyta er mwyn ei wanio'n gorfforol, lladd ei hunan-barch a'i fygu â bygythiadau o'r erchyllterau i ddod. Yna ei daflu i freichiau holwr clên, bron yn garedig; yntau'n hollti o gasineb ar ôl ei driniaeth, ond yn ddiarwybod byddai'n neidio am y caredigrwydd ac yn dechrau dibynnu arno. Roedd hi'n hanfodol fod y carcharor yn dechrau dod i adnabod ei holwr, dyna pam mai un dyn oedd wrth y llyw, nid tîm o holwyr. Roedd straen aruthrol ar yr holwr ond doedd dim modd osgoi hynny. Yna pan fyddai'r carcharor yn dibynnu'n llwyr arno, byddai'r holwr yn newid drwyddo; y caredigrwydd yn troi'n gasineb. Byddai'n bygwth ei ysglyfaeth, bygwth cael rhywun arall i wneud yr holi. Freischer a'i debyg fyddai'r rhywun hwnnw, dyn y byddai'r carcharor eisoes yn ei gysylltu â chreulondeb ac artaith. Dim ond

19

ddwywaith yn ei yrfa yr oedd Brunnerman wedi methu â chael ei garcharor i ildio o dan y fath fygwth. Cafodd nifer o'r rhai a ildiodd iddo swyddi efo'r Gestapo wedi hynny.

O'r diwedd cysylltwyd o â phencadlys y Gestapo yn Lyons. Dim newyddion hyd yn hyn. Roedd eu carcharor nhw'n cael ei holi gan eu dyn gorau. Byddai'n siŵr o ildio cyn nos. Rhoddodd Brunnerman y ffôn i lawr. 'Ma' dy ffrind yn Lyons wedi bwrw'i fol,' meddai. 'Ond dydi o ddim yn gwbod enw'r cysylltwr ym Mharis. Chdi ŵyr hynny medda fo.'

'Rhaffu clwydda mae o,' meddai. 'Dydw i'n gwbod dim.'

'Yli, wa'th i ti heb â chwara mig efo fi. Fo ydi'ch pennaeth chi ym Mharis ac mi wyt ti'n gwbod pwy ydi o. Dwi'n gwbod dy fod ti'n gwbod. A dyna'r cwbwl dwi isio'i wbod. Deud fuasai ora i ti. Y gora yn y pen draw beth bynnag.'

Dywedodd hynny gydag arddeliad ac am y tro cyntaf gwelodd Thérèse ddyn, nid anghenfil, o'i blaen. Roedd y ddau tua'r un oed; efallai, o dan amgylchiadau gwahanol, mewn lle gwahanol, y gallai'r ddau fod wedi peidio â bod yn elynion.

Gwnaeth ymdrech flinedig i wthio'i gwallt o'i llygaid; roedd deunaw awr wedi llithro heibio oddi ar iddi hi gael ei harestio a threuliodd y rhan fwyaf ohonyn nhw'n eistedd ar fainc galed ac yn cael ei gorfodi i sefyll rhag ofn iddi gael cyfle i gysgu. Chawsai hi ddim tamaid i'w fwyta oddi ar iddi adael Lyons; gwyddai yntau'n iawn nad oedd bwyd yn cael ei werthu ar y trên. Prin ddigon o fwyd roedd y Ffrancwyr yn ei gael fel roedd hi. Naw o'r gloch y bore, a'r diwrnod yn ymestyn fel tragwyddoldeb o'i blaen hi.

'Waeth i chi gael gwbod rŵan ddim. Dydw i ddim am

ddeud yr un gair wrthach chi, felly er 'yn mwyn ni'n dau, gnewch be' 'dach chi isio'i 'neud i mi rŵan a gorffen â hi. Gwastraff amsar ydi chwara rhyw hen gêma gwirion.'

'Be' 'ti'n feddwl be' dwi isio'i 'neud i chdi?' meddai dan agor botymau ei gôt. 'Be' 'ti'n ddisgwyl i mi'i 'neud? Dy gam-drin di?'

Cododd ei hysgwyddau; gwisgai gôt a sgert a chrys gwyn; roedd hi'n denau, efo coesau prydferth. 'Dyna sy'n digwydd fel arfar yntê.'

'Ddim mor aml â hynny,' meddai Brunnerman. 'Dim os oes gen i rwbath i' 'neud â'r peth; dim i ferched. Dydan ni'r Almaenwyr ddim yn ddrwg i gyd 'sti. Dynion cyffredin efo gwragedd a chwiorydd ydan ninna, dynion sy'n gorfod gneud gwaith anodd o dan amgylchiada anodd rhyfal. Dydw i ddim yn mwynhau holi dy berfadd di a titha bron â marw isio cysgu. Dwi'n mynd i ga'l panad o goffi.'

Cododd y ffôn a gofyn am goffi a daeth dyn S.S. drwodd yn cario hambwrdd efo dwy gwpan arno. Estynnodd Brunnerman un o'r cwpanau iddi.

'Waeth i ti yfed hwn ddim,' meddai. 'Mi cadwith di'n effro.'

Cymerodd y gwpan o'i law. Gweodd yr aroglau coffi ffres ei ffordd i'w ffroenau. Heb edrych arno na dweud gair, trodd y gwpan ben uchaf yn isaf a thywallt y coffi ar lawr. Aeth yntau'n ôl i eistedd wrth ei ddesg. 'Dyna beth gwirion i' 'neud. Pam 'nest ti hynna?' meddai mewn llais a awgrymai ei bod hi'n ymddwyn fel plentyn anystywallt.

'Fedrwn i mo'i yfed o. Fedra i ddim fforddio cymryd dim byd gynnoch chi. Dwi'n gwbod be' ydach chi'n drio'i 'neud, ond fedrwch chi ddim.'

'Be' ydw i'n drio'i 'neud? Trio dy ga'l di i ddeud

rhwbath wrtha i — rhwbath 'ti'n siŵr o'i ddeud yn hwyr ne'n hwyrach. Dwi'n trio dy ga'l di i ddeud heb orfod dy arteithio di. Mi fuasai'n helpu ni rŵan yn gneud bywyd yn llawar iawn haws i ti. 'Ti'n dechra ffwndro — dwi'n deall hynny. Mi oeddat ti'n disgwyl i'r Gestapo fod yn ffiaidd ac yn fileinig. Ond nid rhai fel 'na ydan ni i gyd. Ma'n gas gen i guro a chicio pobol, yn arbennig curo a chicio merched.'

Doedd o ddim wedi bwriadu dweud hynny. Methu â chlymu ei dafod yn ddigon buan wnaeth o. Casâi Freischer a'i debyg. Roedd o wedi gweld gormod o ddynion dewr y gelyn yn cael eu harteithio a'u hanafu, yn cael eu gorfodi i siarad drwy ddulliau annynol. Roedd hynny'n codi cyfog arno. Prin oedd y merched a driniwyd felly, ond mi welodd o hynny hefyd. Roedd gwylio'u gwewyr yn brofiad erchyll o ysgytwol. Ond roedd gwylio'i ddynion ei hun yn ymddwyn fel anifeiliaid yn fwy erchyll fyth. Ymfalchïai Brunnerman yn ei broffesiynoldeb ei hun ac yn ei allu i gadw carcharor hyd braich. Gwaith oedd hyn iddo ac roedd o'n gallu'i wneud yn hynod effeithiol. Lleddfai rywfaint ar ei gydwybod drwy ddweud wrtho'i hun mai gwaith glân, gwyddonol oedd chwalu amddiffynfa feddyliol dyn arall.

Ar ôl dod i Baris fe'i gorfodai ei hun i hel mwy a mwy o esgusion am ei waith. Dim ond drwy esgusion y gallai ddygymod ag erchyllterau'r pedwerydd llawr. Llwyddodd i ddygymod â'r rhan fwyaf o'i waith; medrai dderbyn beth oedd yn digwydd i'r dynion, ond roedd meddwl am y merched yn hunllef. Fedrai o mo'u casáu nhw fel y gwnâi Freischer. Fedrai o ddim meddwl am rywun fel Thérèse Masson yn nhermau iaith aflan a thamaid o bleser cnawdol. Dynes oedd dynes, boed Ffrances neu Almaenes. Roedd yn rhaid iddo ddweud wrthi hi eto, er ei fwyn ei hun yn gymaint ag er ei mwyn hi.

'Dwi'n mynd i dy orfodi di i ddeud wrtha i pwy anfonodd di i Lyons. Dydw i ddim am dy frifo di na gadael i neb arall 'neud chwaith. Ma' hi'n hannar awr 'di naw rŵan. Be' am ddechra o'r dechra eto. Be' 'di d'enw di? Faint ydi d'oed di? Lle cest ti d'eni?'

Syllodd ar y cloc ar ei ddesg. Roedd hi'n ddau o'r gloch y bore. Bu hi'n syllu arno ers dwy awr er mwyn gwneud yn berffaith siŵr nad oedd hi'n dechrau siarad. Atgoffai cas derw'r cloc hi o fwrdd yn nhŷ ei mam yn Nancy. Derw oedd hwnnw hefyd. Roedd Brunnerman wedi bod yn ei holi am oriau meithion; aeth allan o'r stafell ddwywaith yn ystod y dydd, gan adael dyn S.S. i'w gwarchod. Chododd hi ddim oddi ar ei chadair, ddim hyd yn oed i yfed ei gwydraid o ddŵr. Syllodd ar bob twll a chornel o'r stafell yn eu tro, er mwyn gorfodi ei meddwl i aros yn effro ac i ymladd ei blinder corfforol.

Aeth ei meddwl ar grwydr. Roedd gan Brunnerman swyddfa hardd; y to wedi ei addurno a'r carped yn goch a dyfn. Bechod bod yna staen coffi arno fo! Thérèse Masson wnaeth hynna — mae hi wedi marw rŵan, mi gafodd hi ei churo a bu hi farw. Cafodd cyrnol y Gestapo lond bol arni hi ar ôl iddi hi daflu'i choffi ar lawr. Mi anfonodd o hi at y capten cas hwnnw oedd wedi taro'i ben heibio i'r drws tua hanner nos. Hwnnw gafodd ei hel oddi yno. Roedd hi'n anodd credu bod dyn yn medru gwneud i rywun grynu'n ddireol dim ond wrth daro'i ben heibio i'r drws a syllu. Roedd o'n dal i ddisgwyl amdani hi. Cronnai dagrau yn ei llygaid wrth feddwl am hynny, ond feiddiai hi ddim crio chwaith. Doedd hi ddim am ddweud wrth y cyrnol pwy oedd wedi ei hanfon i Lyons. Doedd hi ddim yn fradwraig.

Ailadroddodd hynny dro ar ôl tro yn ei phen er mwyn trio cadw'i meddwl yn effro.

Roedd Raoul yn hen gyfaill i'r teulu. Dyn dewr oedd Raoul a rhybuddiodd hi droeon am y peryglon o fod yn negesydd. Roedd o'n hen lawiau efo'i thad cyn i hwnnw fynd i'r rhyfel a chael ei ladd yn 1940. Doedd hi ddim yn mynd i yngan gair wrth neb am Raoul. Roedd golwg flinedig ar yr Almaenwr hefyd. Roedd wedi tynnu ei gôt a'i dei ers meityn ac edrychai'n ieuengach hebddynt, bron yn gyfeillgar. Holodd yr un cwestiwn droeon a hynny heb godi ei lais unwaith. Holodd gwestiynau eraill hefyd, holi amdani hi, holi am bethau y tu hwnt i fyd creulon rhyfel. Atebodd hithau'r cwestiynau hynny'n ddifeddwl. Ond ddylai hi ddim fod wedi gwneud hynny. Peidio â dechrau siarad, peidio ag ateb yr un cwestiwn, rhag ofn ateb gormod. Gwyddai hynny'n iawn, dyna oedd cyfarwyddyd y fyddin gudd i'w haelodau. Ond yn ystod yr oriau di-ben-draw o holi llithrodd hynny o'r cof. Dechreuodd siarad efo'r Almaenwr a gadael iddo yntau siarad efo hithau. Adrodd hanes ei deulu a'i aelwyd wrthi; dechreuodd hithau ddweud hanes ei mam a'i chartref yn Nancy. Yn sydyn roedd o'n sefyll wrth ei hochr. Neidiodd. Mae'n rhaid ei bod hi wedi cau ei llygaid am eiliad. Rhoddodd ei law ar ei hysgwydd. Dyna'r tro cyntaf iddo'i chyffwrdd.

'Sigarét?'

'Na. Dwi ddim yn smocio.'

'Wyt, Thérèse. Roedd yna baced o sigaréts yn dy fag di. Pam na roi di'r gora i gwffio? Dim ond trio helpu ydw i.'

Yn sydyn, dechreuodd grio. Claddodd ei hwyneb rhwng ei dwylo wrth i'r dagrau bowlio a'i chorff ysgwyd yn ddireol. 'Dydach chi ddim yn trio'n helpu i! Trio

24

'ngha'l i i fradychu ffrind ydach chi — 'dach chi'n waeth
na'r captan ffiaidd 'na sy'n mynnu syllu arna i. Anifail
ydi o, ond mi ydach chi'n rhagrithiwr, yn trio'ch gora
glas i 'nhwyllo i!'

Sychodd ei llygaid efo'i chledrau budron. 'Dyma
chdi.' Cymerodd y ffunen o'i law cyn iddi sylweddoli
beth roedd hi'n ei wneud. Criodd yn ddireol. Allai hi
ddim peidio. Estynnodd Brunnerman gadair ac eistedd
wrth ei hochr. Eistedd i ddisgwyl.

Dyma ddechrau'r diwedd. Rhyfeddai yntau at ei
ryddhad ei hun. Fel hithau, roedd o wedi ymlâdd hefyd.
Dyrnai cur yn ei ben ac roedd blas coffi'n boddi ei geg.
Roedd hon yn ferch gref, a dewr hefyd, wedi brwydro'n
galed yn ei erbyn, ond roedd o'n falch o'i gweld hi'n crio
o'r diwedd a hynny er ei mwyn ei hun yn fwy na dim
arall. 'Dyna ni,' meddai'n dawel. 'Dyna ddigon. Cymer
hon.'

Rhoddodd y sigarét yn ei cheg a thynnu'r mwg i'w
hysgyfaint. Roedd hi'n brydferth er gwaethaf y llygaid
cochion. Estynnodd ei law tuag ati a chyffwrdd â'i
braich. Edrychodd hithau arno. Gwelodd ei lygaid yn
pefrio am eiliad.

'Dyna ydach chi isio? Isio cysgu efo fi, Cyrnol?'

Sylweddolodd Brunnerman ei bod hi wedi taro'r
hoelen ar ei phen. Trio cuddio hynny rhagddo'i hun
roedd o. Roedd o wedi bod yn meddwl am gysgu efo hi
ers oriau. Syllodd arni, heb ddweud yr un gair. Roedd
ofn yn ei llygaid.

'Dim ond deud 'i enw fo sy' isio i ti ac mi gei di fynd,'
meddai. 'Mi a' i â ti adra'n hun. Dy ddewis di fydd
cysgu efo fi. Does dim rhaid i ti. Dwi'n addo peidio â
cham-drin dy ffrind di hefyd. Mi geith ynta'r un
driniaeth ag wyt ti 'di ga'l. Be' 'di enw fo, Thérèse?'

'Paid,' gwaeddodd. Cododd a dianc o'i gyrraedd.

Safodd yn stond yng nghanol y stafell. Doedd dim dianc.

'Faint o ferched sy'n cytuno i gysgu efo chi?'

'Mwy na fuasat ti'n feddwl. Dydi pawb ddim cyn ddewred â chdi. Ond does a wnelo dewrder ddim â'r peth rŵan, nac oes? Synnwyr cyffredin ydi o. Dydw i ddim yn elyn bellach, darpar gariad ydw i.' Cododd a sefyll wyneb yn wyneb â hi. Gwyddai beth oedd yr ofn yn ei chalon. Roedd arni ei hofn ei hun yn ei gwmni o. Roedd hynny'n codi mwy o awydd byth arno.

Gafaelodd ynddi a'i charcharu rhwng ei freichiau. Gwasgodd ei chorff yn dynn yn erbyn ei gorff yntau.

'Fi ydi'r unig ffrind sgen ti. 'Ti'n gwbod hynny. Fedri di ddim mo 'nghasáu i. 'Ti isio mynd adra rŵan, isio anghofio am yr hunlla 'ma. Ond dydi petha ond megis dechra. 'Ti 'di gweld Freischer; ond wyddost ti be' mae o'n 'i 'neud i ferched? Wel, mi ddeuda i wrthat ti — ma' rhaid i mi ddeud wrthat ti. Er mwyn i ti ga'l dewis y gora o ddau ddrwg.'

A'i eiriau'n byrlymu o'i geg crafangodd hithau amdano'n dynn.

'Fedra i ddim mo dy gadw di yma fawr hirach,' meddai. 'Ma'r bobol bwysig isio canlyniada; does gynnon ni fawr o amsar ar ôl. Rydan ni isio gwbod pwy ydi o a be' mae o'n 'i 'neud. Mi ddeudi di wrth Freischer; dwi 'di gweld dynion yn eu hoed a'u hamsar yn sgrechian eu hatebion mewn ofn o'i flaen o. Mi fydd yn rhaid i ti ddeud wrtho fo. Er dy fwyn dy hun deuda wrtha i'n gynta, fel y medra i d'achub di.'

'Fedra i ddim, fedra i ddim . . .' Fe'i clywai ei hun yn ailadrodd hynny, wrth i gynhesrwydd a chryfder ei holwr foddi ei chorff. Doedd hi ddim yn ei gasáu o; roedd hi'n anodd sylweddoli pwy a beth roedd o'n ei gynrychioli. Dyn oedd o wedi'r cwbl, ei hallwedd i ddianc. Gallai fynd â hi oddi yma. Roedd hi wedi ymladd cyhyd ag y gallai, wedi trio anwybyddu'r tragwyddoldeb o gaethiwed o'i blaen. Roedd yr anifail o gapten efo'r dwylo mawr cyhyrog a'r llygaid annaearol yn mynd i'w chipio hi y tro nesaf. 'Fedra i ddim deud, paid â gneud i mi ddeud . . . plîs, paid â gneud i mi ddeud.'

'Paid â gneud i minna d'yrru di i fyny'r grisia,' meddai. 'Er 'yn mwyn i, paid â gneud i mi 'neud hynny i ti.'

'Be' 'di'r ots gen ti amdana i?'

'Dwi 'di deud wrthat ti, dwi'n dy licio di.'

Fo oedd y meistr; roedd o'n medru dal ei chorff hi'n dynn yn erbyn ei gorff o'i hun. Gwnâi'n siŵr ei bod hi'n teimlo'i ddynoldeb yn curo'n ei herbyn a theimlo mai fo oedd wedi ennill. Roedd hi ar fin ildio, diolch i'w waith celfydd. Buddugoliaeth bersonol arall iddo, buddugoliaeth gwerth ei hennill. Edrychodd ar ei hwyneb gwelw, ofnus. Syllodd y llygaid duon yn ôl arno yntau gan bledio a chrio. Gwyddai ei bod wedi colli; roedd hi'n mynd i ildio am ei fod o wedi manteisio ar ei benyweidd-dra, wedi gwneud iddi sylweddoli nad oedd hi'n ddilychwin. Medrai ymateb i'r gelyn er gwaethaf ei hargyhoeddiad. Roedd hi'n mynd i gysgu efo fo, nid o ofn ond o drachwant. Gwyddai ei bod hi eisiau cysgu efo fo, gallai deimlo hynny yn y ffordd roedd ei chorff yn toddi i siâp ei gorff o; ac roedd ei llygaid hefyd yn bradychu ei hawydd. Fe oroesai hon ei brad; dôi i feddwl y byd ohono fo a byddai'n ddiolchgar iddo fo hefyd. Roedden nhw'n mynd i fwynhau cwmni'i gilydd. Fe gadwai yntau at ei air a'i hachub o'r Avenue Foch a dweud wrth ei gadfridog ei bod hi am weithio i'r Gestapo. Efallai y byddai hi'n gwneud hynny p'run bynnag ar·ôl pythefnos yn ei gwmni. Ac mi fyddai ei gydwybod yntau'n dawel; byddai parchu hon rywsut yn gwneud iawn am gam-drin y lleill.

Gallai anghofio am y ddynes ganol-oed a glymwyd ar fwrdd yn stafell Freischer; anghofio ei bod hi'n sgrechian fel anifail wrth i'r milwyr anfon llif o drydan drwy ei chorff bregus. Gallai anghofio am arteithio a cham-drin y Sais dewr hwnnw a wrthododd ddweud yr un gair wrthyn nhw, nes iddo gael ei holi gan un o'i ddynion o'i hun — gan fradwr. Medrai ddygymod â'r ffaith fod ei gydweithwyr yn fwystfilod gwyrdroëdig yn gweithio dan gyfarwyddyd llywodraethwyr annynol; llywodraethwyr a boenai fwy am ganlyniadau nag am ddulliau holi. Medrai anwybyddu hyn i gyd a dal i weithio — bod yn aelod o'r Gestapo a bod yn ddyn; dim ond iddo achub Thérèse Masson.

'Dros bwy est ti i Lyons?' Gafaelodd yn ei hwyneb efo un llaw, gan ei thynnu tuag ato. Caeodd ei llygaid wrth i'w dagrau lifo'n nentydd i lawr ei bochau. 'Deuda wrtha i. Pwy oedd o?'

Canodd y ffôn. Wrth i'r gloch ganu, gwaniodd ei afael arni. Roedd hi'n brwydro'n ôl eto. Gollyngodd hi ac aeth i ateb y ffôn.

Y Cadfridog Knochen oedd eisiau gair efo fo.

'Ydi'r hogan Masson 'na gynnoch chi o hyd.'

'Ydi, Syr. Dwi . . .'

'Siaradodd hi byth?'

Cyfarthodd y llais dros y gwifrau. Gallai Brunnerman ddychmygu Knochen yn eistedd wrth ei ddesg, yn sgrifennu nodiadau yn ei ysgrifen traed brain. Anaml iawn roedd Knochen yn gwylltio, ond gwarchod y byd pan wnâi.

'Ddim eto, syr, ond unrhyw funud rŵan.' Ac er gwaethaf y perygl, ni allai Brunnerman ei rwystro'i hun

rhag ychwanegu, 'Mi faswn i 'di gorffen efo hi heblaw
'ych bod chi 'di ffonio'.

'Rydach chi 'di ca'l pedair awr ar ddeg yn barod,'
gwaeddodd Knochen. 'Hen ddigon o amsar. Gyrrwch
hi i fyny'r grisia at Freischer. Gawn ni weld be' fedr o'i
'neud.'

Neidiodd dafnau o chwys oddi ar dalcen
Brunnerman. 'Hannar awr arall, dim ond hannar awr.
Ma' hi ar fin ildio — dwi'n addo.'

'Dim eiliad arall.' Bu ennyd o dawelwch llethol. 'Be'
ddiawl ydach chi'n 'i 'neud beth bynnag? Pam yr holl lol
ynglŷn â'r hogan yma? Gyrrwch hi at Freischer,
Brunnerman. Rŵan!' Clywodd Brunnerman Knochen
yn hyrddio'r ffôn i lawr. Roedd Thérèse Masson yn
eistedd ar ei chadair eto; yn clymu ei dwylo am ei phen-
glin ac yn edrych ar ei thraed. Cerddodd ati a sefyll o'i
blaen.

'Cwyd!'

Ufuddhaodd, a gallai Brunnerman weld ei bod hi'n
gwbl ddedwydd eto. Roedd o'i hun yn crynu. 'Fy
mhennaeth i oedd hwnna. Isio gwbod a oeddat ti wedi
cydweithredu. Roedd yn rhaid i mi ddeud y gwir. Mi
'nes i ofyn am 'chwanag o amsar, ond doedd o ddim yn
fodlon. Ma'n nhw'n dŵad i dy nôl di, Thérèse. Er
mwyn y nefoedd, deuda wrtha i cyn iddyn nhw
gyrraedd!'

Ysgydwodd ei phen. 'Na. Fedra i ddim.'

'Yr ast fach wirion!' Gwaeddodd arni'n wyllt. Yna
rhoddodd gelpan iddi. Y tro cyntaf iddo daro neb oddi
ar iddo ymuno â'r S.S.

'Deuda wrtha i!'

Disgynnodd i'w chadair gan lapio'i phen yn ei
breichiau er mwyn ceisio'i hamddiffyn ei hun.
Rhoddodd o'r gorau i'w tharo a throi ei gefn ati.

29

Cerddodd yn ôl at ei ddesg a thrio tanio sigarét arall. Roedd ei law o'n crynu ac yntau'n methu dal y fflam yn llonydd. 'Ma'n ddrwg gen i,' meddai. 'Thrawais i neb 'rioed o'r blaen.'

'Paid â phoeni.' Roedd pellter rhyngddyn nhw nawr a llwyddodd i wenu arno. Roedd y carped coch fel môr rhwng y ddau.

'Profi dy fod ti'n deud y gwir oeddat ti mewn rhyw ffordd fach ryfadd. Dyna pam roist ti gelpan i mi. Dyna oedd dy gyfla ola di.'

'Meddwl pob gair.' Doedd o ddim yn flin mwyach. Teimlai'n gwbl wag. 'Cymer gyngor gen i. Paid â thrio bod yn ddewr. Paid â gwylltio Freischer. Deuda wrthyn nhw ar d'union.'

Crynodd y drws; agorodd a cherddodd dau ddyn S.S. i mewn a saliwtio. Cododd Thérèse ei dwylo at ei hwyneb mewn ofn. Gwelodd Brunnerman hi'n codi ar ei thraed heb i neb ofyn iddi.

'Ma' Capten Freischer yn barod am Masson, Cyrnol.'

'Ewch â hi.' Gwrthododd Brunnerman adael iddo'i hun edrych arni hi.

Cerddodd Masson rhwng y ddau a chyn iddi fynd trwy'r drws trodd yn ei hôl. 'Peidiwch â phoeni,' meddai. 'Os gwrthodais i ddeud wrthach chi, ddeuda i byth wrth neb arall.' Yna caeodd y drws yn glep a chlywodd Brunnerman y lifft yn rhygnu i fyny i'r pedwerydd llawr.

*   *   *

Un golau bychan, gwan oedd yn y stafell ac wrth iddi agor ei llygaid gallai ei weld yn siglo'n araf yn ôl a blaen. Roedd y golau'n arwydd ei bod hi'n effro eto; ceisiodd ei gorau glas i hoelio'i llygaid arno, i wneud yn siŵr nad

oedd hi'n syrthio'n ôl i drymgwsg. Roedd suddo i'r
tywyllwch yn waeth na'r boen a gysylltai â'r golau, yn ei
hatgoffa o hanner boddi yn y bàth yna. Dros ei bronnau
roedd creithiau mawr, crynion lle bu Freischer yn ei
llosgi efo'i sigâr; roedden nhw'n bynafyd, a'r boen yn
ymdreiddio i weddill poenau ei chorff. Torrwyd bysedd
ei llaw dde fesul un, dyna oedd i gyfrif am y dolur
dirdynnol rywle yng ngwaelodion ei braich. Ond roedd
y cyfan drosodd, dyna pam y gorweddai yn y stafell hon
yn ceisio cadw'n effro drwy wylio'r golau. Roedd yn
gorwedd yn hollol noeth dan flanced denau, fudr ar
styllen o wely mewn cell oer. Crynai yn yr oerni, crynai
dan effaith y sioc. Llwyddodd i chwydu'r holl ddŵr yr
oedd wedi'i lyncu wrth iddyn nhw ddal ei phen dan
ddŵr y bàth. Ond roedd hi'n wan gan boen, yn rhy wan
i grio hyd yn oed.

'Thérèse.'

Fedrai hi ddim symud ei phen, ond medrai weld rhyw
gysgod yn plygu drosti. Nid un o'r bwystfilod oedd
hwn. Nid hwn oedd y dyn llygaid mochyn efo sigâr, na'r
Ffrancwr tenau chwaith. Y llall oedd hwn, yr un a
geisiodd ei helpu hi. Hwn oedd yr un ffeind. Gwthiodd
y dagrau'n ôl i'w llygaid, a theimlodd wlybaniaeth ar ei
bochau briwedig eto.

'Paid â chrio,' meddai. 'Ma'r cyfan drosodd.'

'Y boen; 'yn llaw i — pobman . . .' sibrydodd.
Plygodd yntau'n nes er mwyn clywed.

'Mi wn i. Dwi'n mynd i d'anfon di i'r ysbyty.'
Gwyddai beth oedd wedi digwydd iddi; newydd
ddarllen yr adroddiad yr oedd o. Roedd o'i hun hefyd
wedi sgrifennu adroddiad brysiog ar ôl i ddynion
Freischer fynd â hi, adroddiad yn dweud nad oedd o'n
meddwl ei bod hi'n gwybod dim byd o bwys. Ond
cawsai ei cham-drin yr un fath. Arhosodd yn ei swyddfa

31

tan iddi gael ei chario i lawr o'r pedwerydd llawr, ac yna aeth ati i'r seler. Allai o ddim rhoi ei feddwl ar waith drwy'r dydd, allai o ddim mynd yn ôl i'w stafell yn y gwesty i orffwys chwaith. Ar ôl pedair awr ar hugain heb gwsg roedd o'n methu cysgu, a Thérèse Masson yn troi a throsi yn ei ben. Beth wnaeth iddo ymddwyn fel yna? Beth? Pam yr oedd o wedi dweud celwyddau er mwyn ceisio'i hachub hi rhag triniaeth Freischer? Doedd o ddim yn ei charu hi. Nid cariad oedd chwenychu rhywun. Doedd o erioed wedi caru'r un ddynes, ond roedd o wedi cysgu efo degau ohonyn nhw ac wedi mwynhau. Nid parchu ei dewrder hi roedd o chwaith. Roedd yr Avenue Foch yn byrlymu o garcharorion dewr — o leiaf roedden nhw'n ddewr ar y dechrau. Allai o ddim esbonio'i deimladau. Ond gwyddai fod obsesiwn yn corddi yn ei fogel. Cyrraedd pan oedd o ar un o groesffyrdd bywyd wnaeth hi; roedd ei thynged hi'n ddarlun o'i dynged yntau. Roedd o wedi penderfynu, hyd yn oed cyn mynd i lawr i'w gweld hi, ei fod o am ymddiswyddo a gofyn am gael ei symud i un o unedau ymladd y Wehrmacht. Bellach fedrai o ddim goddef edrych arni hi; roedd ei chreithiau'n codi cyfog arno. Petai o'n taro ar Freischer rŵan, byddai'n ei saethu'n farw.

Roedd hi'n sibrwd eto, yn gwthio geiriau o'i cheg.

'Ddeudis i wrthyn nhw?'

Allai hi ddim cofio; dim ond cofio'r sgrechian a'r gwingo a'r gweiddi. Efallai ei bod hi wedi dweud y cwbl. Mae'n rhaid ei bod hi wedi dweud y cwbl. Dyna pam roedd hi'n cael llonydd . . .

'Naddo.' Dywedodd hynny'n uchel a chlir er mwyn gwneud yn siŵr y byddai hi'n cofio. 'Mi fuost ti'n ddewr. Ddeudist ti ddim byd wrthyn nhw.'

A dyna'r gwir. Doedd hi ddim wedi yngan yr un gair

32

wrthyn nhw. Roedd y dyn yn Lyons wedi dweud mwy na digon am y pennaeth ym Mharis. Doedd dim diben arteithio rhagor arni hi, doedd hi ddim yn ddigon cryf i allu dioddef 'chwaneg neu byddai'n gorff cyn nos. Roedd hyd yn oed Freischer yn fodlon cyfaddef hynny. Caeodd ei llygaid. 'Diolch i Dduw,' meddai Thérèse.

*　*　*

'Capten Bradford, syr, dowch yma am funud!'

Eisteddai Robert Bradford wrth ddesg pennaeth yr S.S. Roedd o wrthi'n cribo drwy restr arbennig ac yn edrych ar gardiau'r S.S. yr un pryd. Hyd yn hyn roedd o wedi cael hyd i bedwar yn fyw a thua chant yn farw. Roedd y rhain wedi eu saethu, eu crogi, neu wedi eu hanfon i'r siambrau nwy. Cafodd hyd i'r pedwar byw yng nghanol miloedd o rai tebyg iddyn nhw, ar lwgu yn y gwersylloedd. Roedd toreth o enwau yn dal ar ôl ar y rhestr. Gwaith capteniaid eraill oedd delio efo'r Iseldirwyr, y carcharorion o Wlad Belg a gwledydd Llychlyn. Edrychodd ar y rhingyll ifanc o'r enw Broome. Mudodd nain a thaid Broome i'r Unol Daleithiau o Wlad Pwyl. Dim ond tair ar hugain oed oedd o, ond roedd o'n edrych fel petai wedi heneiddio ddeng mlynedd yn y pedair awr ar hugain oddi ar iddo fo a'i gyd-filwyr gyrraedd Buchenwald. Torrwyd ysbryd dynion Bradford wrth iddyn nhw fynd drwy'r gwersyll yn hel y carcharorion at ei gilydd ac yn agor drysau'r siambrau nwy gan ddod o hyd i resi ar resi o gyrff, byw a marw, yn gorwedd ar bennau'i gilydd. Ychydig iawn o'r milwyr oedd yn medru bwyta, roedd drewdod y lle'n ddigon i droi stumog y cadarnaf ohonyn nhw. Daliwyd pennaeth y gwersyll a rhai o'r milwyr Almaenig ganddyn nhw, a phan ddaeth Bradford wyneb yn wyneb â nhw fedrai o yn ei fyw â theimlo rhywbeth mor ddynol â chasineb tuag at y fath anwariaid. Fe'u harestiwyd a'u gorfodi i gladdu'r miloedd o gyrff oedd yn gorwedd ymhob rhan o'r gwersyll.

'Be' sy', Broome?'

'Rydan ni wedi cael hyd i ferched yn fyw yn bloc J. Fedran ni'n 'yn byw â cha'l un ohonyn nhw o 'na. Ma' hi'n hollol wallgo. Ac ma' hi'n mynd yn lloerig bost os bydd rhywun yn trio gafa'l ynddi hi. Ma'r dynion yn gwrthod mynd yn agos ati hi a wela i ddim bai arnyn nhw chwaith. Meddwl oeddwn i y buasach chi'n fodlon dŵad i sbïo arni hi.'

'Iawn. Ddo i yna rŵan,' meddai Robert Bradford.

'Fan 'na ma' hi,' meddai Broome. 'Wrth y gwely yn y gornal.'

Roedd hi'n dywyll yn y cwt a'r awyrgylch yn dew o aroglau cyrff. Gwelodd nifer o ferched yn cuddio yn y gornel, eu llygaid yn serennu yng nghanol eu hwynebau llwydion. Ceisiodd un o'r dynion eu hudo oddi yno drwy gynnig tamaid o'i siocled iddyn nhw.

'Ar y gwely isa,' ychwanegodd Broome.

Wrth i Bradford blygu i edrych gallai weld rhywun yn ei chwrcwd yn y gwyll. Roedd ei gwallt yn gudynnau at ei chanol a'i llygaid yn syllu mewn ofn. Gwisgai un o ffrogiau budr y gwersyll am ei hysgerbwd o gorff.

'Dwi'n meddwl mai Ffrances ydi hi,' meddai Broome. 'Ond ma' hi'n dechra gweiddi'n gynddeiriog os ydach chi'n mynd yn rhy agos ati hi.'

'Iawn,' meddai Bradford. Estynnodd ei law'n fwriadol tuag ati. 'Mademoiselle?'

Neidiodd y ferch yn ôl mewn ofn dan sgrechian. 'Na! Dos o 'ma! Gad lonydd i mi! Dydw i ddim yn mynd i ddeud dim wrthat ti!'

Atebodd yntau yn Ffrangeg. 'Ffrind ydw i,' meddai.

34

'Capten ym myddin America. Rydach chi'n rhydd rŵan.'

Rhegodd yn ôl arno. Ysgydwodd ei phen yn ddigyfaddawd, gan chwipio'i hwyneb â'i chudynnau budron. 'Dydw i ddim yn mynd i ddeud wrthach chi! Byth!'

Trodd Bradford i holi'r merched eraill, 'Oes rhywun yn gwbod rhwbath o'i hanas hi?'

Cymerodd un o'r merched hŷn gam tuag ato. 'Ma' hi 'di bod fel hyn ers pan dda'th hi yma,' meddai. 'Masson 'di henw hi. Dwi'n meddwl bod y Gestapo 'di ca'l gafa'l arni hi'n gynta.'

'Masson . . .' meddai Bradford. 'Masson — dwi'n meddwl bod yr enw yna ar 'yn rhestr i. Iawn, sarjant, ma' rhaid i ni'i symud hi. Gafaelwch ynddi a gyrrwch hi i'r ysbyty efo'r lleill.'

Aeth yn ôl i'r swyddfa a chroesi'r pumed enw oddi ar y rhestr. Thérèse Masson, aelod o'r Fyddin Gudd. Carcharwyd ar yr ugeinfed o Dachwedd, 1943. Deunaw oed, gwallt golau, llygaid brown, pum troedfedd pedair modfedd, dim creithiau. Deunaw oed. 'Iesu Grist!' gwaeddodd yn uchel. Roedd hi wedi bod yn y pydew hwn ers deng mis. Edrychai fel hen wraig, a dim ond pedair ar bymtheg oed oedd hi. Roedd yr ysbyty dros dro yn orlawn, yn llawn o garcharorion yn dioddef o bob math o haint a helynt. O dan law Capten Joe Kaplan, seiciatrydd y fyddin, y byddai Thérèse Masson pan gyrhaeddai'r ysbyty. Ceisiodd Bradford ei orau glas i'w thawelu wrth iddyn nhw'i rhoi hi yn yr ambiwlans, ond wnaeth hi ddim byd ond crio ac udo ac ailadrodd 'Byth! Ddeuda i ddim! Byth bythoedd!' . . . Clywai Bradford yr udo'n ei ddilyn yn ôl i'r swyddfa. Cychwynnodd yr ambiwlans ar ei daith efo'r groes goch fel croes y pla hyd ei ochr. Roedd o wedi ymladd yn erbyn ei emosiynau oddi ar iddo gyrraedd Buchenwald; yno i wneud job o waith yr oedd o, nid i hel meddyliau a bod yn galon-feddal. Serch hynny, roedd y ferch hon a'i hwylofain herfeiddiol, truenus, a'i chadach llestri o gorff stranciog yn gwrthod gadael llonydd iddo. Ddeuddydd yn ddiweddarach penderfynodd yrru draw i'r ysbyty a gofyn am gael ei gweld.

II

'Ma' hwn yn achos diddorol 'sti, Bob.' Tynnodd Joe
Kaplan ei sbectol a'i glanhau gyda'i ffunen cyn ei tharo
hi'n ôl ar ei drwyn. Dyna fyddai o'n ei wneud bob
amser ac yntau wedi cynhyrfu, cofiodd Bob Bradford.
Cyfarfu'r ddau tra oedden nhw'n fyfyrwyr yn Harvard
a dod yn ffrindiau agos. Yn rhyfedd iawn roedd y
ddau'n dal yn ffrindiau er bod eu cefndiroedd mor
wahanol; teulu Bob yn grach cefnog a theulu Joe yn
Iddewon. Doedd y ddwy haen gymdeithasol hyn ddim
yn cymysgu'n aml yn Efrog Newydd hyd yn oed, heb
sôn am Boston geidwadol.

'Euogrwydd sy'n gyfrifol am y rhan fwya o achosion
niwrotig fel hyn — ond y peth ydi, wna'th yr hogan yma
ddim deud gair wrth yr Almaenwyr.'

'Pam ma' rhaid i ti gymhlethu petha,' meddai Bob.

'Ma' 'na atab syml; ma'i nerfa hi'n rhacs am 'i bod hi
'di ca'l 'i cham-drin. 'Rarglwydd, be' sy'n niwrotig yn
hynny? Sut siâp fuasai arnat ti?'

Chwarddodd Joe Kaplan. 'Mi faswn i 'di agor 'yn hen
hopran fawr a 'di deud y cwbwl lot wrthyn nhw! Paid
â gwylltio, Bob. Dwi'n gwbod bod hyn yn bwysig i chdi.
Dwi 'di trio'r petha syml fel cyffuria a ballu. O leia
mi ydw i 'di ca'l rhywfaint o lwyddiant — ma' modd 'i
cha'l hi i aros mewn stafall efo bàth ynddi heb iddi hi
fynd yn wallgo rŵan. Dwi'n ama'i bod hi wedi ca'l 'i
chamdrin yn rhywiol gan un o'r sglyfaethod hefyd—na,
ddim 'i threisio dwi'n feddwl. Ma' hi'n dal yn wyryf.
Ond rhwbath sy'n gneud iddi deimlo'n euog. Mi
ddeudis i wrthi hi unwaith, "Ddeudist ti ddim byd
wrthyn nhw, ma' rhaid i chdi gofio hynny. Ddeudist ti'r
un gair!" Newydd roi cyffuria iddi hi roeddwn i ac

roedd hi braidd yn gysglyd. Hebddyn nhw fyddai hi
ddim wedi yngan yr un gair. Y cyfan ddeudodd hi oedd,
"Mi faswn i wedi deud wrtho *fo*. Ond mi ges i'n llusgo
oddi wrtho fo . . . Mi oeddwn i isio deud wrtho fo. Isio
mynd adra efo fo!" Mi ddechreuodd hi grio wedyn ac
mi adewais inna lonydd iddi hi.'

'Be' am y dyfodol?' holodd Bob. 'Oes gynni hi obaith
o fyw rhyw fath o fywyd normal eto?'

Cododd Joe Kaplan ei ysgwyddau. 'Anodd deud. Ella
bydd 'na 'chydig o drefn arni hi mewn blwyddyn, ella
mewn dwy. Ond fedr hi byth ddianc o'i charchar
meddyliol, ddim yn llwyr beth bynnag. Fedri di byth
redag a titha wedi cael malu dy goes mewn sawl man.
Ella, tasa gen i'r amsar a tasa hi'n ca'l gofal arbennig
adra yn America, y buasai modd iddi hi fyw ar 'i phen
'i hun o fewn y flwyddyn. Ond yma — does dim gobaith
o hynny. A bod yn onast efo chdi, Bob, dan glo ma'
dyfodol yr hogan 'ma.'

'Be' taswn i'n mynd â hi i America,' meddai Bob, 'a
thalu am y gofal gora?' Edrychodd ar Joe. 'Ma' rhaid i
mi'i helpu hi. Mi wna i rwbath i' helpu hi!'

Methodd Joe ag ateb am funud. 'Be' sy' a 'nelo chdi
â hi? 'Ti'm yn twyllo dy hun dy fod ti'n 'i charu hi, nac
wyt?'

'Nid twyllo ydw i,' meddai Bob. 'Gwbod. Paid â
dechra pregethu am euogrwydd a bod yn galon-feddal
ac am fethu goddef gweld y tlawd yn diodda. Paid â
gofyn am reswm nac esboniad chwaith. Y cyfan dwi'n
wbod ydi 'mod i'n caru Thérèse. Ma' gen i ryw ddeufis
arall yma eto a dydw i ddim yn bwriadu'i gada'l hi yma
i'r Groes Goch ga'l 'i thaflu hi i mewn i seilam ac
anghofio amdani. Os medra i'i cha'l hi i America . . .'

''Sgen ti'm gobaith,' meddai Joe, 'heblaw dy fod ti'n
'i phriodi hi. Ond chei di ddim gneud hynny gen i.

38

Dwi'n fodlon gneud rhwbath, hyd yn oed mynd at dy gadfridog di, i stopio hynny. P'run bynnag, ma' hi'n rhy wael i ga'l 'i symud. Ma' hi'n edrach yn well na ma' hi a hitha i mewn yn fan 'ma; ma' hi'n teimlo'n saff yma. Ond unwaith y rhoith hi'i throed heibio'r drws 'na . . .'

''Ti'n gwrthod helpu felly,' meddai Bob yn flin.

'Ddeudis i mo hynny,' meddai Joe dan godi ei ddwylo i'r awyr. ''Stedda a phaid â gwylltio. Nid deud 'mod i'n 'cáu helpu 'nes i. Dim ond trio gneud i ti sylweddoli maint y broblem. Dwi'n gwbod sut ma' petha rhyngddat ti a'r hogan 'na. ''Ti'n amddiffynnol iawn ohoni hi, yn rhy amddiffynnol ella. Ma' hitha 'di dechra dibynnu arnat ti. Duw a ŵyr sut drefn fydd arni hi ar ôl i chdi ga'l dy symud i rwla arall. Dwi'n poeni am y ddau ohonach chi. Yli, ma' gen i syniad — un gwallgo, Bob, ond ella, jyst ella, y gweithiff o. Ac os methu wnaiff o, fydd petha ddim mymryn gwaeth nag y ma'n nhw'n barod.'

'Be' ydi'r syniad gwallgo 'ma? 'Sgen ti wisgi? Dwi bron â thagu.'

'Yn y ddesg — ail ddrôr o'r gwaelod. Helpa dy hun. 'Ti'n gwbod be' ma'r meddwl yn 'i 'neud pan mae o'n methu dirnad petha? Anghofio. Ma' pawb yn gneud hynny. Pan ydan ni wynab yn wynab ag ofn, ne' alar, ne' gywilydd, rydan ni'n ffendio cornel fach dywyll yng nghefn y meddwl i gladdu'r wybodaeth ac i anghofio'r cwbwl, ne' drio anghofio beth bynnag. Estyniad eithafol o hynny ydi *amnesia* — pan ma'r meddwl yn dewis anghofio popeth. Hynny neu ddrysu. Ond, ma' 'na ddewis arall rŵan, un newydd, arbrofol. *Amnesia* bwriadol — dull gwyddonol o garthu'r co. Ma' hynny'n dileu'r pwysa seicotig sy' ar y claf, fel bod y doctor yn ca'l adeiladu'r meddwl o'r dechra eto. Ella mai dyna'r unig obaith sy' gan Thérèse Masson. Chwalu'r gorffennol, am byth a dechra eto.'

Tywalltodd Bob ail wydraid o wisgi iddo'i hun. 'Oes modd gneud hynny? Modd gneud iddi anghofio?'

'Pam lai. Isio anghofio ma' hi, a dyma'r ffordd i 'neud hynny. Ma'i chof hi'n dyheu am gael anghofio'r gorffennol. Ond ma' rhaid iddi hi gytuno i'r driniaeth. Ac ma' rhaid cofio un peth arall hefyd. Does gynni hi ddim teulu heblaw am fodryb yn Llydaw sy' 'di hen basio oed yr addewid. Ma' posib iddi golli'i gorffennol a'i hunaniaeth i gyd o dan y driniaeth yma. Pwy sy'n mynd i fod yn gyfrifol amdani wedyn?'

'Fi,' meddai Bob. ''Ti'n gwbod hynny.'

'Wyt ti'n siŵr?' holodd Joe. 'Meddylia am y peth, Bob. Meddylia be' ti'n 'i 'neud. Mi all hi fod yn gyfrifoldeb oes.'

'Dwi'n berffaith siŵr,' atebodd Bob. 'Ga i siarad efo hi ynglŷn â'r peth?'

'Dyna fydda ora,' meddai Joe. 'Wedi'r cwbwl, ma' hi'n hoff ohonat ti, Bob. Ac mi wyt ti'n ddelach na fi!'

*   *   *

'Ma' gwell lliw ar dy focha di heddiw. Gysgist ti'n iawn?'

Edrychodd arno a gwenu. 'Mi ges i rwbath gynnyn nhw; ches i ddim traffarth cysgu wedyn. Diolch am y ffrog, Robert.'

'Ma' hi'n gweddu i'r dim i ti,' meddai. 'Dwi'n licio dy weld di mewn dillad crand.'

Taenodd ei llaw ar hyd y ffrog sidan las gan blethu'r defnydd yn ofalus rhwng ei bysedd. 'Ma' hi mor brydferth,' meddai. 'Ma' blynyddoedd ers i mi wisgo ffrog debyg i hon.'

'Dim blynyddoedd, Thérèse,' cywirodd hi. 'Dim

40

cymaint â hynny.' Syllodd y llygaid mawr brown dagreuol i'w lygaid yntau. Roedd hi'n crio'n hawdd, heb reswm yn y byd weithiau.

'Ma' hi'n teimlo fel blynyddoedd i mi. 'Ti mor ffeind, Robert. Yn rhoi'r ffrog 'ma a'r dillad nos a'r criba drud 'na i mi. Dim ond cardod y Groes Goch sgen y rhan fwya o bobol yn y lle 'ma. Dwi'n teimlo fel brenhines.'

'Mi rown i fwy i ti taswn i'n medru,' meddai. 'Mi rown i'r byd i gyd yn grwn i ti. Be' 'ti isio? Meddylia am rwbath dan haul wyt ti'i isio.'

'Ma' hi fel dechra gwanwyn heddiw,' meddai hi'n sydyn. 'Mi fûm i'n breuddwydio am fynd am dro efo chdi ar ddiwrnod fel heddiw.'

'Syniad gwych! Be' am fynd y funud 'ma?'

Torrwyd ei gwallt golau'n fyr yn y gwersyll, ond heddiw roedd nyrs ifanc wedi mynd i'r drafferth o'i gyrlio iddi. Roedd hi wedi magu mymryn o gnawd ers iddi gyrraedd yr ysbyty a'i hieuenctid wedi dechrau mentro'n ôl i'w hwyneb hefyd. Ambell waith gallai wenu, a byddai prydferthwch y wên honno'n brifo Bob. Corddai ei berfeddion wrth iddi wenu arno.

Ysgydwodd ei phen. 'Fedra i ddim mynd allan,' meddai. 'Ma' arna i ofn mentro. Ma' arna i ofn popeth.'

'Does arnat ti mo'n ofn i,' meddai. 'Nac ofn Dr Kaplan chwaith.'

'Na, nid ti. Does arna i ddim o dy ofn di o gwbwl, Robert. Ac ma'r doctor yn ffeind. Pawb mor ffeind yma. Yn gneud i mi deimlo'n ddiogel. Mae o isio i mi drio ca'l bàth yn o fuan. Dwi'n medru mentro i'r stafall 'molchi bellach. Ond chawn nhw ddim rhedag y dŵr . . . Fedra i byth ddiodda sŵn dŵr yn llifo.'

'Na fedri siŵr,' meddai yntau. Tynnodd ei gadair yn nes at ei chadair hi. Dim ond pythefnos yn ôl mi fuasai hi wedi rhuthro i guddio i'r gornel wrth iddo wneud hynny. Erbyn hyn mi gâi o eistedd wrth ei hochr a mwytho'i llaw. Deallai'n iawn ynglŷn â'r dŵr. Crynai o gasineb wrth feddwl am hynny. Gafaelodd yn ei llaw a'i gwasgu. 'Thérèse, ma' gen i rwbath pwysig i' ddeud wrthat ti. Dwi isio i chdi wrando'n ofalus.'

'Be' sy'? Rhwbath annymunol . . . ? Robert, wyt ti'n gorfod gada'l y lle 'ma?'

Llifodd y gwrid o'i boch. Roedd ei cheg hi'n crynu. 'Gorfod 'y ngad'al i?' gofynnodd.

'Na. Dydw i ddim yn mynd i nunlla! Newyddion da sgen i. Newyddion da amdanat ti. Gwranda, Thérèse — mi ddeudist ti dy fod ti isio mynd am dro? 'Ti isio mendio 'dwyt? Isio cau'r drws ar y gorffennol a dechra byw fel pawb arall?'

'Wrth gwrs hynny,' meddai. 'Ond fedra i ddim. Dwi'n gwbod sut oeddwn i pan ddois i yma — a dwi'n gwbod hefyd cymaint wyt ti a Dr Kaplan 'di'i 'neud drosta i. Ond fedra i ddim twyllo'n hun, Robert. Dwi'n sâl; fedra i byth fod yn ddim byd arall. Heblaw amdanat ti mi fuaswn i wedi lladd 'yn hun ers talwm. Dydi bywyd yn dda i ddim i mi.'

'Be' taswn i'n deud y medra fo fod yn llawn eto,' meddai. 'Be' taswn i'n deud y medra Joe Kaplan dy fendio di a cha'l ailafa'l ar yr hen Thérèse. Be' ddeudat ti?'

'Sut?' holodd. 'Sut medra fo?'

Gafaelodd Bradford yn ei llaw arall gan lapio'r ddwy yn ei ddwylo'i hun.

'Drwy foddi dy go di. Ella y byddi di'n methu cofio dim. Methu cofio pwy wyt ti ac o lle doist ti. Mi fydd rhaid i ti ga'l — ca'l dy aileni, Thérèse. Ond mi fyddi di'n well — yn berffaith eto. Gaiff o 'neud?'

'Fedar o? Ma' arna i ofn. Ofn be' ddaw ohona i wedyn.'

Gwyrodd Bradford a'i chusanu. 'Dwi'n dy garu di,' meddai dyner. Doedd fiw iddo'i dychryn hi rŵan. 'Mi ofala i ar d'ôl di. Plîs, gad i Joe dy helpu di.'

'Iawn.' Doedd dim eisiau meddwl nac ystyried arni. 'Os wyt ti'n addo aros efo fi.'

'Dwi'n addo,' meddai Bob. 'Aros hyd anga.'

★ ★ ★

Taniodd y Cyrnol Baldraux sigarét arall. Roedd o'n smocio'n ddi-baid, yn tanio un sigarét oddi ar stwmp y llall. Eisteddai mewn cwmwl o fwg glas yn un o stafelloedd moethus y Bradfords ym Mharis. Ffrancwr tal, tenau efo ambell gudyn o wallt golau oedd o.

Roedd yr Americanwr a eisteddai gyferbyn ag o yn ei wylltio. Casâi Americanwyr cyfoethog o ran egwyddor, ac i wneud y sefyllfa'n waeth, cawsai gryn drafferth i gael hyd i Robert Bradford hefyd. 'Ydach chi'n sylweddoli 'ych bod chi'n gneud 'y ngwaith i'n saith gwaith anoddach, Capten?' meddai. 'Deg munud efo Madame Bradford. Dyna'r cwbwl dwi isio.'

'Sawl gwaith sy' isio i minna ddeud wrthach chi,' atebodd Bob Bradford. 'Mi gafodd y wraig 'i harteithio gan y Gestapo a hynny cyn treulio deng mis yn Buchenwald. Dwi ddim yn fodlon i neb hyd yn oed sôn am y peth wrthi hi.'

'Iawn,' cwynodd y cyrnol. 'Fedra i ddim mo'ch gorfodi chi i ada'l i mi'i gweld hi. Ond ella y medrwch chi gofio rhwbath. Ydi'r enw Brunnerman yn canu cloch? Soniodd hi amdano fo 'rioed?'

'Ddim wrtha i, naddo. Roedd hi'n rhy wael i siarad. Pwy oedd Brunnerman, beth bynnag?'

'Cyrnol yn yr S.S., un o'u dynion gora nhw,' meddai Baldraux. 'Fo holodd 'ych gwraig chi yn ôl dogfenna'r S.S. Hynny cyn iddi ga'l 'i harteithio. Rydan ni wedi ca'l gafa'l ar y rhan fwya o swyddogion y Gestapo erbyn hyn, gan gynnwys dyn o'r enw Freischer. Fo oedd yn gyfrifol am gam-drin Madame Bradford. Ma' aeloda llywodraeth Vichy yn y ddalfa hefyd, pobol fel y troseddwr Rudi de Merode. Wyddoch chi bod gynno fo'i arteithfan ei hun ar y Rue des Saussaies? Lle i ddiolch sy' gan Madame Bradford na chafodd hi mo'i gyrru i fan 'no. Roedd y Ffrancwyr pwdwr yn fwy o fwystfilod na'r Almaenwyr eu hunain . . . Ond mi ydw i'n dechra crwydro rŵan . . .' Taniodd sigarét arall a llyncu cegaid anferth o fwg. 'Mi ydan ni bron â marw isio ca'l gwbod rhwbath o hanas Brunnerman, ac ma' hi'n ymddangos fel petai o wedi diflannu oddi ar wynab y ddaear. Ma'r Cynghreiriaid i gyd yn chwilio amdano fo, ond ma' gynnon ni ddiddordeb arbennig ynddo fo oherwydd mai yma yn Ffrainc bu o'n gweithio'n benna. Mi wyddon ni'i fod o wedi ca'l ei drosglwyddo i adran o'r Waffen S.S. ar y ffrynt ddwyreiniol, ond Duw a ŵyr be' ydi'i hanes o wedyn. Ei fyddin o oedd yn gyfrifol am lofruddio ugain mil o Iddewon yn ystod y cyrch ar Rwsia. Ofn iddo fo ga'l y cyfla i ddianc i rywla fel Sbaen sy' arnan ni. Ma' cannoedd o'r llofruddion pwysig wedi llithro drwy'n dwylo ni'n barod. Dwi ddim isio i hwn ga'l y cyfla i 'neud yr un fath.'

'Liciwn inna mo hynny chwaith,' meddai Bradford. 'Ond fyddwch chi ddim elwach o ga'l gair efo'r wraig, Cyrnol. Peidiwch â meddwl mai bod yn groes ydw i rŵan, ond dydi hi'n cofio dim am y rhyfal a be' ddigwyddodd iddi hi'r adag honno. Ma'r cwbwl yn ddirgelwch llwyr iddi hi, diolch i Dduw. A deud y gwir, doedd hi ddim yn gwbod 'i henw'i hun hyd yn oed.'

'Ma' hi'n un o'r rhai lwcus,' meddai'r cyrnol. 'Ond sut ma' hi'n esbonio'r gwacter mawr yn 'i bywyd?'

'Meddwl 'i bod hi 'di bod yn wael. Dyna ddeudon ni

44

wrthi hi a dyna oedd hitha isio'i gredu. Ma' hi'n iach ac yn hapus rŵan, a does dim yn mynd i ga'l amharu ar hynny.'

'A fedr hi byth gofio dim?' holodd Baldraux. 'Ydach chi'n siŵr o hynny?'

'Berffaith siŵr. Fwy ne' lai beth bynnag.'

'Wel, diolch yn fawr i chi am 'y ngweld i. Does dim diben i mi boenydio 'chwanag arnach chi.'

'Gobeithio y daliwch chi'r cythral,' meddai Bob.

'Dyna'n gobaith ni i gyd.' Trodd casineb a chwerwder y llygaid llwydlas yn ddisglair. 'Mi gawn ni afa'l ynddo fo, yn hwyr ne'n hwyrach.'

* * *

Gwenodd Ruth Bradford Hilton ar ei chwaer yng nghyfraith ac yna ar Karl Amstat. Roedd o'n gafael yn dynn yn llaw Thérèse, fel petai o'n methu'n lân â'i gollwng hi. Ddywedodd o'r un gair chwaith.

'Pensaer ydi Mr Amstat. Diddorol yntê?'

'Ia,' gwenodd Thérèse Bradford. Gollyngodd ei llaw. Roedd gwên ffals, ddisymud ar ei wyneb. Efallai ei fod o'n dechrau meddwi; roedd cymaint o bobl yn meddwi mewn partïon o'r fath. 'Pa fath o adeilada ydach chi'n 'u cynllunio, Mr Amstat?'

'Ffatrïoedd, yn benna,' fe'i clywodd ei hun yn ateb. Roedd ei lais yn swnio'n hollol normal. Doedd dim modd dianc a chyrff yn garchar o'i gwmpas. 'Ac mi fydda i'n gneud amball gomisiwn preifat, os ydyn nhw'n rhai diddorol.'

''Chydig dwi'n 'i ddeall am y maes,' meddai. 'Dwi'n gwylltio'r teulu wrth ddeud fod yn well gen i'r hen dai na'r petha modern 'ma.'

'Pawb at y peth y bo,' ychwanegodd Karl Amstat. Yr un un oedd hi. Doedd dim gwadu hynny. Yr un llygaid, yr un wyneb, yr un llais. Ugain mlynedd yn hŷn ac ychydig yn fwy soffistigedig efallai, ond yr un un oedd hi. Roedd o'n dechrau drysu. Sut nad oedd hi'n ei nabod o? Roedd hi'n mân siarad am bensaernïaeth efo fo a doedd hi byth wedi'i nabod o. Dechreuodd grynu a chwarae efo'i wydryn gwag.

"Chwanag o *champagne*?' Roedd gŵr Ruth yn ei ôl a photel yn ei law. Gwenodd drwy'r blewiach dan ei drwyn.

'Diolch, cariad,' meddai Ruth. 'Lle ma'r gwas 'di mynd?'

Llanwyd gwydryn Karl Amstat a chleciodd yntau'r ddiod heb feddwl. 'Ma'r gwres 'ma'n gneud rhywun yn sychedig,' meddai wrth Thérèse Bradford.

'Ydi, mae o,' cytunodd. 'Wyddoch chi, dydw i byth wedi arfar efo gwres canolog a finna 'di bod yn America ers pymthag mlynadd rŵan. Ylwch, ma' 'na falconi'n fan'cw — be' am fynd allan am fymryn o awyr iach? Dwi bron â mygu.'

'Ia, am funud. Ond ma' rhaid i mi gofio cadw llygad ar y cloc.' Cymerodd arno edrych ar ei wats. Gafaelodd hithau'n ei fraich a'i dywys i stafell arall. Agorodd ffenestri'r balconi a chamu allan i'r awyr iach. Doedd y balconi fawr mwy na lintel ffenest, ond roedd yr olygfa oddi yno'n fendigedig. Gellid gweld adeiladau moethus, tal a goleuadau'r hysbysebion yn fflachio fel enfys electronig yn ymestyn am filltiroedd o'u blaenau.

'Golygfa hudolus, yntê,' meddai Thérèse. Roedd o'n sefyll wrth ei hochr yn y tywyllwch; sŵn y parti'n gôr yn y cefndir a sŵn y ceir yn sisial ar y stryd o'u blaenau. 'Yn fwy trawiadol na mynyddoedd mawr y Swistir — un o'r Swistir ydach chi, Mr Amstat?'

'Ia,' meddai. 'Yn Berne y ces i 'ngeni a'm magu.' Roedd o'n wallgof i siarad cyhyd efo hi, ond roedd yn rhaid iddo fod yn siŵr. 'Dim Americanes ydach chitha chwaith, naci?'

'Na. Ffrances. Cyfarfod â'r gŵr yn Ffrainc ar ôl y rhyfal 'nes i. Ac mi briodon ni yno.'

'Roeddwn i'n ama bod gynnoch chi acan dramor,' meddai, 'ond doeddwn i ddim yn rhy siŵr a finna'n dramorwr 'yn hun.' Tynnodd ffunen allan o'i boced a sychu'r dafnau chwys oddi ar ei dalcen.

'Dwi 'di syrthio mewn cariad efo America,' meddai. 'Ydach chi 'di priodi, Mr Amstat?'

'Naddo, ma' arna i ofn. 'Di llwyddo i ddianc hyd yn hyn.' Dyna oedd ei ateb parod i bob merch oedd yn holi. Dyna ddeudodd o wrth Julia y tro cyntaf iddyn nhw gyfarfod. Tybed lle'r oedd hi? Yn chwilio amdano fo mae'n debyg. 'Sigarét?' Cynigiodd un o'i blwch iddo. Cymerodd yntau un. Wrth iddi gau'r blwch, gwelodd fod diamwntau'n disgleirio ym mhobman arno. Taniodd ei sigarét iddi a syllodd ar ei hwyneb gwelw yng ngolau gwan y fflam. Doedd hi ddim wedi newid fawr ddim. Rhyfeddai ei fod o'n dal i gofio cymaint amdani hi. Mae'n rhaid ei bod hi'n tynnu am ei phymtheg ar hugain erbyn hyn, ond doedd hi ddim wedi caledu na chwerwi fel cymaint o'i chyfoedion Americanaidd. Roedd rhyw dynerwch yn dal i'w chofleidio.

'Ers faint ydach chi yma?'

'Dim ond chwe blynadd. Mi dreuliais i rai blynyddoedd yn y coleg yn Ariannin cyn dŵad yma. Dwi'n falch i mi ddŵad yma hefyd. Mi ges i hanas India gan 'ych chwaer yng nghyfraith; ma' hi'n llawn bywyd, 'tydi?'

'Ydi, ma' hi.' Edrychodd Thérèse i fyw ei lygaid a gwenu. Gwenodd yntau'n ôl arni. Ar y cychwyn, roedd o'n ymddangos fel petai o'n byw ar ei nerfau. Roedd rhywbeth yn ddieithr amdano hefyd. Ond roedd hi'n dechrau cymryd ato fo rŵan. Ac yntau'n dechrau meddalu.

'Ma' hi'n gwirioni'n lân am bobol a phetha. Ond weithia ma' hi'n ca'l 'i siomi ynddyn nhw ac ma' hi'n methu deall pam. Y draffarth ydi'i bod hi'n berson mor gry a'i bod hi wedi priodi gwŷr mor wan. Dwi'n gobeithio bod hwn yn mynd i fod yn wahanol i'r lleill. Mae o'n edrach yn ddyn clên beth bynnag.'

'Os ydach chi'n licio'r teip yna o ddyn. Be' am 'i gwŷr eraill hi?'

'Dau Americanwr ac un o Bolifia. Camgymeriada oeddan nhw i gyd, yn arbennig yr un o Bolifia.' Chwarddodd. Roedd yn rhaid iddo yntau chwerthin hefyd. 'Mor gyfoethog ac mor anodd i'w ddeall. Mi fydda fo'n ca'l sterics pan nad oedd o'n ca'l 'i ffordd 'i hun. Dwi'n 'i gofio fo'n rhedag fel ffŵl drwy'r tŷ ryw noson yn lluchio a malu popeth o fewn 'i gyrraedd, a hynny i gyd am fod Ruth isio mynd i Kenya i weld ffrindia ac ynta wedi penderfynu mai i ryw ŵyl gerddorol yn Salzburg roedd o isio mynd. Ar ôl yr ysgariad hwnnw, mi ddeudodd hi na fuasai hi byth yn priodi eto! Ond, fedr hi ddim diodda byw ar 'i phen 'i hun. Ma' rhaid iddi hi ga'l dyn dan 'i chesail. A gan 'i bod hi'n Fethodist fedr hi ddim jyst byw efo nhw, ma' rhaid iddi hi ga'l priodi!'

'Ma' hi'n swnio'n fwy o bladras nag y ma' hi'n edrach!' meddai. 'Ac ma'i golwg hi'n ddigon i ddychryn rhywun. Be' ma' hi'n feddwl ohonach chi? Oeddach chitha'n siom hefyd?'

Wyddai o ddim beth wnaeth iddo holi hynny. Roedd y cyfan fel potes o hunllef a breuddwyd. Roedd o wrth ei fodd yn sefyll yma ar y balconi, yn edrych ar yr olygfa wrth i'w breichiau gyffwrdd. Roedd o'n ymwybodol

iawn o'i phresenoldeb. Sut ar y ddaear yr oedd hi'n
llwyddo i ymdoddi i'r fath gymdeithas soffistigedig,
grachaidd? Doedd dim diben mewn gwybod hynny,
ond roedd o eisiau gwybod yr un fath. Chwarae cath a
llygoden oedd hyn. Y llygoden yn gweld perygl y gath
ond ar yr un pryd yn mwynhau herio. Dyna beth roedd
o'n ei wneud rŵan, holi cwestiynau yn lle ei heglu hi
oddi yno.

'Oeddwn i'n siom iddi?' Ailadroddodd y cwestiwn
wrth iddi feddwl. 'Wn i ddim. Doeddwn i ddim i
Robert, y gŵr, beth bynnag. Ond ella 'mod i i Ruth a'r
lleill. Fu gen i 'rioed blant.'

'Ma'n ddrwg gen i.'

'Peidiwch â bod. Dwi'm yn poeni bellach,' meddai.
'Fedar rhywun ddim ca'l popeth mewn bywyd. Dwi 'di
bod yn ddigon lwcus i ga'l y gŵr gora yn y byd.'

'Rhyfadd clywad ncb yn deud hynny'n fan 'ma,'
meddai. 'Ma'ch gŵr chi'n reit lwcus 'i hun. Ydach chi
isio mynd yn ôl i mewn? Ma'n ffrind i'n siŵr o fod yn
disgwyl amdana i erbyn rŵan — mi ydw i wedi addo
mynd â hi allan i swpar.'

'O, ma'n ddrwg gen i, a finna'n 'ych cadw chi fel
hyn . . .' Trodd i edrych arno eto yng ngoleuni llachar
y stafell. Oedd, mi'r oedd hi'n hoff ohono. Roedd o'n
ŵr bonheddig, ac yn gyfeillgar hefyd. 'Peidiwch â
meddwl 'mod i'n hy, Mr Amstat, ond mi fuaswn i wrth
fy modd taswn i'n ca'l 'ych cyfeiriad chi. Liciwn i i chi
ddŵad i swpar ryw noson; wedi'r cwbwl, anamal ma'
rhywun yn cyfarfod ag Ewropead arall yn yr hen le 'ma.
Ddowch chi?'

'Diolch i chi; mi fuaswn i wrth fy modd. Dyma
'nghardyn i.' Gwyddai na ddylai o ddim fod wedi ei roi
o iddi. Ond roedd hi'n rhy hwyr rŵan. Fyddai o byth yn
mynd, petai hi'n digwydd cofio amdano. Wnaeth o

ddim hyd yn oed chwilio am Julia — roedd o ar frys i ddianc.

'Hwyl, Mr Amstat. Plesar oedd cyfarfod â chi.'

Daliodd ei llaw iddo a gafaelodd yntau ynddi.

'Nos da, Mrs Bradford. Tan tro nesa.' Cododd ei llaw a'i chusanu. Dyna roedd o'n ddisgwyl ei weld. Roedd Freischer wedi torri bysedd Thérèse Masson. Pum craith ar gefn ei llaw lle torrwyd yr esgyrn. Doedd dim rhaid iddo weld y creithiau, ond fedrai o ddim ei dwyllo'i hun rŵan chwaith. Gadawodd y parti a mynd yn syth yn ôl i'r fflat. Tywalltodd lond gwydraid o wisgi iddo'i hun cyn mynd i chwilio am ei fagiau. Ar ôl pedair blynedd o ddiogelwch roedd yn rhaid iddo hel ei bac unwaith eto.

* * *

Agorodd Thérèse ei llygaid a gwrando drwy'r tywyllwch ar ei gŵr yn anadlu wrth ei hymyl. Doedd hi ddim wedi cysgu winc; wedi bod yn disgwyl am gael dianc o'r gwely ar ôl iddo fo syrthio i gysgu yr oedd hi. Symudodd yn araf gan ei rhyddhau ei hun yn ofalus o'i afael. Ar ôl caru mynnai Bob ei bod hi'n cysgu yn ei freichiau, eu cyrff yn dal ynghlwm, a byddai'n rhaid iddi hithau gael llithro'n dawel o'i afael cyn y gallai orffwys. Roedd o wedi meddwi heno a dyna oedd sbardun eu caru. Pan oedd hi'n dadwisgo ar ôl dod adref o barti Ruth, gafaelodd yn dyner yn ei hysgwyddau a dechrau cusanu ei gwddw'n araf. Ceisiodd ddianc o'i afael pan lithrodd ei ddwylo i fwytho'i bronnau, ond ni chymerodd sylw ohoni. Dadwisgodd hi a phwyso drosti'n araf a thyner. Roedd hithau wedi hen ddygymod â'r driniaeth hon. Doedd hi erioed wedi mwynhau eiliad o'r agosatrwydd hwn, ond allai hi ddim troi ei chefn arno, na'i frifo na'i siomi. Roedd hi'n meddwl gormod ohono ac yn llawer

50

rhy ddyledus iddo i'w wrthod; roedd hi hyd yn oed yn cymryd arni fwynhau ei awch.

Ond gan ei fod o'n cysgu rŵan, roedd hi'n dyheu am gael bod ar ei phen ei hun ac am gael cuddio'i chorff yn ei choban. Roedd noethni'n ei dychryn, yn gwneud iddi deimlo'n ansicr a diamddiffyn. Nid Robert a'i gwnaeth hi'n oeraidd; doedd o erioed wedi ei cham-drin hi'n rhywiol nac wedi cysgu efo merched eraill chwaith. Doedd ganddo fo ddim mo'r help; arni hi ei hunan roedd y bai. Gallai fod yn dyner efo fo, ei fwytho a'i gusanu heb drafferth; ond roedd cysgu efo fo'n troi arni, yn gwneud iddi deimlo'n hollol ddarostyngedig. Cymerodd flynyddoedd iddi arfer â hunllef ei bywyd rhywiol.

Dihangodd o'r stafell wely yn y tywyllwch gan nad oedd arni eisiau deffro Bob. Roedd yn rhaid iddi gael amser i fod ar ei phen ei hun, cyn y gallai feddwl am orffwys a chysgu. Cerddodd ar flaenau'i thraed i'r stafell fyw. Eisteddodd a thanio sigarét. Roedd hon yn stafell chwaethus, hamddenol; Thérèse ei hun oedd wedi dewis y dodrefn a'r addurniadau. Roedd Ruth wedi trio dwyn perswâd arni i ddilyn ffasiwn yr oes ac i lenwi'r lle efo anialwch modern, drud. Roedd ei thŷ ei hun yn storm o liwiau llachar, dodrefn cyfandirol a lluniau modernaidd. Gwrthododd Thérèse gael ei dylanwadu. Asiad o liwiau tawel oedd yma; waliau gwyrdd golau sidanaidd a charpedi gwlan hufenog ac ambell ddodrefnyn Ffrengig mawreddog, gan gynnwys cadair a fu unwaith yn Versailles, yn cyferbynnu â'r lluniau Seisnig. Canolbwynt y stafell oedd un o luniau prin Gainsborough a gafodd yn anrheg gan Robert. Roedd y tŷ haf hwn o fflat yn Efrog Newydd yn gymysgedd o waith llaw crefftwyr gorau Ffrainc a Lloegr. Amgueddfa o le oedd cartref y teulu Bradford yn Boston. Feiddiai

Thérèse ddim symud na chyffwrdd na newid dim yno ac o'r herwydd allodd hi erioed deimlo'n gartrefol yno, er mai hwnnw oedd ei phrif gartref. Llanwodd ei hysgyfaint â mwg wrth iddi hanner gorwedd ar y gadair a meddwl am Ruth a'r tŷ yn Boston. Aeth pymtheng mlynedd heibio oddi ar iddi groesi'r rhiniog gyntaf i gyfarfod â theulu Robert. Allai hi ddim goddef bod allan o'i olwg bryd hynny gan ei bod hi mor ansicr. Wyddai hi ddim pwy oedd hi. Drwy lygaid a geiriau rhywun arall y gwelodd hi'i gorffennol a'i hanes. Yr unig beth allai hi'i hun ei gofio oedd deffro yn yr ysbyty i weld Robert yn eistedd ar erchwyn y gwely. Wyddai hi ddim pwy oedd o; wyddai hi ddim pwy oedd hi'i hun. Yn rhyfedd iawn, doedd hynny'n dychryn dim arni hi chwaith. Ond wrth iddyn nhw adeiladu ei gorffennol iddi daeth i ddeall bod Joe Kaplan wedi chwarae triciau efo'i meddwl a gwneud yn siŵr na fyddai deffro'n ei dychryn. 'Robert ydw i,' meddai'r milwr yn lifrai America. 'Paid â bod f'ofn i. Robert ydw i.'

Pam ar y ddaear y methodd hi ei garu o'n iawn? A pham nad oedd o'n gweld bai arni am hynny? Cododd a thaflu'r sigarét i'r grât. Fe'i rhegodd ei hun yn uchel.

Taniodd sigarét arall wrth iddi gerdded i'r gegin. Roedd cerdded i mewn i'r gegin fel cerdded i dŷ yn Provence ar brynhawn tanbaid ganol haf. Dodrefn a llawr pren a waliau golau glanwaith. Buasai Bob a hithau wrth eu boddau'n cael bwyta'u cinio'n fan hyn, ond feiddien nhw ddim rhag ofn iddyn nhw fod ar ffordd y gweision a'r morynion. Gwnaeth baned o goffi iddi'i hun cyn eistedd wrth y bwrdd. Ymestynnodd ei llaw wen, lefn o'i blaen a syllu ar y pum craith fechan. Tybed beth ddigwyddodd iddi? Dweud wrthi am beidio â phoeni wnaeth Joe Kaplan pan holodd hi o. Feddyliodd hi fawr am y peth wedyn. Bu o dan law Joe am wythnosau cyn iddi briodi Bob. Bu'n dod i'w gweld hyd yn oed ar ôl iddi adael yr ysbyty a chael nyrs breifat i'w thendio. Bob tro y deuai Joe i'w gweld byddai'n hau 'chwaneg o hadau'r gorffennol yng nghwysau gweigion ei meddwl. Ei henw, ei llinach a'i hoed. Derbyniai hynny heb amau. A bod yn onest, doedd gwybod am ei gorffennol yn poeni fawr arni. Collasai gyfrinachau ddoe pan gawsai'r ddamwain, dyna'r cwbl. Roedd ceisio dirnad y gorffennol yn torri'i chalon a'i gwneud hi'n ansicr. Bu Bob yn gefn mawr iddi yn ystod y flwyddyn gyntaf anodd honno. Gwnaeth iddi sylweddoli mai heddiw a fory oedd yn bwysig a bod ddoe wedi hen fynd. Wnaeth o ddim trio cysgu efo hi tan iddo gael caniatâd Joe yn gyntaf. Vera, gwraig Joe, ddywedodd hynny wrthi flynyddoedd yn ddiweddarach. Doedd dda gan Vera mohoni a theimlai Thérèse fel petai hi'n ei chadw hi hyd braich, jyst rhag ofn iddi ddod yn ddigon agos i frathu. Efallai ei bod hi'n genfigennus o'i gŵr. Roedd o'n feddyg llwyddiannus ac ar staff un o ysbytai enwocaf Efrog Newydd. Heidiai cleifion a ffug gleifion yn rhengoedd ato. Ond gwrthod edrych ar y cyfoethogion cwynfanllyd a wnâi o. 'Llond tŷ o blant a diwrnod caled o waith fuasai'n mendio'r rhan fwya ohonyn nhw!' Doedd ganddo ddim mo'r amser na'r amynedd efo pobl o'r fath, a doedd yn ddim ganddo ddweud hynny wrthyn nhw chwaith. Ond roedd o'n arbennig o ofalus o gleifion go iawn. Chafodd Thérèse erioed achos i gwyno. Roedd o'n fwy na doctor iddi, roedd o'n ffrind hefyd; ei hunig ffrind efallai. Doedd cyfarfod â theulu Bob pan ddaeth hi i America o Ffrainc ddim wedi bod yn rhwydd. Roedd ei fam yn dal ar dir y byw bryd hynny ac er ei bod yn ddynes ffeind iawn nid oedd am geisio cau'r agendor rhyngddi a'i darpar ferch yng nghyfraith. Teimlai Thérèse yn anghyfforddus yn ei chwmni. Roedd y teulu i gyd yn gwybod iddi gael ei chlwyfo yn y rhyfel ac yn credu iddi gael ei hanafu mewn cyrch awyr. Ac er eu bod nhw'n gwybod nad oedd modd ei holi ynglŷn â'i gorffennol, teimlai Thérèse fod hynny'n corddi ei mam yng nghyfraith. Dipyn o wraig fawr oedd Mrs James Bradford a hynny oherwydd ei bod hi'n medru olrhain ei hachau yn ôl at goncwerwyr Seisnig yr ail ganrif ar bymtheg. Ysai am gael treiddio i hanes teuluol ei phwt o ferch yng nghyfraith Ffrengig. Pan feiddiodd wneud hynny, trodd Robert y stori cyn iddi gael ei gwynt ati. Er gwaethaf popeth roedd Ruth a'i gŵr o dan ei bawd, ond roedd bodolaeth Thérèse wedi llacio'i gafael ar ei mab.

Bu Ruth yn ffeind wrthi hefyd; roedd ffrindiau a theulu Robert i gyd yn ffeind ar y dechrau. Ond roedd Thérèse yn ymwybodol iawn o'u hanfodlonrwydd; roedd hi'n gwneud iddyn nhw deimlo'n anghyfforddus ac yn amharu ar eu byd bach diogel nhw. Roedd hynny'n ei thynnu hi'n nes, yn nes at Robert. Joe oedd yr unig ffrind go iawn. Cymysgai ddigon efo amrywiaeth o bobl; parau priod yr âi Bob a hithau allan i gymdeithasu efo nhw, merched yr âi hi allan am ginio efo nhw, merched oedd yn cefnogi'r un achosion da â hithau. Ond cydnabod oedd y rhain, nid ffrindiau agos. Robert a Joe Kaplan, dyna'i hunig ffrindiau agos. Roedd hi'n amser gwahodd y Kaplans i swper unwaith eto, a hynny er gwaethaf Vera. Gast oedd Vera, a doedd dda gan neb mohoni. Gallai wahodd y dyn oedd ym mharti Ruth hefyd. Roedd o'n glên. Efallai oherwydd ei fod yntau'n Ewropead roedd hi'n hawdd siarad efo fo. Roedd o'n ddyn golygus iawn. Dywedodd Ruth ei fod o'n caru efo Julia Adams. Roedd Ruth wedi cymryd ato fo hefyd. Cyfarfu Thérèse â Julia ryw unwaith neu

54

ddwy, ond brith gof oedd ganddi ohoni. Cofiai ei bod hi'n ddeniadol a'i bod hi'n gwisgo'n smart. Byddai'n rhaid gwahodd Julia hefyd. Gallai fod yn noson dda, yn arbennig gan fod Joe â diddordeb mawr mewn pensaernïaeth fodern. Gorffennodd ei choffi a mynd yn ôl i'w gwely. Gwyddai ei fod o'n effro. Estynnodd ei law i chwilio am ei llaw hithau.

'Lle 'ti 'di bod?'

'Methu cysgu oeddwn i. Mi 'nes i banad o goffi. 'Ti isio peth?'

'Dim diolch. Ty'd yma, yn nes ata i.'

Closiodd ato a'i gusanu. 'Dwi'n dy garu di, Robert. Anghofio deud hynny wrthat ti weithia. 'Nes i dy blesio di heno?'

'Siŵr iawn,' meddai. 'Sut fedrat ti beidio? Dwi mor lwcus ohonat ti. Wrth i mi edrach o 'nghwmpas ym mharti Ruth heno, dim ond un ddynas oedd yn y lle. Dim ond un gwbwl fenywaidd a phrydferth. A fi oedd pia hi.'

'Tasan ni'm ond wedi ca'l plentyn,' meddai'n sydyn. 'Mi rown i'r byd am blentyn. Dwi'n teimlo mor euog 'mod i 'di gwarafun hynny i ti'r holl flynyddoedd yma.'

'Paid byth â theimlo'n euog,' meddai Robert. 'Waeth gen i am blant. Ti ydi'r cwbwl sgen i'i isio. Ti a neb arall.'

'Fi sy'n lwcus,' meddai Thérèse yn dyner. 'Fi, nid chdi. Welaist ti Julia Adams heno?'

'Do, am funud. Roedd hi'n chwilio am y pensaer 'na fuost ti'n siarad efo fo. Fo ydi'r cariad diweddara. Pam?'

'Meddwl 'u gwadd nhw i swpar yr un noson â Joe a Vera. Mi roddodd o'i gyfeiriad i mi — y pensaer, dwi'n feddwl. Amstat, Karl Amstat oedd 'i enw o. Dyn clên, Robert. Dwi'n siŵr y byddi ditha'n cymryd ato fo.'

'Os wyt ti'n deud.'

55

'Iawn, mi ffonia i Julia ryw ben.'

★ ★ ★

Wnaeth Karl Amstat ddim agor y drws ar ei union. Canodd y gloch ddwywaith tra oedd o yn y llofft yn llwytho'i ddillad i mewn i'r bagiau gweigion. Doedd neb i fod i alw heno. Gadawodd i'r gloch ganu. Nid dyma'r tro cyntaf iddo hel ei bac ar frys, ond roedd o wedi rhyw ddechrau meddwl na fyddai'n rhaid iddo wneud hyn eto. Roedd o wedi bod yn ddiogel am chwe blynedd ac wedi disgwyl bod yn ddiogel am byth. Ond feiddiai o ddim aros rŵan, ddim ar ôl cyfarfod â Thérèse Masson. Dyma'r math o amgylchiadau nad oedd modd eu rhag-weld. Synnai nad oedd hi wedi ei nabod, ond lwc dros dro oedd hynny. Y tro nesaf, efallai y byddai hi'n cofio rhywbeth, yn sylwi ar rywbeth nad oedd modd ei weld yng nghanol môr o bobl neu yn nhywyllwch y nos.

Rhedeg oedd yr unig ddewis. Canodd cloch y drws eto. Dan regi, aeth i weld pwy oedd yno.

'Diolch am 'y ngada'l i yn y parti 'na,' meddai Julia. ''Sgen i hawl i ofyn pam?'

Cerddodd yn wyllt i'r stafell fyw a'i thaflu ei hun ar un o'r cadeiriau cyn iddo gael cyfle i ateb.

'Sori,' meddai. 'Ond 'ti'n gwbod 'i bod hi'n gas gen i bartïon. Fedrwn i mo dy weld di yn unlla, felly mi baglais i hi o 'na. Dwi 'di ymlâdd rŵan, yn barod i fynd i 'ngwely.'

'Efo pwy?' meddai. Wnaeth hi ddim ymdrech i symud modfedd. Tynnodd ei menig a thanio sigarét. Roedd hi'n flin ac roedd Karl yn mynd i orfod dioddef am wneud sbort am ei phen hi o flaen y Bradfords.

Wnaeth Karl ddim symud o ganol y stafell. 'Ar 'y mhen fy hun,' meddai. 'Ma'n ddrwg gen i 'mod i 'di

56

dŵad adra hebddat ti, ond fel dwi 'di deud wrthat ti o'r blaen, dydw i ddim yn gi bach i neb. Mi a' i â ti adra rŵan os wyt ti isio, ond paid â meddwl 'mod i'n mynd i wastio'n amsar yn ffraeo efo chdi na neb arall.'

'Dydw i ddim isio mynd adra,' meddai. 'Dwi isio gwbod be' haru ti, Karl, a dwi isio'r gwir gen ti. Dwyt ti 'rioed wedi 'nhrin i fel hyn o'r blaen, 'rioed wedi mynd â 'ngada'l a 'rioed wedi trio d'ora i ga'l gwarad ohona i fel hyn chwaith. Felly be' sy'?'

'Ma'n gas gen i bartïon. Dwi 'di deud 'i bod hi'n ddrwg gen i ddwywaith. Dwi 'di blino, felly plîs cer adra.'

Petrusodd Julia; doedd hi erioed wedi ei weld o fel hyn o'r blaen. Roedd o'n ddieithr. 'Karl,' meddai, 'dwi'm isio ffraeo. Y peth d'wetha i mi weld oedd y chdi a gwraig wallgo Bobi Bradford yn mynd allan o'r stafall — ac yn diflannu'n llwyr. Meddwl dy fod ti 'di dŵad â hi'n ôl i fan 'ma 'nes i, ac mi wylltiais i.'

'Be' 'ti'n feddwl — gwraig wallgo Bobi Bradford?'

Roedd o'n flin efo hi a'i byd bach diogel diddim am feiddio â galw neb yn wallgo. Syllodd arni drwy fwg ei sigarét. Y funud honno, roedd o'n casáu Julia.

'Yn union be' ddeudais i! Gwallgo — wel, mewn ffordd. Ar ôl y rhyfal, wyddai hi ddim pwy oedd hi. Pam wyt ti'n syllu arna i fel 'na? Be' ydi o'r ots i ti pwy ydw i'n 'i alw'n wallgo?'

'Ddim yn gwbod pwy oedd hi? Be' 'ti'n feddwl? Roedd hi'n ymddangos yn berffaith gall i mi.'

'Wrth gwrs 'i bod hi,' meddai Julia'n flin. 'Jyst methu cofio dim o'i hanas cyn iddi briodi Bobi ma' hi. Mi glywais i mai 'di bod mewn rhyw fath o gyrch awyr oedd hi — dwn i'm. Dyna ddeudodd Ruth beth bynnag. Be' ydi'r ots?'

''Ti isio wisgi?' holodd. Tywalltodd ddiod iddyn nhw ill dau.

Roedd golwg flin a chas arno, ac roedd arni hithau ofn ei golli. Mwy o ofn hynny nag unrhyw ofn arall fu arni erioed. 'Ty'd ata i a 'stedda,' meddai. Dal i sefyll wnaeth o. Sefyll yn sipian ei ddiod ac yn syllu drwyddi hi.

Dyna'r eglurhad. Dyna pam nad oedd Thérèse wedi ei nabod o. Dyna oedd yn golygu na fyddai hi byth yn ei nabod o.

'Ty'd yma,' mynnodd ei gariad eto. 'Ma'n gas gen i ffraeo. Arna i oedd y bai, ac ma'n ddrwg gen i.' Llwyddodd i chwerthin a chuddio'i hemosiwn. 'Hen ast fach genfigennus ydw i. Ty'd, cusana fi.'

Eisteddodd wrth ei hochr a charcharodd hithau o yn ei breichiau. Cusanodd o'n wyllt wrth awchu amdano. Doedd hynny'n cyffroi dim arno heno. Allai o ddim mynd â hi i'w wely, allai o ddim gadael iddi weld y bagiau.

'Ddim heno, Julia,' meddai. 'Dwi 'di ymlâdd ac ma' gen i lwythi o waith i' 'neud. Mi a' i â chdi adra.'

Syllodd arno ac ysgwyd ei phen. 'Pam na fedrwn ni setlo hyn, Karl? Pam na fedrwn ni briodi?'

'I be'?' meddai. 'Pam newid petha? Mi 'nest ti gamgymeriad wrth briodi'r tro d'wetha — ella mai camgymeriad fuasai priodi'r tro 'ma hefyd. Mi alwa i'n gynnar nos fory, tua pump. Mi gawn ni'r gyda'r nos i gyd efo'n gilydd.'

'A'r nos i gyd,' meddai Julia. 'Dwi isio deffro'n y bora i dy weld di'n gorwedd wrth 'yn ochor i.'

'Os mai dyna 'ti isio . . .' meddai. Gwnaeth ymdrech i'w chusanu hi. 'Ma'n ddrwg gen i. Roeddwn i wedi bwriadu ffonio i egluro.'

Cododd Julia a gafael yn ei bag a'i menig. Roedd hi

wedi ailafael yn ei hyder. 'Paid â phoeni. Cenfigennus oeddwn i. Gwallgo ne' beidio, ma' hi'n ddynas brydferth iawn, a wyddwn i ddim lle'r oeddach chi. 'Sdim isio i chdi fynd â fi adra, ma'r car gen i.'

Cerddodd efo hi at ei char a'i chusanu drwy'r ffenest agored cyn iddi ddiflannu i dywyllwch y nos. Yna aeth yn ôl i'r fflat, yn ôl i'r stafell wely i ddadbacio. Roedd o'n ddiogel. Doedd hi byth yn mynd i'w nabod o a doedd yntau ddim yn mynd i orfod ffoi chwaith.

III

'Ŵyr yr hen betha Bradford 'na ddim be' ydi parti da,'
meddai Vera Kaplan. Ar ôl iddi liwio'i gwefusau'n binc
llachar, gwenodd arni'i hun yn y drych i wneud yn siŵr
nad oedd dim o'r lliw wedi glynu yn ei dannedd. Er bod
ei gŵr yn gwisgo yn y stafell drws nesaf, gallai glywed
popeth drwy'r drws agored. 'Ma' hi mor farwaidd,
dyna'r draffarth,' ychwanegodd mewn llais uwch, er
mwyn gwneud yn siŵr ei fod yn ei chlywed. 'Ma' mynd
i swpar at rheina fath â gwrando ar gwynion dy gleifion
di.'

Doedd Joe ddim y math o ddyn i gael stafell wisgo
iddo fo'i hun ar wahân i stafell wely ei wraig. Doedd
pethau felly ddim yn rhan o'i gefndir o. Ond roedd hi
wedi mynnu, ac erbyn hyn roedd o'n ddigon balch o
hynny. Roedden nhw'n ffraeo'n aml ac o'r herwydd
cysgai o ar ei ben ei hun yn lled aml. Clywodd bob gair
a ddywedodd Vera ond fe'i gorfododd ei hun i beidio ag
ateb ac i beidio â gwylltio.

'Ma' hi mor farwaidd.' Roedd Vera wedi casáu
Thérèse Bradford o'r funud y gwelsai hi. Roedd o wedi
ceisio dadansoddi'r cymysgedd o atgasedd, cenfigen ac
amheuaeth a wnâi Vera mor wenwynllyd tuag ati, ond
ni allai hyd yn oed ei feddwl meddygol o ddirnad maint
a grym ei chasineb. Ond, ar y llaw arall, roedd pobl yn
aml yn dewis canolbwyntio'u chwerwder a'u ddiffyg
ffydd ynddyn nhw'u hunain ar bethau cwbl amherth-
nasol i'w teimladau. Roedd Vera'n golygu cyn lleied
iddo erbyn hyn fel y gallai ddeall a chydymdeimlo â'i
sefyllfa. Torrodd Vera Calston Hughes reolau
sancteiddiaf y crach Americanaidd pwerus pan
briododd hi Iddew fel fo. Petai hi wedi mynd i ddibynnu

ar y botel, neu wedi troi at buteindra, neu petai hi'n ddim ond hanner call, yn hyll ac yn hen ast efo pawb, byddai wedi cael ei chadw oddi mewn i gylch cyfrin ei chymdeithas anwar; cymdeithas y rhai allai olrhain eu hachau yn ôl at Saeson neu Iseldirwyr mawr a dylanwadol y ddeunawfed ganrif. Ond roedd hi wedi priodi ag Iddew ac wedi ei thaflu ei hun at wehilion cymdeithas, ac nid at wehilion fel y Gwyddelod a'r Eidalwyr, ond at ddosbarth yr oedd hyd yn oed y rheini'n ei amharchu a'i gystwyo. Wrth gwrs roedd hi'n dal i fod uwchlaw'r Negro, wel bron iawn beth bynnag. Vera druan. Clymodd Joe ei dei a mynd ati i'r stafell wely, fel y câi gyfle i brocio 'chwaneg arno. Mae'n rhaid fod arni angen ei frifo neu fyddai hi byth yn mynd i'r fath drafferth i drio.

'Fydd petha ddim cynddrwg â hynny heno,' meddai. 'Ma' Bob yn deud 'u bod nhw wedi gwahodd rhyw bensaer o'r Swistir. Mae o'n deud 'i fod o'n ddyn diddorol. Ella cymeri 'di ato fo.'

'Ella.'

Edrychodd hi ddim arno; dim ond dal i edrych arni'i hun yn y drych. Roedd hi'n ifanc a phrydferth pan gyfarfu a chwympo mewn cariad â Joe. Roedd ganddi arian ac enw oedd yn mynd ymhell yn ei chylchoedd cymdeithasol. Fo oedd y dyn galluocaf a chlenia iddi ei gyfarfod erioed. Meddyliai hynny'n aml wrth iddi edrych ar ei bogel chwerw ei hun. Petai hi ond wedi gallu bod yn ddigon cryf i droi ei chefn ar y briodas flynyddoedd yn ôl cyn iddi golli ei hunan-barch a cholli ei gariad yntau. Aethai deng mlynedd heibio oddi ar iddi dorri gair efo'i theulu. Wnâi hi byth faddau iddyn nhw, hyd yn oed ar ei gwely angau. Ac nid crach Boston oedd yr unig rai i'w thrin hi fel baw chwaith. Ar ôl iddyn nhw'i diarddel hi a gwrthod cyfarfod â'i gŵr, cafodd ei gwneud yn esgymun gan ei deulu Iddewig, cul yntau hefyd. Er bod Vera'n cael pob croeso ar eu haelwyd nhw, pob cwrteisi a'i thynnu i mewn i bob sgwrs, roedden nhw'n dal i wneud iddi deimlo'n wahanol. Yr ymwelydd dieithr nad oedd yn deall nac yn perthyn iddyn nhw.

Roedd gan Joe ei waith a'i yrfa, a ph'run bynnag, ym marn Vera, doedd o ddim wedi gwneud unrhyw aberth wrth ei phriodi. Doedd neb yn ei anwybyddu o a doedd yntau ddim yn sylweddoli mai dim ond i bartïon yn llawn o westeion goddefgar roedden nhw'n cael eu gwahodd. Gan mai dyna fu hanes bywyd Joe erioed, roedd o'n rhy ddall i weld bod ei wraig yn gorfod dioddef llawer oherwydd iddi'i briodi o.

Ond roedd yntau'n deall problem Vera hefyd; yn deall ei diffyg ymateb wrth iddo gyffwrdd â hi ac yn gwybod pam ei bod hi'n anwybyddu'i eiriau anwes. Wnaeth hi ddim symud wrth iddo geisio rhoi'i law ar ei hysgwydd, dim ond dal i edrych arni'i hun yn y drych a dal i geisio gwthio'i chlustdlysau diamwnt anferth i mewn i'r twll bychan yn ei chlust. Gwrthod ymateb er mwyn gwneud yn siŵr ei fod o'n gwybod nad oedd hi'n ei garu o bellach. Daeth awydd sgrechian drosti. Awydd sgrechian am ei fod o'n deall.

'Dydyn nhw ddim yn rhy hoff o academyddion,' meddai Vera gan ailgynnau'r rhyfel eiriol. 'Ond ella 'mod i'n annheg yn 'i galw hi'n farwaidd hefyd. Deuda wrtha i, sut effaith gafodd dy dipyn seicoleg di arni hi? Hynny gna'th hi mor hen-ffasiwn tybad?' Trodd ato a gwenu.

'Paid â rwdlian,' gwaeddodd Joe Kaplan. Doedd o ddim wedi bwriadu neidio ar ei draed na cholli'i dymer, ond roedd o ar bigau'r drain ar ôl diwrnod caled o waith. Fedrai o ddim peidio â gwylltio er gwaethaf gwiriondeb ei thiwn gron gyfarwydd.

'Vera, pam na fedri di jyst ada'l llonydd i Thérèse? Be' ma' hi 'di'i 'neud i chdi 'rioed?

'Dyna'r peth, dwi ddim yn gwbod,' meddai. 'Ond nid y fi sy'n methu gada'l llonydd iddi, naci? 'Rioed wedi bod. Ond be' amdanat ti?'

Doedd dim yn newydd yn awgrym Vera; roedd hon yn hen, hen gân. Gwylltiodd Joe yn gacwn unwaith eto.

'Chysgais i 'rioed efo hi. Dydw i ddim hyd yn oed wedi gafa'l ynddi hi. Ei doctor hi ydw i! Feiddiwn i ddim cyffwrdd ynddi hi taswn i isio.' Tynnodd lond ei ysgyfaint o wynt er mwyn rheoli'i dymer. Dechreuodd siarad eto, ond yn bwyllog y tro hwn. 'Dydw i ddim yn credu mewn datrys problema efo 'nwrn, Vera, ond y tro nesa yr awgrymi di fod 'na rwbath rhyngdda i a Thérèse, mi dyrna i di o fan 'ma i dragwyddoldeb. Rŵan 'ta, well i ni afa'l ynddi, ne' mi fyddwn ni'n hwyr. Fel doctor dwi'n credu mewn prydlondeb, ac fel Iddew dwi'n credu mewn cwrteisi. Mi ddisgwylia i amdanat ti yn y car.'

Cerddodd allan o'r stafell fel petai dim wedi digwydd a chaeodd y drws yn dawel ar ei ôl. Chwistrellodd Vera ei hun efo persawr drudfawr ac wrth gadw'r botel yn ei bag gwnaeth yn siŵr fod ganddi ffunen a cholur. Roedd ei ffrog ddu'n canmol ei chorff siapus i'r dim. Dysgasai'r grefft o wneud y gorau ohoni'i hun flynyddoedd yn ôl. Trodd i edrych yn y drych unwaith eto cyn mynd. Roedd ei ffrog a'r siôl a'r bag a'r esgidiau'n asio'n berffaith mewn partneriaeth â'r tlysau dethol. 'Fel Iddew dwi'n credu mewn cwrteisi.'

Gwyddai Joe i'r dim beth oedd yn llosgi yn ei bol hi, ac roedd hithau'n flin a siomedig efo'i hun am iddi fethu â'i dwyllo fo. Roedd Joe'n disgwyl amdani yn ei

Volvo llachar coch. Dyna destun cecru arall meddyliodd; lliw'r car. Ond roedd o'i hun wrth ei fodd efo'r car ac yn cael gwefr wrth rasio ynddo o'r naill le i'r llall. Daeth Vera i eistedd wrth ei ochr a chychwynnodd yrru'n araf tuag at fflat Robert Bradford yn Park Avenue. 'Oeddat ti o ddifri gynna?' holodd Vera wrth iddo stopio o flaen golau coch. 'Dwyt ti ddim 'di 'nharo i unwaith mewn deng mlynadd, er dy fod ti 'di ca'l mwy na digon o achos i 'neud.'

'Nac oeddwn debyg,' meddai Joe Kaplan. 'Dwi'n treulio diwrnodia dirifedi yn trio datrys problema pobol eraill ag yna dwi'n dŵad adra a bygwth stido 'ngwraig i fy hun!' Gafaelodd yn llaw Vera a'i gwasgu. 'Ma'n ddrwg gen i, cariad. Anghofia am y peth.'

'Fedra i jyst ddim cymryd ati hi,' meddai Vera. 'Ma' Bob druan mor annwyl, mi fedra fo fod wedi priodi unrhyw un — ella mai cenfigennus ydw i wrth weld dynas arall yn cael cymaint o sylw a maldod.'

'Ma' hi'n haeddu'r cwbwl,' meddai. Gwthiodd y gêr i'w le'n ffyrnig a gadael y traffig yn sefyll ugain llath y tu ôl iddo. 'Fedri di byth ddeall be' ma' Thérèse wedi gorfod 'i ddiodda, Vera. Fedar neb ddeall heb 'u bod nhw 'di gweld drostyn nhw'u hunain.'

Wnaeth hi ddim ateb, oherwydd roedd y bregeth hon yn boddi'i chlustiau'n barhaus. Yr unig wahaniaeth rhwng Thérèse Bradford a miloedd o ferched eraill oedd ei bod hi wedi bod yn lwcus. Roedd Ewrop yn byrlymu o wersylloedd yn llawn o drueiniaid gwan eu cyrff a'u meddwl. Ysglyfaeth y Natsïaid nad oedd ar neb eisiau cofio amdanyn nhw.

'Does dim rhaid i chdi fod yn genfigennus ohoni,' meddai Joe Kaplan. 'Pam na fedri di weld hynny? Ma' gen i barch mawr ati, a dwi'n digwydd bod yn reit hoff ohoni hefyd. Enghraifft o un o'm llwyddianna mwya i

ydi hi, dim byd arall. Paid â bod yn groes iddi jyst am
nad wyt ti ddim yn 'i licio hi. Tria fod yn iawn efo hi,
jyst am heno, jyst i weld sut bydd petha.'

'Dria i,' meddai Vera. Gwenodd arno, ac am ennyd
roedd cynhesrwydd fflamau'r gorffennol yn eu cofleidio
unwaith eto. Chwarddodd, fel y byddai hi'n arfer
chwerthin efo fo, 'Well i mi 'neud, rhag ofn i mi ga'l cic
yn 'y nhin!'

★ ★ ★

Doedd Karl Amstat ddim wedi bwriadu derbyn y
gwahoddiad i swper. Wrth iddo gerdded drwy ddrws y
fflat, yn flinedig ar ôl treulio ychydig ddiwrnodau efo'i
waith cynllunio yn Chicago, canodd y ffôn. Clywodd y
llais yn holi a oedd o'n cofio'i chyfarfod hi ac yn ei
wahodd i swper. Roedd Julia eisoes wedi derbyn ac
roedd hithau'n ysu am ei gyfarfod eto. Cytunodd cyn
meddwl. Cogio bod y cynnig yn anrhydedd mawr. Cyn
iddo orffen rhoi'r ffôn i lawr yn iawn, cododd hi eto.
Roedd o'n barod ei esgusion. Deialodd y ddau rif cyntaf
ac yna newid ei feddwl eto. Roedd o eisiau mynd, a
doedd dim perygl yn hynny. Holodd Julia sawl gwaith
ynglŷn â chyflwr Mrs Bradford. Na, doedd ganddo
ddim i'w ofni. Doedd Thérèse yn cofio dim amdano fo,
a fyddai hi byth yn cofio chwaith. Ceisiodd ei dwyllo'i
hun fod y sefyllfa eironig yn apelio at ei hiwmor. Roedd
o'n mynd i gael mwynhad mawr o fynd i swpera efo hi,
cyfarfod â'i ffrindiau hi a siarad efo'i gŵr hi hefyd. Ond
gwyddai'n reddfol nad oedd o'n mynd i gymryd at
Bradford ac o fewn ychydig funudau yn awyrgylch ei
fflat foethus gallai deimlo'i atgasedd tuag at y dyn
bonheddig, hardd a chyfoethog a briodasai â Thérèse
Masson yn mud ferwi yn ei wythiennau. Ceisiodd ei
chadw hi hyd braich, ond allai o ddim. Gafaelodd

hithau yn ei law a'i dywys yn llwfr i weld y Gainsborough a gafodd yn anrheg gan Robert.

''Dydi o'n hardd.' Nid gofyn, ond dweud roedd hi, wrthi iddi fethu peidio â syllu ar y darlun.

Yn bersonol doedd ganddo fo gynnig i'r llun. Roedd o'n Seisnig ac ystrydebol iawn. Ond roedd o'n rhoi'r cyfle iddo fo syllu arni hi tra oedd hi'n syllu ar y canfas. Synnai pa mor drugarog fu amser efo hi. Roedd hi wedi aeddfedu heb golli'r diniweidrwydd a ddeffrôdd ei nwydau y tro cyntaf hwnnw. 'Campwaith,' meddai. 'Er, ma'n rhaid i mi gyfadda, Mrs Bradford, fod tirlun yn fwy at 'y nant i.'

'Dyna ma' pob dyn yn 'i ddeud,' meddai dan wenu. 'Plîs, galwch fi'n Thérèse. Dwi mor falch 'ych bod chi 'di medru dŵad yma heno. Sgwrs ddigon rhyfadd am wŷr fy chwaer yng nghyfraith gawson ni'r tro d'wetha, os cofiwch chi?'

'Sgwrs ddiddorol iawn,' meddai Karl. 'Ydyn nhw'n dŵad heno?'

'Na, mi gewch chi ddigon o gyfla i'w cyfarfod nhw eto. Dim ond chi a Julia a Joe a Vera Kaplan sy' 'ma. Rydan ni'n ffrindia efo'r Kaplans ers cyn co. Mae o'n ddyn mor annwyl — mi liciwch chi o.' Roedd hi am i bawb fedru cyd-dynnu ac am i bawb fwynhau a chanmol y swper. Roedd hi wedi mynd i gymaint o drafferth efo'r holl drefniadau; wedi dewis y bwyd a'r gwin gorau ac wedi treulio'r prynhawn i gyd yn gosod y blodau — y math o waith y byddai'n ei adael i'r forwyn ei wneud fel arfer. Trodd Thérèse ei chefn at y llun a dilynodd Amstat hi'n ôl i'r stafell fechan lle'r oedden nhw'n arfer cynnal partïon o'r fath. Daeth Bob atyn nhw ar ei union.

'Ty'd i ga'l diod, cariad. Karl, dwi'n siŵr 'ych bod chitha'n barod am Fartini arall — dwi'n gwbod sut un

66

ydi Thérèse unwaith ma' hi'n dechra dangos y tŷ i rywun.'

'A dim ond hofal bach yn Efrog Newydd ydi fan 'ma — mi ddylach chi weld y palas yn Boston!'

Pwysleisiodd chwerthiniad Vera Kaplan y gwenwyn oedd yn ei geiriau. Estynnodd ei gwydryn i Bob. 'Ma'r lle fath ag amgueddfa. Pob dim 'di ddwyn o balas rhywun arall, ac ma' 'na well llunia na'r Gainsborough 'na yn y tai bach yn fan 'no!'

Roedd pawb wedi eu syfrdanu ormod i ddweud gair. Cythrodd Thérèse y gwydryn gwag o law Vera a'i lenwi'n sydyn.

'A finna'n meddwl fod 'ych teulu chi'n gwbod be' 'di be', Vera. Dwi'n siŵr na fuasan *nhw*'n ystyried rhoi llunia yn y tŷ bach. Ydach chi isio 'chwanag o rew?'

'Ma' hi'n ddigon oeraidd yma'n barod,' sibrydodd Julia wrth Karl. Pan eisteddodd o ar y soffa, eisteddodd hithau wrth ei ochr gan bwyso'i llaw yn dyner ar ei ysgwydd. Edrychai ei hewinedd cochion fel dafnau o waed ar ei gôt dywyll. Roedd hi'n gwenu wrth bwyso'n ei erbyn ac edrych i fyw ei lygaid. 'Ma' hon yn mynd i fod yn noson a hannar,' meddai. 'Ma' Vera wrth 'i bodd yn actio'r ast anystywallt. Tania sigarét i mi, 'nei di?'

'Ddeudodd Mrs Bradford 'u bod nhw'n hen ffrindia,' meddai Amstat.

'*Fo* 'te.' Tynnodd Julia fwg yn ofalus i'w hysgyfaint. Roedd pawb arall yn siarad eto, pawb wedi gwthio'r ffrae i gefn eu meddyliau, ond roedd yr awyrgylch yn dal yn anghynnes. 'Yn ôl pob sôn ma' hi'n casáu Thérèse, er Duw a ŵyr pam, does yna ddim byd i' gasáu ynglŷn â hi.'

'Nac oes,' cytunodd Karl. 'Dim ond 'i bod hi'n brydferth. Ella mai dyna sy'n corddi merched eraill.'

'Mi fydd o'n 'y nghorddi inna hefyd, os deudi di

hynna'n amal,' meddai Julia. 'Ma' hi 'di cymryd atat ti.
Bob tro dwi'n codi 'mhen ma' hi'n syllu arnat ti.'

'Paid â siarad yn wirion,' sibrydodd.

'Dydi'r peth yn poeni dim arna i,' meddai Julia.
'Dwi'n licio gweld merched eraill yn glafoerio drostat ti.
Cyn bellad nad wyt ti ddim yn glafoerio drostyn nhwtha
hefyd.'

'Hei, chi'ch dau.' Daeth Bob Bradford draw atyn
nhw. 'Peidiwch ag ymddwyn fel petaech chi 'di priodi
a dowch i fan 'cw i siarad efo pawb arall.'

'Dydan ni ddim yn gneud dim byd o'r fath,' cywirodd
Julia fo. 'Ymddwyn fel ffrindia clòs, fath â ma'r brych
Winchel 'na'n 'yn galw ni, ydan ni.'

Dweud hynny er mwyn Thérèse wnaeth hi; er mwyn
gwneud yn siŵr ei bod hi'n deall fod Karl a hithau'n
gariadon. Dweud mewn ffordd fach waraidd, soffistig-
edig. Cododd Karl i fynd i siarad efo Joe Kaplan.

Syrthiodd llaw Julia yn sydyn wrth i'w hangor
ddiflannu. Roedd o'n ei chasáu hi am fod mor agored
efo pobl eraill am eu perthynas nhw. Roedd o'n siŵr o
fod yn flin, yn barod i ffraeo hyd yn oed, ond doedd
hynny ddim am ei rhwystro hi rhag bod yn gariadus yn
gyhoeddus. Doedd dda ganddi hi mo'r modd y
bachodd Thérèse Bradford o cyn iddyn nhw hyd yn oed
gael cyfle i roi'u dwy droed dros y rhiniog. Ac roedd hi'n
syllu'n ddibaid arno fo. Nid fod gan Julia ofn go iawn
ei golli o. Roedd ganddi hi fwy na digon o brofiad o wŷr
a chariadon i gystadlu efo'r mymryn Ffrances hon nad
oedd erioed wedi breuddwydio am unrhyw ddyn ond ei
gŵr. Dim ond ceisio'i gwneud hi'n anodd i Thérèse
hawlio cwmni Karl i gyd iddi'i hun roedd Julia. Fu dim
'chwaneg o gyffro yn ystod y chwarter awr cyn swper.
Rhoddwyd Karl i eistedd ar bwys Thérèse wrth y bwrdd
bwyd ac, o'r diwedd, teimlai fod gobaith iddo'i fwynhau

ei hun. Diolch i'r drefn na fu'n rhaid iddo eistedd wrth ochr gwraig gegog yr Iddew nac wrth ochr Julia chwaith o ran hynny! Byddai cwmni'r naill neu'r llall wedi troi ei fwyniant yn felltith. Gallai edrych ar Thérèse a siarad efo hi a byddai'r cyfan yn ymddangos yn gwbl normal. Roedd o'n edmygu'i dull boneddigaidd, anamericanaidd hi o drin yr anystywallt Mrs Kaplan. Dyma'r un ysbryd dewr, digyfaddawd a wnaeth iddi, yn ferch ifanc, flinedig, dywallt coffi dros garped ei swyddfa ugain mlynedd yn ôl. Gallai gofio hynny gyda balchder; gallai eistedd wrth ei hochr, yn arogli'i phersawr drud, yn mân siarad efo hi a'r Iddew Kaplan, a dal i feddwl am sut y tywalltodd hi'r gwpanaid o goffi honno pan oedd o'n ei chroesholi. Bechod na fuasai'r un mor rhwydd gosod argae ar draws llif y cof, i rwystro'r ymennydd rhag ail-greu'r tonnau o awch corfforol. Roedd cofio hynny'n beryglus a ffôl; yn ailgynnau fflamau'i fwriadau pell. Wnaeth o ddim cysgu efo hi bryd hynny; wnaeth o ddim mwy na'i gwasgu yn ei freichiau ond roedd yr hen awchau'n dechrau stwyrian ac aflonyddu fel arogleuon paradwys bellennig.

Gallai deimlo llygaid bygythiol Julia'n ei warchod. Roedd hi'n fedrus iawn yn gwneud i Bob Bradford chwerthin ac yna'n rhoi cwlwm yn nhafod Vera Kaplan ac ar yr un pryd yn ei wylio yntau'n ofalus. Collasai gyfrif sawl gwaith yr oedd o wedi cysgu efo Julia yn ystod y ddwy flynedd ddiwethaf, ac ers y noson honno bythefnos neu fwy yn ôl pan ailgyfarfu â Thérèse Bradford, roedd o wedi dechrau aros efo hi drwy'r nos a chael brecwast yn ei chwmni cyn ei throi hi am y swyddfa. Ond gwneud hynny am ei bod hi'n gofyn ac yn mynnu yr oedd o. Châi o ddim gwefr efo hi bellach, ac arni hi roedd y bai, am ei bod hi'n rhy barod i roi'r cyfan iddo. Fe'i gorfododd ei hun i gofio'i bod hi'n ei garu o. A doedd gan gariadon, fel yr atgoffai o'n aml, ddim cyfrinachau na sgerbydau mewn cypyrddau cloëdig; roedd y ddau i fod yn un. Geiriau sentimental ar ôl caru oedd y rheini, meddyliodd gan wenu. Roedd o'n uwd o gyfrinachau. Ar adegau byddai Julia yn ei swyno â hanesion ei phlentyndod ac yn ei ddiflasu efo helyntion ei llu cariadon, ond fyddai o byth yn dweud dim, oherwydd nad oedd dim i'w ddweud, ar wahân i'r celwyddau a grewyd ar ei gyfer. Ei fagwrfa a'i blentyndod yn Berne, ei ysgol, gyrfaoedd ei rieni, eu marwolaeth ddisymwth a'i benderfyniad yntau i astudio a chychwyn gyrfa newydd yn Ariannin — roedd y cwbl yn rhan o'r cogio a naddwyd yng nghelloedd ei feddwl. Roedd Julia'n nabod ei gorff cystal ag yr oedd yntau'n nabod ei chorff hithau, ond wyddai hi ddim amdano fo chwaith gan nad oedd o'n rhannu'i hangen am garthu'r meddwl yn gyhoeddus. Yn groes i'w bwriad, pellhau Karl a wnâi hynny nid ei glymu'n nes ati. Roedd o'n dechrau gobeithio na fyddai hi'n mynnu'i fod o'n cysgu efo hi heno.

'Dwi mor falch dy fod ti yma heno, Joe,' meddai Thérèse. Roedd hi'n mynd allan o'i ffordd i fod yn glên er mwyn gwneud yn siŵr nad oedd Joe'n poeni'n ormodol am ymddygiad anghwrtais ei wraig. Syllodd i fyw ei lygaid mawr tywyll, digalon yr olwg.

Roedd o mor anhapus efo'i wraig. Doedd ganddo fo ddim plant i ymgolli ynddyn nhw chwaith a bai Vera oedd hynny hefyd yn ôl pob sôn. Doedd hi ddim yn fodlon ymroi i fywyd teuluol dedwydd a doedd hi, chwaith, ddim am weld 'chwaneg o blant hanner Iddewig yn achosi rhagor o gur i'r drefn gymdeithasol.

'Dwi'n mwynhau dy gwmni di a Bob,' meddai. 'A titha'n mynd yn fwy prydferth bob dydd hefyd.'

'Glywais i hynna,' gwaeddodd Bob ar draws y bwrdd,

'ac mi wn be 'di'r achos hefyd. Fi!' Chwarddodd cyn ychwanegu, 'Efo mymryn o help gan 'i gwniadwraig hi! Ffrog newydd 'tê, cariad?'

Cochodd Thérèse, yn union fel petai hi wedi bod yn hogan ddrwg. 'Ia. Mi prynais i hi yn siop Bergdorf bora 'ma.'

'Ac ma' hi'n gweddu i ti i'r dim,' meddai Joe Kaplan.

'A deud y gwir,' parablodd Bob eto, 'ma' hi 'di mynd i draffarth mawr efo'i hun heno, 'do, cariad — ac yn edrach fath â pherl hefyd.'

Edrychodd ar ei wraig a gwenu arni; roedd hi'n fwy prydferth, yn fwy perffaith, nag arfer heno. Roedd ei hieuenctid hefyd yn gynfas ar ei gruddiau llyfn ac yn fwy felly nag arfer. Roedd ei hacen ddeniadol Ffrengig yn llai amlwg hefyd. Diolch i'r drefn ei bod hi uwchlaw sylwadau deifiol Vera Kaplan. Ymddangosai'n hamddenol, fel petai'n ei mwynhau ci hun. Chwarddai wrth siarad efo'r dieithryn. Penderfynodd Bob wneud ymdrech arbennig i siarad efo Vera, a hynny er mwyn Joe yn fwy na dim arall. Ei gyfeillgarwch â Joe oedd unig allwedd Vera i'r tŷ a dweud y gwir. Wedi'r cwbl, doedd affliw o ddim yn ddeniadol am ei phersonoliaeth haerllug hi'i hun. Bechod i Joe daro arni hi erioed. Fedrai Bob yn ei fyw â dirnad disgrifiad Joe ohoni. Fedrai o ddim gweld y Vera Calston Hughes fywiog, ifanc a aberthodd bob un dim i briodi'r Iddew. Fedrai o ddim gweld y bersonoliaeth ddewr, hudolus a briodolai Joe iddi. Dim ond dynes chwerw oedd yn cywilyddio wrth ei gŵr ac yn flin efo'r byd a welai o. Ond roedd edrych ar ei wraig ei hun yn codi ei galon eto. Doedd o ddim yn poeni bellach am fod yn ddi-blant; a doedd o ddim yn ei chysylltu hi â'r rhyfel ac uffern Buchenwald erbyn hyn chwaith. Roedd pethau felly wedi'u claddu yn llwch ddoe. Roedd Thérèse yno, wedi ei chreu fel Blodeuwedd Gwydion, gan Joe Kaplan. Addolai ei wraig a diolchai fod ganddo un o'r dynion mwyaf bonheddig dan haul fel ffrind. Yn ddiarwybod iddo rhwbiodd ambell ddiferyn o'i hapusrwydd o ar Vera, ac agorodd fel blodyn yn cael ei ddenu o'i flagur gan haul cynnes y gwanwyn.

Ar ôl swper aeth y cwmni dethol yn ôl i'r lolfa i sipian coffi ac eisteddodd Karl wrth ymyl Thérèse. Wnaeth o ddim disgwyl i gael cynnig eistedd yno, dim ond rhuthro yno cyn i neb arall achub y blaen arno.

'Sigarét?'

'Diolch, Karl — na, cymerwch un o'n rhai ni. Ma'n nhw yn y bocs gwyrdd 'na ar y bwrdd. 'Chwanag o goffi i rywun?'

'Diolch,' meddai Julia. 'Na, peidiwch â chodi. Mi ddaw Karl ag o draw i mi.'

Chwalwyd ei chynlluniau gan Bob wrth iddo afael yn y gwpan, ei llenwi a'i rhoi'n ôl iddi. Yfodd Julia'r coffi'n araf, gan danio'r naill sigarét ar ôl y llall, a chadw llygaid barcud yr un pryd ar ei chariad a gwraig Bradford. Doedd dim rhyfedd fod Vera yn ei chasáu hi. Efallai fod seiliau cadarn i'w hamheuon am berthynas Joe a'i glaf. Doedd hi erioed wedi'i gweld hi'n denu a chwarae efo dynion o'r blaen, ond roedd hi'n dipyn o sioe, meddyliodd Julia. Oedd, roedd Karl yn llygad ei le, roedd Thérèse yn brydferth. Ond nid yr un modd â sêr y sgrin chwaith — wel, doedd y rheini'n ddim y tu ôl i'r colur a'r siarad gwag. Meddai'r ddynes hon ar rywbeth arall, rhywbeth dyfnach na phrydferthwch — wedi'r cwbl roedd Efrog Newydd yn llawn o bobl brydferth, ond roedd rhyw fregusrwydd benywaidd ynglŷn â hon, rhyw ddiniweidrwydd anesboniadwy oedd yn codi cyfog ar rywun. Na, penderfynodd Julia, doedd hithau ddim yn rhy hoff ohoni chwaith.

'Tan pryd byddwch chi yn Efrog Newydd?' holodd Karl.

'Wn i ddim,' meddai Thérèse. 'Picio i lawr i dreulio diwrnod ne' ddau efo Ruth a'i gŵr 'naethon ni. Ma' hi'n llawar gwell gan Bob fod yn Boston.'

'A chitha?' meddai. 'P'run sy' ora gynnoch chi?'

'Efrog Newydd, dwi'n meddwl. Dwi'n teimlo'n fwy cartrefol yma. 'Dach chi'n gweld, mi darodd Vera'r hoelan ar 'i phen gynna pan ddeudodd hi fod y tŷ yn Boston fath ag amgueddfa. Feiddia i ddim symud modfedd ar ddim yno a finna 'di bod yn byw yno ers pymtheg mlynadd. Lle felly ydi o . . .'

'Wela i,' meddai. 'Ond dydi hynny ddim yn rhoi'r hawl i Vera fynd drwy'i phetha chwaith. Does dim modd maddau hynny.' Edrychodd arno mewn syndod; roedd o'n gynddeiriog, yn union fel petai geiriau hallt Vera wedi'i frifo fo'n bersonol. Roedd hi wedi teimlo dros Bob hefyd gan mai ei anrheg o oedd testun y dirmyg. 'Peidiwch â chymryd sylw o Vera,' meddai. 'Ma' hi'n bigog efo pawb. Dydi hi'n meddwl drwg i neb fel arfar. Ei diodda hi am 'yn bod ni mor hoff o Joe ydan ni. Ella'i bod hi'n synhwyro hynny.'

'Taswn i'n ŵr i chi,' meddai, 'fuaswn i ddim yn gada'l iddi hi ddŵad yn agos at y tŷ 'ma. Ella fod Dr Kaplan yn ddoctor tan gamp, ond ŵyr o mo'r peth cynta am ddewis gwraig.'

'Doedd hi ddim yn arfar bod cynddrwg,' meddai Thérèse. 'Dwi'n siŵr fod hyn i gyd yn swnio braidd yn chwithig i chi a chitha'n dŵad o wlad oddefgar fel y Swistir. Ond ma' petha'n wahanol yma, fedar teulu dylanwadol fel un Vera ddim stumogi Iddew fel mab yng nghyfraith. Mi drodd cymaint o ffrindia a chydnabod 'u cefna arni hi. Dwi'n siŵr fod hynny 'di brifo.'

Wnaeth o ddim ateb. Allai o ddim ateb. Roedd o wedi sefyll yng nghanol coedwig yn Lodz, yr eira'n gynfas dew dan draed a brigau'r coed yn plygu dan straen y pwysau; sefyll yno'n ufuddhau i orchymyn i wneud i'r holl gymdeithas Iddewig agor eu beddau'u hunain cyn cael eu saethu mewn cawod ddiangen o fwledi. Allai o, o bawb, ddim dweud yr un gair am ragfarn yn erbyn yr Iddewon.

'Dwi'n gobeithio na 'newch chi ddim brysio adra,' meddai Karl. 'A finna'n mwynhau cymaint ar 'ych cwmni chi; ma' rhaid i chi gofio 'mod i'n fwy o dramorwr na chi.'

'Ond, mi ydach chi'n wahanol.' Chwaraeodd Thérèse efo'r cwpanau coffi gweigion. Tywalltodd gwpanaid arall iddi'i hun, ond sylweddolodd Karl fod hwnnw'n oer pan grychodd ei hwyneb ar ôl y gegaid gyntaf. 'Ma' gynnoch chi yrfa lwyddiannus a llond gwlad o ffrindia ac mi ydach chi'n rhydd i gymdeithasu fel y mynnoch chi. Mor wahanol i 'myd i.'

'Sut hynny?' holodd yn dawel. 'Rydach chi 'di rhestru'n manteision i. Ond be' amdanach chi? Rydach chi'n ddynas anfaddeuol o brydferth; ma' gynnoch chi ŵr gwerth ei filoedd ac amgueddfa o dŷ yn Boston. Sut medrwch chi deimlo'n esgymun yng nghanol hynna i gyd? Dim ond ers chwe blynadd rydw i yma. Mae o'n dal i fod yn fyd dieithr iawn i mi.'

'Ydi,' meddai gan edrych i fyw ei lygaid a gadael llonydd i amddiffynfa'r cwpanau coffi. 'Ond ma'n sefyllfa i'n wahanol. Fi sy'n ddieithr, nid fy myd i.'

'Ym mha ffordd?' gofynnodd Karl. Roedden nhw'n glòs iawn erbyn hyn a'i fraich yntau'n gorwedd yn gyfforddus ar hyd cefn y soffa. Wrth iddi bwyso'n ôl anwesodd ei fraich â'i phen. Dyma'r unig gyfathrach gorfforol fu rhyngddyn nhw ar wahân i ysgwyd llaw

efallai; roedden nhw wedi rhyw fraidd gyffwrdd wrth
godi oddi wrth y bwrdd bwyd hefyd a gafaelodd yntau
yn ei braich fel ystum o ymddiheuriad. Roedd ei
chyffwrdd yn agor y llifddorau emosiynol. Wyddai o
ddim a oedd hi'n ymwybodol o hynny, yn gallu teimlo
gwres y nwydau oedd yn llifo drwy ei holl wythiennau.
Ond roedd rhywbeth yn rhy hamddenol yn ei chylch
chi, yn y modd roedd hi'n pwyso'n ôl i fwytho'i fraich
â'i gwallt ac yn y modd roedd hi'n dal ei phen i edrych
arno.

Chafodd o erioed mo'r cyfle i'w chusanu hi. Gallai
gofio dal ei hwyneb yn gadarn rhwng ei fysedd; gallai
gofio'r ôl coch a gwyn ar y croen wrth iddo'i gollwng.
Roedd hi'n beichio crio'r adeg honno ac yn cywilyddio
yn ei chorff ei hun am ei bod hi'n methu â'i reoli. Yna,
canodd y ffôn a gwahanu llwybrau eu bywydau. Drwy
ryw ryfedd wyrth, ugain mlynedd yn ddiweddarach,
roedd eu llwybrau wedi cyrraedd yr un groesffordd eto
yn Efrog Newydd. Chafodd o erioed mo'r cyfle i'w
chusanu hi, ond roedd o bron â marw eisiau gwneud,
eisiau gwefr yr agosatrwydd. Holodd eto, 'Ym mha
ffordd ydach chi'n ddieithr? Dwi ddim yn deall.'

'O, dydi hynny ddim yn bwysig. Wyddoch chi'ch bod
chi'n berson anghyffredin, Karl? O ddifri calon rŵan.
Ella'r eglura i chi be' ma' ''dieithr'' yn 'i olygu rywbryd.
Eglurais i 'rioed wrth neb o'r blaen chwaith.'

'Mi fyddwn i wrth fy modd yn gwrando,' meddai.
'Ella y medrwn ni fynd allan am ginio ryw ddiwrnod —
os nad ydach chi'n 'i throi hi'n ôl am Boston yn o fuan
ne' bod 'ych gŵr chi'n anfodlon, wrth gwrs.'

'Na,' meddai Thérèse. 'Does dim yn galw yn Boston,
ac mi fydda Bob wrth 'i fodd. Dwi'n medru deud 'i fod
o 'di cymryd atach chi.'

'Heb fy nabod i'n iawn?' Edrychodd ar ei gŵr yn

chwerthin efo'r doctor. Roedd hi'n camgymryd, wrth
gwrs. Roedd y gŵr yn ei gasáu o, fel roedd yntau'n
casáu'r gŵr. Ond gan ei fod o'n Americanwr blaengar
fyddai o byth yn meiddio nacáu i'w wraig giniawa efo
dyn arall. Roedd hi'n gymdeithas gymhleth iawn, pawb
yn y cylch bach cyfyng yn drewi o arian ac yn troi pob
penderfyniad yn broblem. Roedd byd busnes yn llifeirio
o broblemau a phocedaid o arian yn magu
anniddigrwydd. Roedd heneiddio'n broblem i ferched
oherwydd mai ieuenctid nwydus oedd duw'r
gymdeithas Americanaidd. Heidiodd miloedd ar
filoedd o bobl i'r taleithiau yn eu hymchwil dall am
fywyd gwell heb sylweddoli fod America'n uffern
ddiddianc i'r gwan a'r hen, i'r gwael a'r gwallgof. Roedd
methiant yn bechod yno a llwyddo'n allwedd i fyw.
Dyna pam ei fod o'n eistedd yn ddiogel rŵan yn
mwynhau brandi drud Robert Bradford, am fod ganddo
arian ac am fod pobl wedi clywed amdano. Oherwydd
ei fod o wedi llwyddo. Ond peth bregus ydi llwyddiant.
Dim ond un methiant yn ei waith cynllunio a byddai'r
cwbl yn diflannu o'i afael; ymhen tri mis gallai fod mor
unig ag ydoedd y diwrnod hwnnw y camodd o gyntaf
oddi ar y trên yn y Grand Central. Gallai ffrindiau fel
y rhain ei fradychu o fewn munudau petaen nhw'n
gwybod y gwir. Ond fydden nhw byth yn gwybod.
Gorffennodd ei frandi a sylweddoli ei fod yn dechrau
meddwi. Oedd, roedd o wedi meddwi fymryn. Dim
digon drwg i neb sylwi chwaith; roedd o'n rhy ofalus i
hynny ddigwydd, wedi gorfod bod yn ofalus rhag ofn
iddo agor gormod ar ei geg cyn iddo feddwl. Rhag ofn
i ddiferyn o'i orffennol wlychu ei gymeriad dilychwin.
Ond roedd Thérèse yn gwybod pwy oedd o. Wrth iddi
eistedd yna dan warchae cudd ei nwydau, roedd rhyw
ddernyn bach o'i hisymwybod yn gwybod bod Alfred

Brunnerman yn rhan o'r gyfeddach, yn smocio sigâr ac yn ei gwahodd hi allan am ginio. Mi'r oedd o'n mynd i wneud hynny. Mynd i alw a mynd â hi am ginio, oherwydd fod y cwbl yn ddiogel, yn berffaith ddiogel. Roedd hyn fel chwarae efo tegan newydd.

'Julia, sbïa faint o'r gloch ydi hi! Maddeuwch i mi, rydan ni 'di aros yn rhy hwyr o lawar — ac ma' gen i doman o waith i' 'neud bora fory cyn meddwl am fynd i'r swyddfa.'

Cododd pawb ar eu traed a chladdu parti arall. Gwylltiodd wrth weld Vera Kaplan yn rhoi cusan ffals ar foch Thérèse.

'Noson i'w chofio. Ac ma'r darlun newydd yn hudolus — wir rŵan!' Gwelodd Karl Kaplan yn ffarwelio hefyd; cusanodd yntau Thérèse, ond roedd honno'n gusan gyfeillgar, ddifalais. Doedd dim rhyngddyn nhw, dim ond fod ei ast o wraig yn chwilio am reswm i fod yn genfigennus. Roedd Karl yn falch o hynny. Fedrai o ddim goddef meddwl am rywun fel Kaplan yn byseddu Thérèse.

'Nos da, Thérèse.' Estynnodd ei llaw iddo. Gafaelodd yntau ynddi, ei chodi at ei wefus a'i chusanu'n dyner.

'Diolch am noson fythgofiadwy. Mi alwa i ac ella y medrwn ni fynd allan am ginio.'

'Mi fuaswn i wrth fy modd,' meddai. 'Peidiwch ag anghofio rŵan.'

'Wna i ddim. Dechra'r wsnos. Nos da.'

Thorrodd o a Julia'r un gair yn y car ar y ffordd adref, er ei bod hi'n ymddangos fel petai mewn hwyliau da. Trodd a gwenu arno ac wrth iddyn nhw stopio o flaen ei fflat estynnodd ei llaw iddo.

'Ty'd i mewn.' Clymodd ei bysedd am ei fysedd o a'i gusanu. Roedd addewidion yn ei chusan. 'Gad y car

yma, mi eith y porthor ag o i'r garej.' Doedd o ddim
eisiau cysgu efo hi, ond roedd gwrthod yn anodd.
Doedd o ddim eisiau ffraeo na gorffen efo Julia a
nhwthau wedi bod yn gariadon cyhyd. Mwynhaodd
garu efo hi a syrthiodd hithau i gysgu yn ei gesail ar ei
hunion wedyn. Wnaeth o ddim cysgu, oherwydd mai
meddwl am Thérèse Masson yr oedd o wrth garu, grym
ei nwydau tuag ati hi yr oedd Julia newydd ei fwynhau.

*   *   *

Ar ôl i bawb ei throi hi am adref, gafaelodd Bob yn ei
wraig a'i chusanu. 'Parti bendigedig. Ma'n ddrwg gen i
fod y blydi dynas 'na'n mynnu dy herio di. Ond mi 'nest
ti'r gora allan o'r gwaetha hefyd.'

'Dwi'n ddigon atebol i edrach ar f'ôl fy hun,' meddai
Thérèse. 'Fydda i ddim yn cymryd sylw ohoni. Dwi'n
pitïo dros Joe druan hefyd. Dwi 'di blino, Bob, be'
amdanat ti?'

'Gwely amdani felly. Gawn ni fesur hyd a lled y
noson yn y bora. Gyda llaw, dwi yn licio dy ffrog di.'

'Finna hefyd. Digwydd pasio Bergdorf bora 'ma
oeddwn i . . .'

Roedd dwsinau o ffrogiau drudfawr tebyg yn ei
chwpwrdd dillad; ffrogiau wedi'u cynllunio'n arbennig
ar ei chyfer. Doedd hi erioed wedi cerdded i mewn i siop
a phrynu dilledyn drud fel yna o'r blaen. Ond y bore
hwnnw roedd hi wedi mynd allan efo'r bwriad o brynu
ffrog newydd ar gyfer y parti.

Nid er mwyn dal llygaid ei gŵr na Joe, nac er mwyn
cystadlu efo'r merched eraill chwaith, ond oherwydd ei
bod hi eisiau i Karl Amstat ei gweld a'i chanmol hi
mewn dillad newydd. Dyna pam ei bod hi wedi
gwario'n wirion a diangen; roedd cydnabod hynny'n ei
dychryn. Triodd leddfu tamaid ar ei chydwybod.

'Wyt ti'n licio'r ffrog 'ma, cariad? O ddifri?'

'Wrth gwrs 'mod i. Ma' hi'n gneud i ti edrach yn rhywiol a deniadol. Ma' rhaid i ti brynu yn fan 'na'n amlach. Fedra'r boi Amstat 'na ddim peidio â syllu arnat ti drwy'r nos.'

Roedden nhw yn y llofft; hithau wedi dadwisgo ac yn cribo'i gwallt. Roedd hi'n dechrau poeni y byddai o eisiau cysgu efo hi oherwydd fod arni ofn na allai chwarae'r gêm a'i dwyllo heno. Efallai y byddai o'n dechrau sylweddoli'r gwir; sylweddoli nad oedd o erioed wedi ei digoni hi, nad oedd ei fwytho'n cael dim effaith arni a'i bod hi'n dal yn wyryf yn emosiynol. 'Dwi 'di ymlâdd,' meddai. 'Wn i ddim pam chwaith.'

Roedd o'n esgus mor fregus. Cywilyddiai wrthi ei hun wrth ynganu'r geiriau. Ac roedd o'n haeddu gwell, llawer gwell, na'i gorau hi. Trodd ato a dweud, 'Sori, Robert. Dwyt ti ddim yn flin nac wyt? Jyst am heno?'

''Ti'n fy nabod i'n well na hynny,' meddai. 'Paid ag edrach mor euog. Dwi'n ddigon blinedig fy hun.' Cysurodd hi â'i fraich a'i chusanu. 'Dwyt ti'm 'di gneud dim byd o'i le, 'sti,' meddai.

'Mi fuasai'r rhan fwya o ddynion yn rhedag i freichia dynas arall,' meddai Thérèse yn sydyn. 'Wyt ti 'di bod efo dynas arall, 'rioed?'

'Naddo. Ti ydw i isio, ti a neb arall. Plîs, paid â gofyn cwestiyna fel 'na i mi eto. Byth. Plîs?'

'Paid â bod yn flin. Dwi jyst yn teimlo'n fethiant weithia. Tra dwi'n cofio, ma' Karl Amstat wedi gofyn i mi fynd efo fo i ga'l cinio ryw ddiwrnod.'

'Do, mi wn,' meddai Bob. Chwarddodd. 'Wyt ti isio mynd?'

'Ddim felly, ond fuasai ots gen ti?'

'Ddyla fod? Ne' wyt ti isio i mi fod yn gynddeiriog o

genfigennus a bygwth blingo'r boi'n fyw am feiddio gofyn?'

''Sgen ti'm achos i fod yn genfigennus o neb,' meddai Thérèse. 'Ddim o neb, byth.'

Cafodd Thérèse ddwy alwad ffôn fore trannoeth. Y naill gan Vera, fel canlyniad i chwip din eiriol gan Joe, i ddiolch am y croeso a'r llall, yn annisgwyl ac anesboniadwy o gyfeillgar, gan Julia. Ganol y bore cyrhaeddodd dau ddwsin o rosod cochion i Thérèse. Tynnodd y cerdyn o'i amlen a'i ddarllen.

'Diolch yn fawr am noson gyfeillgar. Beth am ginio bnawn Mawrth? Karl Amstat.'

Gosododd y rhosod mewn desgl fechan, gan ei hatgoffa'i hun gymaint roedd hi'n casáu gosod blodau. Arfer Americanaidd oedd anfon blodau neu siocled fel diolch am groeso. Doedd dim yn anghyffredin yn hynny. Edrychodd yn ei dyddiadur i wneud yn siŵr nad oedd dim yn ei rhwystro rhag ciniawa bnawn Mawrth. Roedd hi'n gwybod heb edrych nad oedd dim wedi ei drefnu, ond fe'i gorfododd ei hun i fynd i'r drafferth o edrych, er mwyn ceisio'i thwyllo ei hun nad oedd dim yn anghyffredin yn y gwahoddiad.

Cinio dydd Mawrth. Doedd o ddim yn credu mewn gwastraffu amser. Cariad Julia Adams oedd o i fod ac roedd hithau wedi sylwi fod honno dros ei phen a'i chlustiau mewn cariad efo fo. Roedd y ddau mor soffistigedig, ond doedd dim yn anghyffredin yn eu perthynas bellach; roedd pob mathau o bobl yn byw efo'i gilydd, rhai'n priodi rywbryd, rhai eraill ddim yn mynd i'r drafferth. Pam dylai hi boeni am hynny? Doedd ganddi ddim daliadau moesol mawr wedi'r cwbl. Mi'r oedd o'n ddyn deniadol. Mae'n rhaid ei fod o, a hithau wedi mynd i'r drafferth o brynu ffrog newydd yn arbennig er ei fwyn o. Roedd hi eisiau mynd i gael cinio efo fo. Eisiau ei weld o eto, am ei fod o mor gwrtais a dymunol a diddan — na, doedd o ddim yn ddiddan chwaith. Ond mi'r oedd o'n ddeniadol ac roedd hithau'n hoff ohono fo. Doedd dim o'i le yn hynny. Doedd dim drwg mewn cael cinio. Gallen nhw siarad am bensaernïaeth.

*   *   *

Caffi bychan, diarffordd yn Banksville, cwta bum milltir ar hugain o ganol Efrog Newydd, oedd o. Gyrrodd Karl yn hamddenol, drwy draffig gwyllt ganol dydd, ar hyd y briffordd gul, syth heibio i bont Brooklyn. Roedd y gwanwyn yn dechrau cyniwair yn yr aer a gwyrddni cefn gwlad yn ailddeffro dan fantell o flagur. Dyma'r dalaith ar ei phrydferthaf. Gwyddai Thérèse yn iawn am y caffi. Bu hi yno o'r blaen ganol wythnos fel hyn, a dim ond un neu ddau arall oedd yno bryd hynny. Gwyliodd Karl wrth iddo fynd i gyfarch y gweinydd; roedd ganddo ryw awdurdod rhyfeddol pan oedd arno angen rhywbeth. Dyma'r math o ddyn fyddai'r cyntaf i gael ei beint wrth far orlawn, y math o ddyn fyddai'n cyrraedd caffi'n hwyr ond yn dal i lwyddo i gael gafael ar fwrdd gwag. Roedd ei bersonoliaeth dramor, anamericanaidd yn ddylanwadol iawn, mae'n amlwg. Eisteddodd y ddau wrth fwrdd ger y ffenest, fel y medren nhw hanner edrych ar y coed yn dawnsio'n ysgafn yn yr awel dyner. Doedd neb arall yn agos atyn nhw.

'Rydach chi'n hynod o garedig yn dŵad efo fi fel hyn,' meddai Karl. 'Ma'r lle 'ma'n medru bod yn llawn a myglyd ar y Sul hefyd — meddwl y buasai hi'n braf ca'l dianc o wallgofrwydd y ddinas am awran ne' ddwy 'nes i.'

'Ma' hi mor braf yma,' meddai. 'Ac nid caredigrwydd ydi o o'm rhan i o gwbwl. Dwi 'di bod yn edrych ymlaen at gael dŵad i ginio efo chi.'

'Diod bach i gychwyn?'

Mynnai Julia gael o leiaf ddau ddiod yn y bar cyn meddwl am fwyta ac er ei bod yn gas gan Karl yr arfer hwnnw, roedd o wedi dechrau dygymod â'r drefn. Roedd o a Thérèse wedi mynd i eistedd wrth y bwrdd ar eu hunion.

'Dwn i'm — Cinzano ella.'

Cododd ei ben a rhedodd un o'r gweinyddion ato.

'Un Cinzano ac un wisgi a soda plîs. Dowch â'r fwydlen, hefyd, os gwelwch yn dda.'

'Iawn, syr. Ar unwaith.'

Holodd hi o ynglŷn â'i waith a soniodd yntau am y prosiect yn Chicago yn cynllunio siop newydd. Dyna'r gwaith bara menyn llafurus a diflas.

'Mi ddeudodd Ruth 'ych bod chi'n gneud cryn dipyn o waith preifat,' meddai Thérèse. ''Naethoch chi ddim cynllunio tŷ newydd yn Tobago i ryw bobol o'r enw Jarvis?'

'Do, ond ma' arna i ofn bod y cynllun hwnnw'n o debyg i'r siop yn Chicago. Gneud pres o waith diddychymyg. Dwi'n cofio tŷ Jarvis yn iawn. Mi fuaswn i wedi medru gneud gwyrthia efo'r tŷ 'na, ond roedd hi'n ddynas mor anhydrin a'i gŵr mor anodd i'w blesio. Roedd hi'n mynnu newid a difetha'r cynllunia, ond feiddiwn i ddim deud dim a hitha'n talu trwy'i thrwyn. Dwi'n cofio 'mod i 'di casáu pob munud yn y lle, ond doeddwn i'n neb bryd hynny. Faswn i ddim yn ystyried y ffasiwn waith rŵan.'

'Be' ydach chi'n licio'i 'neud? Pa fath o waith sy'n 'ych bodloni chi fel pensaer?'

'Celfyddyd,' meddai. 'Cynllunio amgylchfyd i gelfyddyd. Amgueddfa ne' theatr. Ma' gen i gynllun gwefreiddiol a chwyldroadol am theatr. Ella, ryw ddiwrnod, y ca i gyfla i wireddu'r freuddwyd honno.'

Gwenodd a meddyliodd hithau pa mor olygus oedd o; doedd hi erioed wedi ei weld o'n gwenu efo'i lygaid gleision o'r blaen. 'Dwi'n 'ych diflasu chi,' meddai. 'Yn bod yn hollol hunanol yn siarad amdana i'n hun a 'ngwaith drwy'r adag.'

'Dwi'n mwynhau gwrando,' meddai hithau. 'Petha fel hyn yn fy niddori i. Ai pensaer oeddach chi isio bod erioed?'

Taniodd sigarét a rhoi un iddi hithau. Roedden nhw wedi gofyn am goffi erbyn hyn. 'Ddim erioed. Roedd 'Nhad a Mam isio i mi fynd i'r fyddin. Ar ôl 'u colli nhw mi es i i astudio i Ariannin. Roedd De America'n 'y nenu fi — wel, doedd dim lle yn yr Ewrop fregus i syniadau beiddgar. Pobol yn rhy brysur yn trio dadwneud difrod y bomia. Dim ond rŵan ma'n nhw'n dechra meddwl am gynllunio adeilada newydd.'

'Ewch chi'n ôl yno?' holodd.

'I be'? Does 'na ddim byd yno i mi bellach, dim teulu'n fyw beth bynnag.'

'Ma'n ddrwg gen i,' meddai Thérèse. 'Ydach chi'n licio bod ar 'ych pen 'ych hun?'

'Dwi 'di hen arfar erbyn rŵan. Er ddeudwn i ddim 'mod i'n licio'r unigrwydd chwaith.'

'Ond ma' Julia gynnoch chi. Hynny ydi, dwi'n gwbod 'ych bod chi'ch dau'n agos iawn. Gobeithio nad ydach chi ddim yn flin efo fi am ddeud hynny.'

'Ma' pawb yn gwbod amdanan ni. Yn gwbod 'yn bod ni'n byw efo'n gilydd. Ond mi ydw i'n dal i fod yn unig.'

Diffoddodd Thérèse ei sigarét. 'Go brin 'ych bod chi'n 'i charu hi felly.'

' 'Nes i 'rioed honni 'mod i.' Dychrynodd wrth sylweddoli pa mor agos roedd o'n ei gwylio. Roedd o'n gadael i'w galon reoli ei ben eto, yn union fel y gwnaeth o'r noswaith o'r blaen wrth drafod atgasedd Vera

Kaplan tuag ati. Gadael i'w emosiynau gael y gorau arno am eiliad.

'Wyddoch chi rwbath,' meddai. 'Chi ydi'r ddynas gynta i mi fod allan efo hi mewn chwe mlynadd sy' heb sôn gair amdani'i hun. Heb ddeud gair am 'i gŵr, na'i bywyd rhywiol, na'i doctor, nac am gyfrinachau ei ffrindiau chwaith. Ga i fynd â chi allan eto?'

'Ydach chi isio i mi sôn am betha felly 'ta?' holodd.

'Nac oes. Ond mi ydw i isio gwbod pam 'ych bod chi'n ystyried 'ych hun yn ddieithr hefyd. Dwi'n dal i gofio, ylwch!'

Cododd ei llaw dde i dynnu ei gwallt o'i llygaid a gallai Karl weld y creithiau bychan ar gefn ei bysedd.

'Dwi 'di colli 'ngho. Dyna pam 'mod i'n ddieithr. Dwi'n gwbod yn iawn pwy ydw i, yn gwbod pob dim sy' 'na i' wbod ond fedra i gofio dim. Mi fûm i mewn rhyw fath o ddamwain yn y rhyfal — a dyna ni,' meddai gan edrych arno, 'Fedra i yn fy myw a chofio dim byd mwy na hynny, 'sgen i fawr o awydd cofio chwaith. Y ffaith fod pobol yn gwbod sy'n gneud i mi deimlo'n ddieithr. Yn od. A dda gan y math yma o gymdeithas ddim pobol od.'

'Mi ddylan nhw fod wrth 'u bodda,' meddai. 'A nhwtha i gyd mor od 'u hunain. Rhain ydi'r bobol ryfedda dan haul. Ga i afa'l yn 'ych llaw chi?'

Estynnodd ei llaw ar draws y bwrdd iddo. Roedd y lle'n hollol wag erbyn hyn ar wahân i un gweinydd blinedig oedd yn pwyso'n erbyn y wal bellaf yn eu gwylio ac yn disgwyl iddyn nhw ddechrau codi a mynd.

Lapiodd ei llaw efo'i ddwylo. Teimlodd hithau nwydau'n ffrwydro'n ffyrnig y tu mewn iddi. Roedd blewiach golau ar gefn ei arddyrnau a'i ddwylo'n gryf a chadarn; doedd dim byd meddal na chreadigol ynglŷn â nhw. Roedden nhw'n boddi'i llaw hi a'i fysedd yn cosi'i garddwrn.

'Ma' hi'n hwyr,' meddai. 'Yn hwyr iawn. Ac ma'n rhaid i mi fynd adra.'

Eisteddai'r ddau ochr yn ochr yn y car. Thorrodd yr un o'r ddau air tan iddyn nhw gyrraedd y troad olaf cyn ei thŷ.

'Pryd gwela i chi?'

'Dwn i'm.' Edrychodd arno. Roedd yr un ofn, yr un erfyn am beidio â rhuthro pethau yn ei llygaid eto. Dyma'r un edrychiad a welodd yn yr Avenue Foch ugain mlynedd yn ôl a'r un emosiwn yn dal i'w clymu nhwthau. Ai cariad oedd y corddi anesboniadwy hwn? Wyddai o ddim. Ond gwyddai nad oedd yn teimlo dim byd tebyg i hyn pan oedd o efo Julia.

'Ella mai peidio cwrdd fuasai ora.'

'Pam?' gofynnodd iddi. Tynnodd y car i'r ochr a diffodd yr injian. Roedd hi'n tynnu am bump o'r gloch a goleuadau'r ddinas yn dechrau disgleirio fel gemau ym mhob twll a chornel. Roedd hi wedi llithro o'i afael unwaith o'r blaen; cael ei chipio oddi wrtho heb iddo fedru na'i hamddiffyn na'i hachub. Efallai mai hwn oedd ei gyfle i unioni'r cam hwnnw.

'Does dim drwg mewn ciniawa efo fi. 'Naethoch chi ddim mwynhau'ch hun? 'Ych diflasu chi 'nes i?'

'Na, na! Mi wyddoch 'mod i wedi mwynhau fy hun. Wedi mwynhau pob munud hefyd. Dyna'r draffarth — dyna, ella, pam na ddylan ni . . .'

'Mi alwa i am un ddydd Iau,' meddai Karl. 'Mi awn ni i rywla gwahanol am ginio.' Aeth allan o'r car a mynd i agor y drws iddi. 'Dyma chi adra, Thérèse. Diolch am heddiw.'

'Ydach chi o ddifri am ddydd Iau?'

'Am un,' meddai.

'Tan hynny 'ta,' meddai Thérèse. Trodd a cherdded am y tŷ cyn iddo gael cyfle i'w chyffwrdd nac ysgwyd llaw.

IV

'Wel, dyma anrhydedd annisgwyl,' meddai Joe Kaplan. Cododd oddi wrth ei ddesg a cherdded tuag ati efo'i freichiau'n agored. 'A titha'n edrach mor iach hefyd, Thérèse. 'Stedda.'

Eisteddodd ar y gadair o flaen ei ddesg a dechrau tynnu'i menig yn ofalus oddi am ei dwylo. Fu hi erioed yn ei syrjeri breifat o'r blaen a synnodd mor wahanol i'w disgwyliadau yr oedd y lle. Dodrefn pren, ffug-Seisnig; cadeiriau lledr a soffa wedi ei gorchuddio â charthen frethyn. Doedd dim aroglau ysbyty'n agos i'r lle.

'Cyfforddus iawn, Joe,' meddai Thérèse. 'Stafall braf hefyd.'

'Dwi'n gobeithio fod 'na awyrgylch gartrefol yma,' meddai Joe. 'Dyna sgen i'i isio. Isio i bobol fedru ymlacio wrth ddŵad yma a siarad fel tasan nhw'n siarad efo ffrind. Ma' paent gwyn a glanweithdra'n gneud pobol yn nerfus; gneud iddyn nhw feddwl 'u bod nhw'n sâl, gneud iddyn nhw deimlo gwewyr ysbyty.'

''Ti'n ddyn rhyfeddol,' meddai'n syml. 'Dyna'n union sut y byddai rhywun *yn* teimlo. Oes ots gen ti 'mod i 'di dŵad yma fel hyn?'

'Dim ots o gwbwl.' Pwysodd yn erbyn cefn ei gadair ac yna tynnodd ei sbectol a dechrau sgwrio'r gwydrau efo cornel lân ei ffunen.

'Dŵad yma fel claf 'nest ti debyg. Be' haru chdi felly?'

'O, wn i ddim lle i ddechra.' Petrusodd, wrth ddisgwyl iddo daro'i sbectol yn ôl ar ei drwyn. 'Ma'r holl beth yn hollol wallgo, finna'n mynd i'r draffarth o drefnu dŵad i dy weld di fel hyn ac yn mynd drwy'r stumia i gyd — ond, Joe, fedrwn i ddim dŵad atat fel ffrind ynglŷn â hyn.'

'Dwi'n deall hynny'n iawn. Dwi'n ddoctor ac yn ffrind i chdi. Ty'd, deuda wrtha i be' sy' ar dy feddwl di.'

''Ti 'di bod mor ffeind wrtha i,' meddai Thérèse. Siaradai'n araf heb edrych arno. 'Mi roist ti gyfla i mi fyw ar ôl beth bynnag ddigwyddodd i mi yn y ddamwain honno. Gweld wyneba Bob a titha ydi'r co cynta sgen i. Ca'l 'y ngeni'n ganol oed 'nes i.'

'Dwi'n deall,' meddai'n dyner. 'Yn deall yn iawn sut wyt ti'n teimlo.'

'Ti a Bob — Bob a titha; wn i ddim pwy ddylai ddŵad yn gynta. Ydi'r peth yn gneud synnwyr?'

'Ydi; ond ma' rhaid i chdi weld petha'n glir yn dy feddwl yn gynta. Bob i ddechra, finna wedyn. Bob yn dy garu di, finna'n dy wella di. Felly?'

'Dwi 'di dŵad atat ti,' meddai, 'am dy fod ti'n meddwl cymaint o Bob ag wyt ti ohona i. A meddwl am Bob ydw i, Bob a neb arall. Joe, 'ti'n gwbod am y trafferthion 'dan ni'n 'u ca'l — trafferthion rhywiol, dwi'n feddwl.'

'Dwi'n gwbod am y trafferthion roeddach chi'n arfar 'u ca'l,' meddai Kaplan. 'Ond dwyt ti ddim wedi bod yma efo problema meddygol ers yn tynnu am ddeng mlynadd. Ella fwy na hynny. Ac ma' Bob yn fy sicrhau i fod popeth yn iawn rhyngddach chi rŵan.'

''Di bod yn 'i dwyllo fo ydw i,' meddai. 'Joe, ma' 'na wactar mawr yndda i. Dwi 'rioed wedi medru fy rhoi fy hun yn llwyr iddo fo, 'rioed 'di medru'i garu o fel y dylwn i. Dwi 'rioed, mewn ffordd, 'di medru f'aberthu'n hun iddo fo. Dim ond 'i dwyllo fo, am na fedrwn i ddiodda'i frifo fo. Fedrais i 'rioed freuddwydio am ga'l 'i blentyn o. Dwi'n gwbod fod hynny'n brifo. Dyna pam na fedrwn i yn fy myw ddeud y gwir wrtho fo; deud cymaint roeddwn i'n casáu cysgu efo fo.

Llwyddo i guddio'r boen a'r ofn 'nes i, dyna'r cwbwl.'

'Ma'n ddrwg gen i,' meddai'n dyner. Doedd ei datguddiad yn synnu fawr arno. Digon naturiol oedd disgwyl rhyw fath o atgasedd isymwybodol tuag at ryw ar ôl yr ensyniadau rhywiol arswydus o anweddus a ddioddefodd wrth gael ei chroesholi. Dychmygu'r driniaeth honno'n unig a allai o, ond, a barnu oddi wrth y cysgodion pytiog a lwyddodd i'w hudo o'i meddwl cymysglyd pan gyfarfu â hi gyntaf, roedd o'n amau fod rhyw fath o weithred rywiol yn rhan o'r arteithio. Ond rhan o'i gorffennol diflanedig oedd hynny, a doedd dim modd darganfod na datrys y broblem.

'Dwi'n meddwl dy fod ti 'di gneud y peth iawn,' meddai. ''Di llwyddo i fod yn feistr ar y sefyllfa. A charu yn dy ffordd dy hun wyt ti wrth guddio'r gwir rhag Bob yntê. Gneud rhywun yn hapus wyt ti wrth 'i garu o, Thérèse. A dyna wyt ti 'di bod yn 'i 'neud. Poeni am hynny wyt ti, Thérèse?'

'Na.' Taniodd sigarét yn bwyllog, a gan ei fod yntau'n sylweddoli gwerth tawelwch o'r fath, gadawodd Joe iddi gymryd ei hamser.

'Fûm i'n meddwl 'rioed mai methu caru oeddwn i. Meddwl 'mod i'n un o'r miloedd o ferched hynny oedd jyst ddim yn mwynhau cysgu efo dyn, oedd ddim yn teimlo gwefr yn y gwely. Mi ddois i i ddechra derbyn hynny, Joe. Ond twyllo'n hun oeddwn i eto, a dyna pam dwi yma, Joe. Dwi'n syrthio mewn cariad efo rhywun arall. Syrthio mewn *cariad*, nid syrthio i rigol.'

Edrychodd arno. 'Ond fedra i ddim gada'l i hynny ddigwydd. Fiw i mi ada'l i hynny ddigwydd, oherwydd Bob. Dwi yma oherwydd mai chdi ydi'r unig ddyn dan haul y greadigaeth fedra i ymddiried ynddo fo. Chdi ydi'r unig un fedr ddeud wrtha i be' i' 'neud.'

'Be' 'ti'n feddwl — mewn cariad?' meddai, ar ôl cael

munud i feddwl. 'Syrthio mewn cariad meddat ti. Be'
ma' hynny i fod i olygu?'

'Golygu 'mod i 'di cyfarfod â dyn dwi *isio* cysgu efo
fo,' atebodd yn flin a swta. 'Golygu'r un peth ag mae
o'n 'i olygu i bawb arall am wn i. Am y tro cynta yn 'y
mywyd dwi'n teimlo'n normal. Dwi *isio* ca'l 'y
nghusanu, *isio* ca'l 'y nghofleidio. Pan dwi'n agos ato fo
ma' gen i ofn i bobol eraill sylwi ar y nwydau'n neidio
rhyngddan ni; ofn i Bob sylwi ar hynny'n fwy na neb.
Ond nid dyna'r cwbwl. A Duw a ŵyr bod hynna'n
ddigon drwg. Taswn i ddim ond isio cysgu efo fo mi
fuaswn i'n medru f'amddiffyn fy hun drwy gywilyddio.
Ond ma' petha'n waeth na hynny Joe, saith gwaeth.'

'Gwaeth? Sut?' Gwrthododd adael iddo'i hun edrych
arni a gwrthododd adael i'w lais fradychu'i syndod.

'Dwi'n 'i licio fo,' meddai Thérèse. 'Yn licio bod efo
fo; dwi'n teimlo'n gyfforddus yn 'i gwmni o ac ma' 'na
rwbath mor gyfarwydd ynglŷn ag o rywsut — fel taswn
i'n 'i nabod o 'rioed. Dwi o ddifri, Joe. Dwi dros 'y
mhen a 'nghlustia mewn cariad efo fo.'

'Sawl gwaith wyt ti 'di weld o?'

'Rhyw ddwsin o weithia ella — ar 'yn penna'n hunan
dwi'n feddwl. Mi ydan ni gweld 'yn gilydd yn amal yn
gymdeithasol.'

'Ydi o 'di gofyn i chdi gysgu efo fo?'

'Ddim eto,' meddai, 'ond mae o isio; dwi'n gwbod 'i
fod o isio. Dydan ni 'di gneud fawr mwy na sgwrsio dros
ginio ne' fynd i arddangosfa gelf efo'n gilydd hyd yma.
Mi wrthodais i'i wahoddiad o unwaith — gwrthod am
'mod i ofn mentro drwy'r drysau oedd yn ca'l 'u hagor.
Trio dianc oeddwn i debyg. Ond mi'r oedd o'n mynnu
'mod i'n mynd allan efo fo, yn ista yn y car y tu allan
i'r tŷ yn disgwyl amdana i. Mi es i i ga'l diod efo fo er
mwyn cau'i geg o. Ddigwyddodd 'na ddim byd

rhyngddan ni. A fedra i ddim gada'l i ddim ddigwydd chwaith!'

'Ma' hi'n edrach yn debyg 'i fod o mewn cariad efo chdi,' meddai Joe Kaplan. ''Sgen i hawl gofyn pwy ydi o? Paid â deud wrtha i os nag wyt ti isio.'

'Karl Amstat. Pam 'ti'n sbïo arna i fcl 'na? Pwy ddiawl oeddat ti'n feddwl oedd o?'

''Wn i ddim,' cyfaddefodd. ''Nes i ddim hyd yn oed trio meddwl pwy allai o fod. Mae o'n ddyn golygus. Dydw i'n hun ddim yn meddwl llawar ohono fo, ond ma' Julia Adams 'di gwirioni'i phen amdano fo, felly ma' hi'n amlwg fod ganddo fo ryw dalenta cudd yn rhwla. Ac rŵan mae o'n trio dy ga'l ditha i'w wely nefyd.'

'Ydi, os mai fel 'na lici di feddwl am y peth.'

Ceisiodd dawelu'r dyfroedd o weld ei bod hi'n dechrau gwylltio. 'Paid â bod yn flin efo fi, Thérèse. Wela i ddim bai ar Amstat. Nabod Bob a titha'n rhy dda ydw i, gwbod pa mor werthfawr ydi'ch priodas chi. Mi ydach chi 'di bod y tu hwnt o hapus, do?'

'Do, yn hapus iawn,' meddai. 'O, Joe, dwi'n teimlo mor hunanol — mor ddiegwyddor am 'mod i 'di meiddio meddwl am neb arall ar ôl y cwbwl ma' Bob 'di'i 'neud drosta i.'

'Paid byth â theimlo felly,' meddai. ''Sgen ti mo'r help dy fod ti'n methu caru Bob. 'Sgen ti mo'r help chwaith fod rhywun arall 'di llwyddo i ddeffro dy nwyda di. Dydi cariad ddim yn bechod, Thérèse. Ond mi fydda chwalu dy briodas di a Bob yn gythral o gamgymeriad. Dwi'n falch dy fod ti 'di dŵad i 'ngweld i; yn falch iawn hefyd. Ac wyt ti'n gwbod be' dwi'n mynd i ddeud wrthat ti am 'i 'neud?'

'Nac ydw. Jyst isio i ti ddeud wrtha i sut i ladd hyn cyn iddo fo ddechra byw ydw i.'

'Dianc. Rhedag cyn bellad ag y medri di. Dwyt ti ddim wedi cysgu efo Amstat eto, felly 'ti'n dal yn lân. Temtasiwn ydi dy unig bechod di, Thérèse.'

'Ia, temtasiwn.'

'Yna, rho'r gora i'w weld o. Dos at Bob a crefa arno fo i fynd â chdi ar wylia. Meddylia am unrhyw esgus — deuda dy fod ti 'di blino, deuda rwbath wrtho fo. Ddeudodd o 'rioed *na* wrthat ti, naddo? A wnaiff o ddim dechra rŵan chwaith. Mi fydd o 'di gwirioni efo'r syniad, a phan ddoi 'di'n ôl 'ma mewn rhyw hannar blwyddyn, mi fydd holl swyn Karl Amstat 'di gwisgo'n dwll. Dwi'n addo hynny.' Canodd y ffôn. 'Esgusoda fi. Ia?'

'Ma' Mrs Kaplan isio gair, Doctor. Ydi hynny'n gyfleus rŵan?'

'Na, deudwch wrthi y ffonia i'n ôl yn y funud. Be wyt ti'n 'i feddwl o'r syniad yna?'

'Dydw i ddim yn rhy siŵr,' atebodd. 'Mewn ffordd dwi'n fodlon efo petha fel ma'n nhw — dwi isio'i weld o eto. Ond ma' gneud yn golygu colli popeth. Fedrwn i byth fadda i mi fy hun taswn i'n brifo a siomi Bob. A fuasat titha byth yn madda i minna chwaith.'

'Ddeudwn i mo hynny.' Cododd ac edrych i fyw ei llygaid. 'Ond ella y buaswn i'n od o flin efo chdi hefyd. G'na fel dwi'n gofyn i chdi, Thérèse. Rŵan ydi'r amsar i fod yn ddewr ac yn llwfr i gyd yr un pryd. Rhaid i chdi ffoi rhag y dyn 'ma. Gofyn i Bob heno. A phaid â gweld Amstat cyn mynd.'

'Iawn. Dyna wna i. Joe annwyl, dwi mor ddiolchgar i chdi. Dwi'n addo 'mod i'n mynd i ddianc. Ac wedyn mi fydd popeth yn iawn eto — mi fydda i'n gweld petha'n wahanol pan ddo i'n f'ôl, byddaf?'

'Dwyt ti ddim hyd yn oed yn byw yn Efrog Newydd,' atgoffodd hi. 'Dy unig broblem di ydi dewis lle i fynd

ar dy wylia. Pam nad ei di i saethu teigrod i India 'fath
â Ruth?' Gwenodd a gwasgu'i llaw'n dyner. 'A phaid â
phoeni. Mi fydd pob dim yn iawn.'

Ysgrifennodd fymryn o nodiadau ar ôl iddi fynd.
Roedd o'n bwriadu'u rhoi nhw yn ei ffeil hi er nad oedd
dim yn feddygol ynglŷn â nhw. Cadwai ffeiliau ei
gleifion preifat i gyd; roedd un Thérèse Bradford mewn
cwpwrdd llychlyd yn y seler yng nghanol ffeiliau'r rhai
oedd wedi gwella, diflannu neu farw. 'Y bastard!'
Gwaeddodd y geiriau'n uchel. Yn disgwyl amdani wrth
ddrws y tŷ, fel cath yn gwylio llygoden, yn barod i neidio
am ei ysglyfaeth. Doedd Julia Adams ddim yn ddigon
iddo, roedd yn rhaid iddo ymyrryd â phar priod hapus
fel y Bradfords a dechrau llygru'r wraig. Chymerodd Joe
erioed ato fo, er eu bod nhw wedi cyfarfod mewn
partïon sawl gwaith ac yn nhŷ Julia unwaith hefyd.
Roedd y Swistir yn gymdoges ry agos i'r Almaen ym
marn Joe a, ph'run bynnag, gallai natur sensitif Joe
Kaplan ymdeimlo â rhyw elyniaeth bell yng nghymeriad
Amstat. O'r holl bobl ar wyneb daear pam mai hwn
oedd yn hudo Thérèse — ciniawa ac orielau celf a mur
bregus o drydan rhywiol, nwydus yn disgwyl am y cyfle
i chwalu a'u claddu nhw. Mae'n rhaid ei fod o'n ddyn
rhyfedd iawn i oedi cyhyd cyn cyrraedd y gwely hefyd.
Ond, ta waeth am hynny. Efallai y gallai hyn fod o les
i'r briodas yn y pen draw, rŵan fod Thérèse wedi
sylweddoli'i bod hi'n medru caru a chwenychu fel pawb
arall. Synnu roedd Joe cyn lleied a ddeallai am y
meddwl dynol, synnu fod dynes roedd o'n ei nabod fel
cledr ei law, dynes roedd o wedi rhyw hanner ei chreu,
yn medru ymateb yn gwbl groes i'r graen ac yn medru
chwalu ei theorïau'n rhacs mewn ennyd o drachwant.
Feddyliodd o erioed y byddai hi'n gallu aeddfedu'n
emosiynol. Roedd hi wedi priodi, addasu i fywyd

newydd ac wedi llwyddo i barlysu Bob mewn cynddaredd o gariad. Dyna a'i gwnâi hi'n gampwaith wyrthiol gan Joe Kaplan. Ei orchestwaith, fel y dywedai wrth Vera. Roedd o wedi llwyddo i ail greu bod dynol ac wedi llwyddo i'w thywys hi a Bob yn gelfydd drwy fisoedd cynnar eu priodas. Thérèse oedd bywyd Robert Bradford; hi oedd yn gyfrifol am ei hunan-hyder, ei hapusrwydd a'i aeddfedrwydd ac iddi hi roedd y diolch ei fod o mor wahanol i'r rhelyw o'i gyfoedion cyfoethog, diddim. Hi oedd ei unig angor mewn bywyd; yn gariad, yn blentyn ac yn gyfaill i gyd yr un pryd iddo. Diolch byth bod Thérèse wedi dod ato fo cyn i'w thynged lithro o'i gafael. Cofiodd Joe yn sydyn ei fod o wedi addo ffonio'i wraig. Doedd dim ateb yno. Doedd hi ddim hyd yn oed wedi mynd i'r drafferth o ddisgwyl am ei alwad. Bechod fod pethau cynddrwg rhyngddyn nhw, ond roedd y gagendor yn rhy llydan i'w bontio bellach. Roedd hi'n siŵr o fod wedi bod yn anffyddlon iddo rywbryd; felly'r oedd merched yn dial, felly'r oedd merched yn ceisio ailgydio yn sicrwydd diflanedig eu gwŷr. Nid trachwant nwydus Thérèse Bradford oedd sbardun y mwyafrif i odinebu. Roedd yntau, a Vera hefyd o ran hynny, yn gyfarwydd â thrachwant felly; roedd o'n deall ond yn rhy dda sut y gallai hynny sbarduno'r cadarnaf i gwympo o'u cadarnleoedd. Gallai arwain at chwalu priodas yn ogystal â thorri calonnau. Canodd y ffôn eto. Roedd ei glaf nesaf wedi cyrraedd. Gwthiodd Thérèse i ddyfnderoedd pell ei feddwl wrth iddo godi i ysgwyd llaw efo'i ddoler nesaf. ''Steddwch,' meddai. 'Sigarét? A sut ydach chi'n teimlo erbyn hyn?'

* * *

'Plîs, ty'd i mewn, cariad,' plediodd Julia. 'Dim ond am ddiferyn bach.' Safai'r ddau ar riniog ei fflat. Roedden

nhw newydd fod yn y theatr ar ôl cael pryd o fwyd efo
Donald Stafford a'i wraig, hen ffrindiau i Julia o
Galifornia. Mynnodd Karl Amstat ei throi hi am adref
yn gynnar gan gymryd arno fod ganddo waith i'w
wneud. Wnaeth hi ddim datgelu'i theimladau; dim ond
gofyn iddo ddod i mewn. Cytunodd yntau ar ôl ennyd
o feddwl. Caeodd y drws a dweud wrtho am dywallt
diod iddo'i hun.

'A brandi i minna. *Courvoisier*. Ma' 'na beth yng
ngwaelod y cwpwrdd yn rhywla. Dau funud fydda i.'

Aeth i'w llofft a thynnu ei chôt sidan goch; oddi tani
gwisgai ffrog dynn blaen o'r un lliw. Aeth i fwy o
drafferth nag arfer er mwyn Karl heno. Roedd pob pen
yn troi i edrych arni pan gerddodd i mewn i'r bwyty
a'r theatr wedyn. Roedd hyd yn oed llygaid hen ffrind
fel Donald Stafford wedi pefrio. A'r cwbl i blesio Karl.
Gwnaeth bopeth yn union fel y dylai dynes beniog oedd
yn dechrau colli calon ei chariad ei wneud. Ei gwneud
ei hun yn brydferthach nag arfer, a'i harfogi ei hun â
phersawr newydd er mwyn bod yn ffyddiog o
fuddugoliaeth yn y frwydr o'i blaen. Doedd dim dadlau
na dwrdio i fod, dim ond adennill. Gweithiodd ei
chynllun yn ddi-feth tan iddyn nhw fynd am dro yn
ystod yr egwyl a digwydd taro ar Bob a Thérèse
Bradford. Roedd Ruth a'i gŵr, a chwpwl arall dieithr
efo nhw. Cododd Bob ei law a gweiddi arnyn nhw. A
dyna pryd y collodd Julia'i brwydr. Pan wyliodd hi Karl
yn mân siarad efo gwraig Robert Bradford. Nid fod eu
tafodau nhw allan na dim byd felly. Ymddangosodd yn
ansicr am funud, ond yna dechreuodd y ddau siarad a
gwyliodd Julia Karl yn ofalus wrth iddi gymryd arni
wrando ar Bob yn doethinebu. Doedd Karl ddim yn un
i ddatgelu'i gyfrinachau emosiynol; roedd hynny'n un
rheswm pam ei fod o mor ddeniadol iddi, am ei fod o'n

feistr ar ei deimladau'i hun a hynny yn ei dro yn bwrw rhyw awdurdod drosti hithau. Ond dyma rywbeth nad oedd o'n medru'i reoli na'i guddio. Gydol ei charwriaeth hir hi â Karl, edrychodd o erioed i'w llygaid hi fel roedd o'n edrych i lygaid Thérèse rŵan. Estynnodd ei law a gafael yn ei braich; nid cyffwrdd oedd o ond mwytho. Llwyddodd Julia i oddef gweddill y noson ac i ymddwyn yn hollol normal, ond doedd hi ddim am adael iddo lithro o'i gafael drwy ei chusanu a ffarwelio ar garreg y drws chwaith. Edrychodd yn frysiog arni'i hun yn y drych. 'Y greadures fach dlawd ddiamddiffyn,' meddai dan ei gwynt. Yna trodd ar ei sawdl a cherdded i'r stafell fyw i gychwyn dadl.

Cododd ar ei draed wrth iddi ddod i mewn i'r stafell; roedd o'n ŵr bonheddig o'i gorun i'w sawdl. 'Dy frandi di, Julia. 'Nes i ddim tywallt gormod i chdi gobeithio.'

'Mae o'n berffaith. Diolch. 'Ti mor ofalus ohona i, Karl cariad.'

Eisteddodd a'i gwylio â llygaid barcud; roedd rhywbeth yn ei chorddi. Wyddai o ddim beth. Doedd o erioed wedi gweld Julia mewn hwyliau fel hyn o'r blaen. Roedd hi fel bom sgarlad yn mud losgi, yn gwenu a mwytho'r glustog wag wrth ei hochr. Pan symudodd i eistedd yn ei hymyl rhoddodd ei gwydryn i lawr yn ofalus cyn plethu'i breichiau am ei wddf a'i gusanu'n ffyrnig.

'Tasat ti ond yn gwbod cymaint dwi'n dy garu di,' meddai.

'Ma' gen i eitha syniad,' atebodd gan nad oedd 'na'r un ateb arall call i'w geiriau.

'Pryd wyt ti'n mynd i 'mhriodi i, Karl?'

Taflodd ei breichiau brau oddi am ei wddf a chodi.

'Sawl gwaith sy' rhaid i mi ddeud wrthat ti. 'Sgen i'm isio priodi. Taswn i isio bywyd bach cyfforddus,

96

cartrefol mi fuasai petha'n wahanol, ond dydw i ddim. Mi oeddwn i'n meddwl dy fod titha'n deall hynny!'

'Deall 'yn bod ni 'di cytuno i beidio â thrafod y peth,' meddai hithau. Pwysodd yn erbyn cefn y soffa, ei breichiau wedi'u plygu y tu ôl i'w phen er mwyn gwneud yn siŵr fod Karl yn medru gweld siâp ei bronnau, a chroesodd un goes dros y llall i ddangos siâp ei chluniau drwy'r sidan coch. Ond doedd hyn, mwy na'i chusan nwydus, yn cynhyrfu dim arno bellach. Roedd o'n oer, marwaidd a chaeedig tuag ati. 'Ma'n siŵr mai 'di derbyn 'yn bod ni'n mynd i fyw efo'n gilydd oeddwn i, derbyn yn y gobaith y byddan ni 'di priodi ryw ddiwrnod. Roeddwn i'n hapus efo hynny, cyn bellad â dy fod titha'n hapus efo fi. Deuda wrtha i, cariad, ers faint wyt ti 'di bod yn cyboli efo Thérèse Bradford y tu ôl i 'nghefn i?'

Allai o ddim credu'i chwestiwn, roedd o mor annisgwyl — ei ymateb euog cyntaf oedd ceisio gwadu popeth. 'Be' 'ti'n feddwl, Julia? Wn i ddim am be' 'ti'n mwydro.'

'Wyt, mi wyt ti'n gwbod. Ma' pobol 'di'ch gweld chi ben-ben â'ch gilydd o gwmpas y ddinas. Ac, wrth gwrs, ma' amball i ffrind caredig wedi mynd i'r draffarth fawr o ddeud wrtha i — ma' rhywun yn dŵad i nabod 'i ffrindia ar adega fel hyn!'

'Ma'n ddrwg gen i. Ond ma'r cwbwl yn hollol ddiniwad — ma' gen i hawl i fynd â hi allan am ginio unwaith ne' ddwy debyg? Gwranda, Julia, ma' hi'n hwyr ac ma' gen i dorath o waith i' 'neud — os wyt ti isio ffraeo am betha dibwys, fath â mynd am ginio efo dynas arall, plîs, dewis gwell amsar na hwn! Dwi'n mynd.'

Doedd ganddo mo'r awydd lleiaf i drafod Thérèse efo hi; doedd o ddim eisiau iddi hi ddechrau dweud dim

97

byd mileinig na dechrau llarpio'u perthynas fregus efo'i geiriau gwenwynig. Roedd rhywun wedi'u gweld nhw, Thérèse ac yntau. Roedd hynny'n anochel, ac mi ddylai o fod wedi gosod sylfeini'i amddiffynfa'n barod. Wrth iddo edrych arni gwelodd ochr newydd, anghyfarwydd iddi, ei chorff main yn byrlymu allan o ffrog dynn ddrud, ei llygaid bygythiol yn llawn cyhuddiadau, roedd y ddynes y bu'n cyd-fyw â hi ac yn llechu'n ffug gariadus o dan ei hadenydd, yn destun gwawd iddo. Roedd ganddi'r hyfdra bellach i feddwl fod dau funud o rannu'i orffennol yn rhoi'r hawl iddi fod yn rhan o'i ddyfodol hefyd.

'Mi wyt ti'n 'i charu hi, 'twyt!' Cododd a sefyll yn fur disymud rhyngddo a'r drws. 'Y celwyddgi diawl. Mi gwelais i chi'ch dau heno. Yn dadwisgo'ch gilydd yn feddyliol yn fan 'na o flaen pawb. Ers faint ydach chi 'di bod yn caru — chdi a'r mymryn sgert 'na achubodd Bob Bradford oddi ar ben ryw doman dail ddrewllyd yn Ffrainc ddiwadd y rhyfal — colli 'i cho o ddiawl! Ma'n siŵr mai un o hwrod y fyddin oedd hi!'

Wnaeth o mo'i tharo hi; llwyddodd i'w reoli'i hun mewn pryd. Dim ond un ddynes roedd o wedi'i tharo erioed a doedd hon ddim yn golygu digon iddo hyd yn oed ei chyffwrdd hi.

'Y sguthan bach wirion,' meddai. 'Fuasai gen ti ddim gobaith deall dynas fel Thérèse Bradford. Fuasat ti ddim yn medru dechra deall pam fod yn well gen i fynd allan i ginio efo hi nag i'r gwely efo chdi. Chdi ydi'r hwran.'

'Diolch,' meddai Julia. Cuddiodd ei hwyneb yn ei dwylo a dechrau crio. 'Diolch am dy eiria caredig. Be' 'ti'n drio'i brofi, cariad? Be' 'nei di pan ddaw Bob i wbod? Be' 'nei di pan ga'n nhw ysgariad? 'Nei di briodi efo'r ast farus?'

'Dwi 'di deud wrthat ti unwaith,' meddai'n dawel. 'Paid â galw enwa fel 'na arni. Dydw i ddim yn caru efo hi. Waeth gen i be' lici di feddwl, ond dwi'n gwbod y gwir. Dydw i 'rioed wedi cyffwrdd ynddi hi. Dwi 'di deud wrthat ti, dydi hi ddim 'fath â chdi. Dydi hi ddim yn hwran!'

Wrth iddo drio'i hanelu hi am y drws daeth Julia'n nes ato; ei hwyneb yn wlyb o ddagrau. Wnaeth o erioed freuddwydio y byddai hi'n gallu crio.

'Dyma'r diwadd? Wyt 'ti'n 'y ngada'l i?'

'Dwi'n meddwl fod pob dim drosodd, 'dydi? Ma'n ddrwg gen i, ond fedra i ddim diodda un noson o sterics ar ôl y llall. Nos da.'

'Ffarwél,' meddai. 'Paid cogio dim byd arall.'

Wnaeth o ddim ateb. Clywodd o'n rhoi clep ar ddrws y fflat. Cerddodd yn ôl at y soffa ac eistedd i lawr dan grynu. Roedd y brandi'n dal i ddisgwyl yn y gwydryn am ei gwefus. Ar funud wan cododd y ffôn a deialu rhif Bob Bradford. Doedd ganddi ddim syniad beth ar y ddaear roedd hi'n mynd i'w ddweud petai rhywun yn ateb. Ond canu a chanu wnaeth y ffôn tan iddi hi'i roi i lawr eto. Roedden nhw allan o hyd, efo Ruth a'r lleill yn fwy na thebyg. Gorffennodd y brandi a dechrau beichio crio unwaith eto.

★　★　★

'Diod bach, cariad?' Gafaelodd Bob Bradford yn dynn yn ei wraig a'i chusanu. Roedd hi wedi bod yn noson hir. Ruth wedi mynnu mynd i'r Peppermint Lounge er mwyn i'w gŵr gael gweld y dawnsio. Roedd hi ymhell wedi tri arnyn nhw'n gadael fan yno. Yn wahanol iawn i'r mwyafrif o'r crach cyfoethog, roedd teulu Bradford yn deulu unedig, cariadus ac roedd Bob yn meddwl y byd o'i chwaer, er bod ei hegni diflino'n dipyn o dreth arno ar adegau. Os nad oedd ei phriodas neu ryw wyliau tramor yn mynd â'i bryd hi, fe sianelai ei hegni i ymladd brwydrau cyfreithiol cymhleth â sgutoriaid ewyllys ei mam.

Treuliwyd y rhan fwyaf o'r noson yn trafod un o gymalau lletchwith yr ewyllys, cymal y byddai ei dorri o fudd mawr i Ruth a Bob fel ei gilydd. Roedd o'n teimlo dros Thérèse am nad oedd hi'n rhan o'r sgwrs honno, fwy nag oedd gŵr Ruth druan a eisteddai'n rhythu ar y môr o gyrff yn gwau drwy'i gilydd ar lawr y Peppermint Lounge, yn union fel petai'n gwylio nadroedd yn ymlusgo dros bennau ei gilydd yn sw'r Bronx. Roedd Bradford a'i chwaer yn werth eu miloedd, ond teimlai hi fod holl fân gymalau ac amodau'r ewyllys yn llyffethair ar ei mwyniant.

Roedd hi'n benderfynol, fel y pregethodd yn fyddarol o ddiderfyn wrth ei brawd, o ryddhau ychwaneg o arian er eu budd nhw ill dau.

Meddyliodd fod Thérèse yn edrych braidd yn flinedig, a thawel hefyd. Aeth i'r llofft heb ddweud yr un gair ar ôl cyrraedd adref. Safodd yn y drws agored efo gwydraid o wisgi yn ei law ac ailofyn ei gwestiwn.

'Diod bach, cariad? Dwi angan hwn ar ôl noson fel heno. 'Rarglwydd, ma' Ruth 'di mynd yn rhy bell tro 'ma! Doedd dim modd ca'l gair call o'i phen hi!'

'Dim byd i mi diolch. Be' am fynd i ista i'r stydi tra wyt ti'n yfed hwnna. Dydw i ddim 'di blino o gwbwl.' Roedd hi wedi penderfynu dilyn cyngor Joe Kaplan, ac roedd hi'n mynd i daro tra bo'r haearn yn boeth. Ac roedd cyfarfod â Karl yn y theatr wedi ei dychryn cymaint fel na fedrai aros tan y bore. Gallai oedi olygu ailystyried ac, efallai, beidio â dianc. Petai o'n ffonio, mi fydden nhw'n siŵr o gyfarfod, a phetai hynny'n digwydd gwyddai y byddai hi'n debyg o ohirio mynd dramor am ryw wythnos, yn arbennig er mwyn ei weld o eto.

'Paid â phoeni, Robert; ma' Ruth mewn rhyw helynt cyfreithiol byth a beunydd. Dyna ydi'i bywyd hi. Ma'i gŵr hi'n siŵr o'i chynghori hi beth bynnag.'

'Dydi o'n deall dim am 'yn cyfreithia ni,' meddai Bob. 'Ac ma'n siŵr 'i fod o 'di sylweddoli erbyn hyn nad ydi hi'n hawdd deud *na* wrth Ruth, yn arbennig lle ma' 'na geiniog ne' ddwy'n y fantol. Anghofiwn ni am y peth am heno. 'Nest ti fwynhau'r ddrama? Mi oeddwn i braidd yn siomedig — disgwyl gwyrthia fel arfar ma'n siŵr. Mae o'n hogyn heb 'i ail, hefyd. Un o'r talenta theatrig mwya ers blynyddoedd. Rhyfadd i ni daro ar Karl Amstat a Julia fel 'na — feddyliais i 'rioed y byddai noson fel 'na at 'u dant nhw chwaith. Mi'r oedd hi'n edrach yn fwy trawiadol nag arfar heno.'

'Oedd,' meddai Thérèse, 'mi'r oedd hi. Ma' hi'n gwbod sut i wisgo.'

'Gyda llaw,' meddai dan chwerthin, 'aeth o â chdi allan am ginio byth? Y munud 'ma gofiais i!'

'Do, unwaith,' atebodd. Dyna'r celwydd mawr cyntaf iddi erioed ddweud wrtho. 'Ma' rhaid 'mod i 'di anghofio sôn wrthat ti. Mi ges i b'nawn reit braf efo fo.'

'Dim byd arbennig chwaith?' Crechwenodd wrth orffen ei ddiod. 'Mae o braidd yn rhy awdurdodol i chdi, cariad. Ma' 'na rwbath yn galad ynglŷn ag o, er wn i ddim be'n hollol chwaith. Ma' Julia'n 'i licio fo beth bynnag. Ella'i bod hi'n licio ca'l 'i cham-drin. Ty'd, ma' hi'n amsar mynd i glwydo. Ma' gen i gyfarfod go bwysig ben bora.'

'Dwi 'di bod yn meddwl,' meddai'n sydyn cyn iddo gael cyfle i godi o'i gadair, 'ella'i bod hi'n amsar i ni ga'l newid aer.'

'Newid aer? I le?'

'Wel, meddwl am yr hwyl gafodd Ruth yn India oeddwn i — fedrwn ninna ddim mynd yno am sbel, Robert? Fedrwn i ddim hel 'yn pac a chwilio am yr haul? Mi fuaswn i wrth fy modd!'

''Ti 'di'n synnu i, cariad! 'Sgen ti'm isio mynd i saethu teigrod fel y chwaer wallgo 'na sgen i, nac oes? Dwyt ti 'rioed 'di dangos llawar o awydd am deithio o'r blaen — pam India o bob man? Pam nad Ewrop? 'Di'r cwbwl, roeddan ni 'di bwriadu mynd i Bortiwgal llynadd ond i ni fethu ca'l amsar yn unlla.'

'Wnaiff Portiwgal y tro'n iawn i mi,' meddai. 'Dim ond meddwl y byddai India'n wahanol 'nes i — meddwl y buasai hynny'n fwy at dy ddant di nag Ewrop. Cariad, be' am fynd i Bortiwgal!'

'Iawn, mi awn ni i Bortiwgal. Mis Mai 'di'r mis gora, ne' be' am Fehefin? Mi ddylan ni fod wedi hen ddatrys y busnas ewyllys 'ma erbyn hynny. Syniad ardderchog.'

'Dim meddwl am Fai ne' Fehefin oeddwn i,' meddai. Symudodd i eistedd ar fraich ei gadair a rhoddodd ei braich am ei wddf. ''Ddeudodd o 'rioed *na* wrthat ti yn 'i fywyd!'' dyna ddywedodd Joe Kaplan wrthi'r bore hwnnw ac roedd hynny'n ddigon gwir. Roedd hi'n gofyn hyn er ei fwyn o'n gymaint ag er ei mwyn ei hun. 'Dwi isio mynd i rywla rŵan, Robert, dim ond ni'n dau. Yn bell o fan 'ma, cyn bellad â phosib o Efrog Newydd. 'Ti'n llygad dy le, mi ydw i 'di blino — dwi angan gwylia.'

'Gwranda, cariad, fi sy'n deud Mai ne' Fehefin, ond does dim yn dy rwystro di . . . mi fedrat ti fynd dy hun am ryw wsnos ne' bythefnos. Ond fedra i ddim troi 'nghefn ar yr hen fusnas teuluol 'ma rŵan, ddim ar hyn o bryd. 'Ti'n gwbod nad oes dim pwysig yn galw arna i fel arfar, ond ma' hyn yn hanfodol. Ma' 'na gymaint â phymtheg miliwn o ddoleri yn y fantol yn fan 'ma, a

ma' Ruth f'angan i yma wrth 'i hochor hi. Mi wna i
'ngora glas i ruthro petha ond fedra i yn fy myw ollwng
popeth y funud yma. Ma' hynny'n amhosib.'

Gwasgodd ei llaw a chododd, gan ei thynnu'n dynn
at ei ochr, er mwyn egluro pam na allai am unwaith yn
ei fywyd adael ei chwaer ar ei phen ei hun a throi ei gefn
ar ei ddyletswyddau teuluol. Roedd o'n dalach o lawer
na hi, ac o'r herwydd doedd dim modd iddo fedru
gweld ei hwyneb.

'Plîs, Robert,' plediodd cyn dianc o'i afael. 'Plîs dos
â fi o 'ma rŵan. Dwi bron â thorri 'mol isio mynd. Ma'
rhaid i mi fynd o'r lle 'ma!'

'Ond pam?' holodd. 'Be' 'di'r brys? Gwranda,
Thérèse, os oes rhwbath yn bod, rhwbath yn dy boeni
di — er mwyn y nefoedd jyst deuda wrtha i. Heblaw am
hynny ma'r isio rhuthro ar wylia 'ma ar fyr rybudd fel
hyn yn gwbwl wallgo. Yn enwedig ar ôl i mi egluro pam
'i bod hi'n amhosib i mi fynd i nunlla rŵan.'

'Wyt, 'ti 'di egluro.' Roedd twpdra ac eironi'r
sefyllfa'n ei chorddi a gwylltiodd yn sydyn efo Robert.
'Ma' dy chwaer 'di penderfynu 'i bod hi isio 'chwanag
o bres — dydi deg miliwn ar hugain o ddoleri ddim
hannar digon iddi hi, felly ma' rhaid i ti aros yma i afa'l
yn 'i blydi llaw hi. Dyma'r tro cynta 'rioed i mi ofyn am
unrhyw beth o werth gen ti, ac mi wyt titha'n 'y
ngwrthod i. Iawn 'ta, Bob. Dwi ddim am ddàdla.
Syniad gwallgo oedd o, ac ma'n ddrwg gen i am hynny.'
Cerddodd heibio iddo'n syth i'r llofft a chau'r drws yn
glep. Funud yn ddiweddarach roedd o wedi agor y drws
ac yn sefyll y tu ôl iddi'n ei magu'n dyner yn ei
freichiau.

'Ma'n ddrwg gen i, 'nghariad i. Wrth gwrs yr a' i â
chdi o 'ma. Rho wsnos ne' ddwy i mi. Ella y medra i'i
pherswadio hi i newid 'i meddwl erbyn hynny. Trefna

wylia i ni ymhen tair wsnos — dydi hynny ddim yn ormod i aros, nac ydi?'

'Nac ydi,' atebodd yn flinedig. Pwysodd yn erbyn ei gorff a chau'i llygaid. 'Ella'r a' i 'chydig ddiwrnodia o dy flaen di. Os nad oes ots gen ti?'

'Wrth gwrs fod ots gen i,' meddai. ''Ti'n gwbod fod yn gas gen i fod hebddat ti. Dwi'n teimlo fel dyn 'di colli 'i fraich dde hebddat ti. Ond dos di os mai dyna 'ti isio, ac mi ddo inna ar d'ôl di, os wyt ti'n methu ag aros am 'chydig o wsnosa cyn mynd.'

'Mi fedra i aros,' meddai. 'Wrth gwrs y medra i aros.'

' 'Ti'n siŵr fod pob dim yn iawn — dim byd yn bod?'

Wrth syllu i'w wyneb gofidus, sylweddolodd na allai, er gwaethaf ei gwewyr hallt ei hun, droi ato am help heb ddweud wrtho'r holl wir. Ac roedd hynny'n amhosib. Beth bynnag fyddai'u tynged nhw, doedd fiw iddo gael gwybod, na fiw iddo gael ei frifo chwaith.

Gwenodd arno a mwytho'i foch. 'Does 'na ddim byd yn bod. Dim ond isio sylw a bod yn wirion oeddwn i. Anghofia 'mod i 'rioed 'di gofyn, cariad. Gawn ni fynd am 'chydig o seibiant efo'n gilydd ar ôl i chdi gladdu'r hen fusnas teuluol 'ma.'

'Dwi'n meddwl y byd ohonat ti,' meddai yntau'n gwbl ddidwyll. 'Mi a' i â ti cyn bellad ag India ac mi gawn ni saethu *maharajahs* efo'n gilydd, jyst i ga'l bod yn wahanol.'

Wrth iddi chwerthin gallai ei theimlo'i hun yn cael ei gwasgu'n dynn mewn cynfas cyfarwydd o ddiogelwch. 'Mi fyddai'n dda i'r teigrod ga'l gorffwys,' chwarddodd. 'O, Robert, 'ti mor ddigri weithia. Ac mi ydw inna'n meddwl y byd ohonat titha hefyd.' Doedd Karl Amstat ddim mwy na breuddwyd afreal iddi rŵan. Roedd y syniad o ddianc i rywle efo fo yr un mor ddisynnwyr, wrth iddi sylweddoli mai'r cyfan yr oedd yn rhaid iddi'i

104

wneud oedd cofio maint ei dyled i'w gŵr a gwrthod yn
lân â'i weld yntau byth eto.

*　*　*

Am y tro cyntaf erioed, sylwodd Karl pan ddaeth adref
y noson honno pa mor wag oedd ei fflat. Roedd hi'n
fflat foethus, efo ôl llaw fedrus Julia'n drwm arni, ac
roedd yntau wedi prynu sawl darlun gwerthfawr gan ar-
lunwyr addawol. Dyma'i gartref, ac roedd o wedi bod yn
falch iawn ohono tan rŵan. Ond heno, wrth iddo gau'r
drws ar ei ôl a cherdded i'r stafell fyw unig, roedd y lle'n
anesmwyth o oer a gwag, yn stafell ddiddychymyg dyn
dibersonoliaeth. Doedd y lle hwn ddim yn rhan ohono;
doedd gan y lle ddim i'w wneud â'r dyn go iawn oedd
yn byw yno; nid dyma'i chwaeth o; addurniadau a
guddiai'r gwirionedd a welai o'i amgylch. Roedd y lle
mor ddiystyr â'i enw a'i bapurau ffug. Sylwodd pa mor
hyll yr edrychai popeth, y cyfan mor wahanol i'r hyn y
byddai o wedi'i ddewis. Gwnaeth rywbeth anarferol;
roedd hi'n hwyr ac yntau wedi bwriadu mynd i glwydo,
ond yn lle hynny tywalltodd wisgi mawr iddo'i hun a
mynd drwodd i'r llofft. Canolbwynt y llofft oedd gwely
anferth wedi'i orchuddio â chroen llo brown a gwyn;
roedd y waliau'n lledr gwyn a'r dodrefn yn syml a
Sgandinafaidd. Roedd y cypyrddau'n llawn o ddillad
Americanaidd, esgidiau lledr, a dillad nos sidan efo'i
enw wedi'i frodio mewn edafedd glas tywyll ar y pocedi.
Roedd popeth yn perthyn i Karl Amstat, y pensaer
llwyddiannus o Efrog Newydd a aned yn Berne. A
doedd gan y cyfan ddim oll i'w wneud â'r dyn â
gwydraid o wisgi yn ei law a safai'n syllu ar ei lun yn y
drych. Doedd gan y ddynes roedd o newydd ffraeo a
throi'i gefn arni ddim oll i'w wneud ag o chwaith; roedd
hi'n rhan o'r un freuddwyd â gweddill ei bresennol. Yr

unig beth go iawn a wnaeth hi erioed oedd dweud wrtho'i fod o mewn cariad efo Thérèse Bradford; gallai gyfaddef hynny heb gynhyrfu'n awr. Roedd o mewn cariad efo'r ddynes, yn union fel roedd o mewn cariad efo'r ferch ifanc ugain mlynedd yn ôl. Doedd dim yn newydd, wedi'r cwbl. Alfred Brunnerman oedd o byth.

Doedd o ddim wedi meiddio sibrwd ei enw'i hun ers blynyddoedd. Roedd Thérèse yn ei garu yntau hefyd; gwyddai hynny, a gwyddai mai Brunnerman, yr alltud ar ffo, oedd yn ei denu hi, ac nid Karl Amstat. Roedd o wedi gorfod byw celwydd am ugain mlynedd er mwyn achub ei groen. Ceisiodd ei orfodi'i hun i feddwl ei fod o wedi marw ac wedi claddu'r gorffennol; nid yn unig oherwydd ei ddiogelwch ond hefyd oherwydd ei fod o am anghofio'r boen a'r cywilydd oedd yn rhan o'i ddoe. Roedd o wedi rhedeg ar ôl y rhyfel am fod pawb arall o'i gwmpas yn ffoi am eu bywydau wrth i'r Almaen syrthio'n ddarnau disynnwyr fel aberth o flaen allor y byd rhydd. Barnwyd ei fod o'n anghyfiawn, am ei fod o wedi ymddwyn yn anghyfiawn. Yn wahanol iawn i'r rhelyw a ffôdd efo fo, roedd o'n *teimlo* fel troseddwr, ac roedd claddu Brunnerman a geni Amstat yn fodd o ddianc rhag ei euogrwydd. Daeth yn bensaer oedd yn cysegru'i waith adeiladu i briodi'r ymarferol a'r prydferth; gwrthodai gyffwrdd pen ei fys yn unrhyw beth oedd yn ei atgoffa o ddistryw a gwastraff ei fywyd diflanedig. Ond eto roedd yr awch i fwrw golwg dros ysgwydd ac ymfalchïo yn llwyddiannau'r gorffennol yn dal yn fyw ynddo. Roedd o wedi hen dderbyn mai dyfodol unig oedd o'i flaen, ond rŵan teimlai'n ddigon rhydd i rannu'r unigrwydd hwnnw efo'i orffennol. I Thérèse Bradford roedd y diolch am hynny; hi roddodd ei hunaniaeth yn ôl iddo, oherwydd ei bod hi'n gwybod pwy oedd o. Rywle yn nyfnderoedd duaf ei meddwl roedd brith gof am y cyrnol ifanc yn y Gestapo a geisiodd fod yn fur amddiffynnol rhwng ei diniweidrwydd hi a barbariaeth ei dylwyth ei hun. Ac roedd hi'n ymwybodol ei fod o'n ei ôl yn ei bywyd hi unwaith eto.

Ar y milwr ifanc hwnnw yr edrychai, efo fo y siaradai ac yn ei law o y gafaelai pan oedden nhw ill dau yn cyfarfod — er na fyddai hi byth yn gwybod hynny chwaith. Doedd ei diffyg deallriaeth yn poeni dim arno. Hi oedd yn bwysig; roedd hi'n bwysicach na dim byd arall dan haul iddo oherwydd mai hi oedd yn profi nad bwystfil oedd Alfred Brunnerman. Cawsai ei gardiau o swyddfa Paris a'i hel i faes y gad yn Rwsia ar ôl ei hanfon hi i'r ysbyty. A dyna pryd y digwyddodd yr anfadwaith, wrth iddyn nhw dynnu'r dynion yn ôl o Rwsia.

Yfodd y wisgi ac eistedd ar y gwely mawr gan gladdu'i ben rhwng ei ddwylo. Cymerodd flynyddoedd lawer cyn iddo fedru cau'r cof hwnnw'n llwyr o'i feddwl; roedd o'n arfer cael hunllefau am y peth, a deffro ganol nos mewn rhyw westy ceiniog a dimai yn Ariannin yn chwysu a mygu wrth gofio'r erchylltra. Llwyddodd i'w reoli'i hun yn y diwedd, llwyddo i beidio â meddwl na breuddwydio am y peth. Ond rŵan, roedd y cyfan yn fyw o flaen ei lygaid eto, diffeithwch gwyn, oer efo ambell smotyn bach du lle bu coeden unwaith a mwg tew yn codi'n araf o weddillion y tanciau Panzer a fethodd ddianc yn ddigon buan rhag llid y Rwsiaid dialgar.

A'r neidr anhrefnus o drueiniaid yn llusgo'n araf dros yr eira, yn araf bach gan ymwahanu mewn mannau ac ailymuno wedyn, wrth i'r henoed, neu rai o'r plant, ddisgyn o flinder neu hercio'n arafach na'r lleill. Roedd miloedd ohonyn nhw; eisteddai yntau yn ei gar yn eu gwylio'n ofalus drwy sbienddrych, ei ddynion yn eu hysio tuag at goedwig fechan. Roedd ei uwch swyddog, cadfridog o'r enw Schaeffer, yn eistedd yng nghefn y car yn sipian brandi allan o fflasg fechan er mwyn cadw'n gynnes. Doedd gan hwnnw ddim gronyn o ddiddordeb mewn gwylio beth oedd yn digwydd, felly gorchmynnodd i Brunnerman sefyll yn llygaid y gwynt rhewllyd i wylio a disgrifio'r olygfa. Roedd o wedi gweld y cyfan i gyd o'r blaen; ei ddiflasu nid ei ddychryn a wnâi dienyddio bellach. Roedd yn rhan o'i fywyd bob dydd, yn union fel gwasgu chwain oedd wedi cartrefu yn ei ddillad budron, oeraidd yn farw. Gwaith y gallai ddweud wrth rhywun arall ei wneud oedd dienyddio bellach i Schaeffer, gwaith y gellid ei wneud tra oedd o'n tynnu cysur o geg y botel frandi. Roedden nhw yng Ngwlad Pwyl, ychydig filltiroedd o Lodz, a phan ddaeth y gorchymyn o bencadlys y fyddin yn Berlin ymatebodd Brunnerman ar ei union drwy yrru'i ddynion allan i gasglu poblogaeth Iddewig y dref ynghyd â'u cerdded allan i'r wlad. Gwyddai o'r gorau beth roedd Schaeffer yn bwriadu ei wneud efo nhw. Ond gorchymyn oedd gorchymyn. Ac roedd yn rhaid gweithredu yn ôl y gorchymyn; dyna oedd eu hunig gryfder ar y pryd yn wyneb y perygl o gael eu trechu a'u lladd gan y Rwsiaid a oedd yn eu hymlid yn ddidrugaredd. Doedd neb byth yn gwrthod ymateb i orchymyn. Dim ond flynyddoedd yn ddiweddarach, yng nghanol gwerthoedd iach a gwaraidd, y sylweddolodd Brunnerman mai gwarth a sen ar ei genedl oedd eu parodrwydd i ymateb i'r fath orchmynion mor ddigwestiwn. Cerddodd pedair mil o Iddewon i ganol y goedwig y diwrnod hwnnw, ac yno gwnaethpwyd i'r dynion dorri rheseidiau o feddau bas tra oedd dynion yr S.S. yn gosod eu gynnau'n barod ac yn celpio'u hochrau a churo'u traed er mwyn ceisio cadw'n gynnes. Arhosodd Schaeffer yn ei gar ar frig y goedwig tra aeth un o'r gweision parod i ganol y miri i wneud yn siŵr fod popeth yn cael ei wneud yn iawn. Dyna oedd diben gwas, sefyll ym mrathiad y gwynt oer a styrio'r dynion efo'u cloddio, a gwneud yn siŵr fod olion y dienyddio'n cael eu cuddio wedyn.

Gwnaethpwyd y gwaith yn ddidrafferth; ymhen dwy awr roedd yr S.S. yn cerdded yn ôl o'r coed ac yn dringo i mewn i'r lorïau i gael eu cario drwy'r eira yn ôl i Lodz i lochesu am y noson.

Er mawr syndod i'r cadfridog bu ei gyrnol ifanc yn sefyll am rai munudau yn ei gwman y tu ôl i'r car yn chwydu. Gwaeddodd arno i ddod i mewn i'r car, ac er mwyn cael ychydig o drefn ar y brych gwantan mynnodd ei fod o'n adrodd hanes y dienyddio'n fanwl wrtho, er na fedrai Schaeffer glywed yr un gair dros sŵn brygawthan a phoeri'r injian chwaith.

'Ac mi 'naethoch chi'n siŵr fod y bedda 'di cau'n iawn?'

Ar ôl ugain mlynedd gallai glywed y llais yn dal i weiddi yn ei glustiau, llais y dyn a welodd yn cael ei labyddio bythefnos yn ddiweddarach gan y milwyr Rwsiaidd cyntaf i gyrraedd Pwyl. Gallai glywed ei ateb yn cael ei weiddi dros groch yr injian wrth iddi frwydro efo'r eira meddal. 'Pob bedd 'di'i gau. Pob dim mewn trefn.'

Pob dim mewn trefn. Tawodd y sgrechian yn sydyn a thawodd ergydion y gynnau'n syth wedyn, heblaw am ambell glec yma ac acw wrth i swyddog saethu at unrhyw beth a symudai yng nghanol y gwastraff o gyrff meirwon. Safodd o'r neilltu, yn ymyl y coed, ei ddwylo'n crynu ym mhocedi dyfnion ei gôt, sŵn y gynnau'n dal i ganu yn ei ben, cysgodion y cyrff yn dal i neidio o flaen ei lygaid ac yn syrthio'n ddisymwth i'r beddau agored. Safai a meddwl wrth i'w ddynion gladdu'u gwarth â phridd ffrwythlon ac eira gwyn, ffres.

Roedd o'n medru gweld a chlywed y cyfan eto rŵan, yn sydyn teimlodd ei stumog yn dechrau corddi a rhedodd i'r tŷ bach i chwydu. Bu bron iddo â'i saethu ei hunan unwaith; un noson yn Buenos Aires pan oedd o wedi dechrau astudio o dan Diego Bolsa yn y brifysgol a phan oedd gobaith yr heddlu cudd Iddewig o gael gafael arno'n llithro ymhellach i wyll ei orffennol — tynnodd ei wn allan o'i boced a'i ddal at ei ben yn barod i saethu oherwydd yr hyn a ddigwyddodd yn Lodz. Cerddodd yn araf allan o'r tŷ bach a syllu ar y stafell wag, a phenderfynodd nad oedd hon yn noson i gysgu. Aeth i'r stafell fyw i geisio gweithio. I gyfeillion yr hen Almaen yn America roedd y diolch ei fod o'n dal ar dir y byw. Roedden nhw wedi sefydlu rhwydwaith oedd yn deyrngar i'r hen Bundt ac wedi llwyddo i helpu nifer o'u ffoaduriaid i ddianc i Dde America drwy gael arian a phapurau ffug iddyn nhw, a thrwy sefydlu heddlu cudd i hela'r Israeliaid oedd am waed arweinwyr yr hen fyddinoedd Almaenaidd. Roedd nifer o Almaenwyr dienw wedi ei helpu, cydwladwyr oedd yn cydymdeimlo efo ffoaduriaid fel fo ac roedd yntau'n ddiolchgar a theyrngar iddyn nhw. Roedd y rheolau'n syml. Cadw merched hyd braich, dim mynd yn rhy agos at neb, peidio byth â meddwi, a byw yn y cysgodion. Bu'n gaeth i'r gyfundrefn am flynyddoedd, yn hanner byw o'r naill swydd i'r llall, tan iddo dderbyn cadarnhad ei bod hi'n ddiogel iddo fynd i'r coleg. Roedd o wedi hen dderbyn ei ffug fodolaeth a'i gefndir cymhleth fel Karl Amstat a dechreuodd personoliaeth hwnnw droi'n ail groen iddo. Chlywodd o'r un gair gan neb yn y mudiad oddi ar iddo gyrraedd Efrog Newydd. Anghofiodd amdanyn nhw gan eu bod, mae'n amlwg, yn ei ystyried yn ddiogel bellach. Ond, wedyn, doedd neb wedi breuddwydio y byddai'n cyfarfod â Thérèse Bradford.

Fedrai o ddim gweithio, fedrai o wneud dim ond meddwl amdani. Roedd hynny'n lleddfu ychydig ar ei hunllef o ail-fyw ei orffennol. Roedd hi'n beryglus; hi a'r holl orffennol roedd hi'n rhan ohono oedd y mur uchaf y bu'n rhaid iddo'i ddringo oddi ar iddo ddianc drwy Sbaen ar ôl y rhyfel. Gwallgofrwydd oedd ei gweld hi, gwallgofrwydd llwyr oedd gadael iddo'i hun wirioni cymaint amdani a hynny'n ddigon amlwg i Julia fedru gweld a chyhuddo. Dylai fod wedi dilyn ei reddf y noson gyntaf honno y cyfarfu â hi yn nhŷ Ruth. Hel ei bac a rhedeg. Gwyddai hynny'r noson honno, a gwyddai hynny rŵan hefyd. Roedd ganddo hen ddigon o amser i ddianc, digon o amser i osgoi uchafbwynt anorfod y garwriaeth anorffenedig.

Y cyfan roedd yn rhaid iddo'i wneud oedd troi'i gefn arni, mynd yn ôl at Julia a'i fywyd diogel; byddai Bradford a'i wraig yn gadael Efrog Newydd ac yn mynd yn ôl i Boston yn o fuan. Doedden nhw byth yn aros yma'n hir iawn. Fyddai o byth yn gweld Thérèse eto. Dyna oedd y penderfyniad iawn, y penderfyniad call, synhwyrol. Ond fedrai o ddim; roedd hi'n rhy hwyr i fynd yn ôl at Julia a bywyd bas Karl Amstat. Doedd y bywyd hwnnw'n dda i ddim i Alfred Brunnerman. Llwybrau'r gorffennol a'r presennol wedi croesi a ffrwydro'n un o dan straen ei angen emosiynol, ac roedd ei angen am Thérèse Bradford yn gryfach o lawer na mân ofidiau am y dyfodol. Gallai hi fod yn ergyd farwol iddo, ond hebddi doedd dim diben byw. Doedd o ddim am redeg a dianc; doedd o ddim am ei amddifadu'i hun ohoni eilwaith a'i orfodi'i hun i fyw mewn gwagle diystyr. Roedd o'n mynd i'w hela hi a'i dal hi. Cafodd ailafael ar ei nerth hunan-ddisgybledig a'i orfodi'i hun i weithio tan y wawr.

V

'Mr Amstat ar y ffôn i chi, madam.'

'O.' Roedd Thérèse wedi penderfynu nad oedd hi byth yn mynd i'w weld o eto. Roedd hynny'n bendant. Ond rŵan, y cyfan roedd yn rhaid iddi'i wneud oedd codi'r estyniad yn ei llofft a byddai'n gallu siarad ag o unwaith eto. 'Deudwch 'mod i allan plîs, Mary.'

'O, ma'n ddrwg gen i, madam,' meddai'r forwyn, 'ond mi ydw i 'di deud wrtho fo 'ych bod chi yma. Mi fedrwn i ddeud 'mod i 'di camgymryd . . .'

'Na, na,' meddai Thérèse, 'mi fyddai hynny'n swnio braidd yn anghwrtais. Iawn, mi ga i air efo fo. Mi a' i i'r llofft.' Cerddodd drwy stafell wisgo'i gŵr, cau'r drws a chodi'r ffôn.

'Bora da,' meddai ei lais. ''Nes i dy ddeffro di?'

'Naddo.' Ceisiodd ei gorau glas i swnio'n normal, ond roedd y straen yn mynnu cydio'n ei llais. 'Naddo, ddim o gwbwl. Sut wyt ti, Karl?'

'Siort ora, diolch. Ma' hi'n ddiwrnod braf. Wyt ti'n brysur heddiw?'

'Ydw,' meddai. 'Ydw, rydan ni'n mynd am fymryn o wylia; a finna 'di addo gneud y trefniada gan fod Bob mor brysur ar hyn o bryd.'

Bu tawelwch am funud, a phan siaradodd o eto roedd ei acen yn gryfach; gwyddai hi fod ei hacen hithau'n cryfhau pan oedd hi dan deimlad. Pam, meddyliodd yn ystod y tawelwch, fod poen emosiynol yn mynnu troi'n gur corfforol — ac yn wacter yn y galon? Roedd yr ystrydeb yn wir, y galon oedd yn pigo. Roedd hi wedi'i frifo, a chasâi ei hun am hynny.

'Wyddwn i ddim 'ych bod chi'n mynd am wylia. Pryd ydach chi'n mynd?'

''Mhen rhyw wsnos ne' ddwy, dydan ni ddim yn rhy siŵr eto. Meddwl mynd i Bortiwgal.'

'Dwi'n falch nad ydach chi ddim yn mynd ar 'ych union.' Gwnaeth sŵn hanner chwerthin er mwyn dangos ei ryddhad. 'Mi oeddwn i'n meddwl dy fod ti ar fin gada'l am funud.'

'Heb drefnu dyddiad eto,' meddai. Roedd hi wedi gofyn i Bob fynd â hi oddi yno ac roedd yntau wedi gwrthod. 'Go brin yr awn ni cyn dechra mis nesa.' Roedd hi wedi ceisio dweud celwyddau, ond roedd hi'n gwegian yn barod. A hynny ddim ond wrth glywed ei lais ar y ffôn.

'Fedrwn ni ddim cyfarfod ryw ben heddiw? Ma' gen i rwbath i' ddeud wrthat ti, ma' gen i isio gofyn dy farn di. Be' am fynd am dro yn y car p'nawn 'ma?'

'Iawn,' cytunodd. 'Ond os wyt ti isio mynd â fi am dro, ella y buasai'n well i ti fynd â fi allan am ginio'n gynta. Os ydi hynny'n gyfleus, wrth gwrs.'

'Mi wna i o'n gyfleus,' meddai. 'Mi alwa i amdanat ti tua hannar awr 'di deuddeg.'

'Na, mi wna i dy gyfarfod di'n rhywla.' Roedd y forwyn wedi dechrau sylwi ar y galwadau ffôn a'r gwas wedi'i weld o'n dod yno mor aml nes dechrau ffonio i ddweud wrthi fod y gŵr bonheddig ar ei ffordd i fyny i'r tŷ. Nid perthynas arwynebol, ddiniwed mohoni bellach. Doedd fiw i bobl sylwi arno'n rhy aml. 'Mi gwela i di yn y bar yn yr Algonquin.'

Roedd hwn yn westy moethus a led-apeliai at y twristiaid, y math o le roedd yn rhaid i bob ymwelydd ag Efrog Newydd giniawa ynddo unwaith am ei fod yn llawn artistiaid ac awduron ac am fod yno awyrgylch hen-ffasiwn, a oedd bron yn Seisnig. Eisteddodd y ddau yn ymyl ei gilydd wrth fwrdd ym mhen draw'r stafell. Gwisgai Thérèse sgert a chôt liw gwyrdd golau efo tlws emrallt, a gafodd yn anrheg Nadolig gan Bob, ar ei brest.

Edrychodd Karl arni'n eistedd yn ei ymyl. ''Ti mor brydferth,' meddai. 'Yn gneud i mi deimlo mor falch 'mod i efo chdi. Ma' pawb yn syllu arnat ti ac yn cenfigennu.'

''Ti'n siŵr o fod wedi hen arfar â hynny,' meddai. 'Efo Julia dwi'n feddwl. Hi ydi un o'r merched mwya crand yn Efrog Newydd.'

'Digon gwir,' meddai. 'Ond fydda i ddim efo hi byth eto; rydan ni 'di gorffen. Dyna pam 'mod i isio siarad efo chdi — dydw i ddim yn rhyw siŵr sut y dylwn i ymddwyn mewn amgylchiada fel hyn. Mi fuaswn i'n gwbod yn iawn yn Ewrop, ond yma . . .' Wnaeth o ddim mynd i drafferth i orffen ei frawddeg. Roedd o eisiau iddi hi wybod a deall nad oedd dynes arall yn ei fywyd bellach; roedd yn rhaid iddo ddweud wrthi am Julia gan mai honno fu'n rhwystro'u perthynas nhw rhag tyfu a datblygu. Ac roedd o wedi dechrau magu cydwybod hefyd. Roedd o eisiau gwneud y peth iawn, fel nad oedd yna ddim mwy nag oedd raid o ddrwgdeimlad rhwng pawb.

'Ffraeo 'naethoch chi?' holodd Thérèse. Roedd o wedi gorffen efo'i gariad, roedd o'n rhydd. Dechreuodd fwyta'r cnau oedd ar y bwrdd, un ar ôl y llall, gan geisio'i gorau i beidio â dangos ei gorfoledd. Doedd ganddi'r un rheswm dan haul i fod yn genfigennus rŵan wrth feddwl amdano yn y gwely efo dynes arall.

'Do, mwya'r piti. Ma'r manylion yn ddibwys, ond ma' hi'n bechod 'yn bod ni 'di gwahanu fel yna hefyd. Mi fu Julia'n ffeind wrtha i; dwi'n ddyledus iawn iddi am lot o betha ar wahân i'n perthynas ni. Mi wna'th hi 'nghyflwyno i i'w ffrindia a rhoi hwb mawr i mi. Mi

114

liciwn i fedru deud diolch a ffarwél cyn gleniad â phosib.'

'Pam na 'nei di? Diolch am bopeth efo tusw mawr o floda. Mi fuaswn i'n gwerthfawrogi hynny taswn i'n hi. Ac mi fuasai hynny'n gneud petha'n haws iddi hitha hefyd, achos mi ydach chi'n siŵr o weld 'ych gilydd weithia.'

'Ia, mi wna i hynny.'

Roedden nhw wedi gorffen eu cinio erbyn hyn ac wedi dechrau siarad heb edrych o'u cwmpas unwaith. Sylwodd y naill na'r llall ar Vera Kaplan a dwy bladres arall yn eistedd wrth fwrdd hanner lled y stafell oddi wrthyn nhw.

'Thérèse — wyt ti'n cofio'r cinio cynta hwnnw gawson ni efo'n gilydd yn y lle bach hwnnw yn Banksville?'

'Ydw,' meddai, 'dwi'n cofio. Dwi'n cofio pob cinio rydan ni 'di'i ga'l efo'n gilydd. Pam?'

''Ti'n cofio i mi afa'l yn dy law di,' meddai. 'Ac mi godaist titha'n barod i fynd. Dwi isio gafa'l yn dy law di rŵan. 'Nei di drio dianc tro 'ma?'

'Na.' Cyfarfu'u dwylo ar y gadair a gwasgu'i gilydd yn dynn. 'Oeddat ti'n caru Julia?'

'Deud nad oeddwn i ddim 'nest ti'r diwrnod cynta hwnnw, pan ddeudais i 'mod i'n unig. Naddo, 'nes i 'rioed mo'i charu hi. Roeddwn i'n awchu amdani hi; wel, roedd hi mor ddeniadol. Ac rŵan ma' gen i isio bod yn glên efo hi. Dim awydd i ddial.'

'Am faint y buoch chi'n byw efo'ch gilydd? Dwy flynadd? A doedd hynny'n golygu dim i ti, Karl. Rhyfadd, trist hefyd. Byw efo rhywun heb fedru'i charu hi.'

'Sut fedri di ddirnad hynny?' holodd. 'Doeddat ti ddim mewn cariad efo dy ŵr pan briodsoch chi?'

''Ti'n siarad am y briodas fel tasa hi 'di chwalu. Dwi'n dal i'w garu o.' Ceisiodd dynnu'i llaw o'i afael, ond roedd o'n gryf a phenderfynol. Rhoddodd ei law rydd dros eu dwy law blethedig a mwytho'i harddwrn yn union fel y gwnaeth o'r blaen. 'Paid â gneud hynna,' plediodd. 'Mae o fel cysgu efo ti. Plîs, Karl, gwranda arna i, a rho'r gora i 'neud i mi deimlo fel hyn.'

'Dwi'n teimlo'n union 'run fath fy hun,' meddai. 'Bob tro dwi'n edrach arnat ti dwi'n meddwl sut buaswn i'n teimlo wrth dy gusanu di. Dy gusanu di 'mond fel dechreuad. Dwi'n mynd i dalu'r bil, ac yna rydan ni'n mynd am dro yn y car.'

Cerddodd allan o'r gwesty'n benisel, heb sylwi ar neb, a gwyliodd Vera Kaplan nhw'n gadael.

'I lle ydan ni'n mynd, Karl?'

'Wn i ddim, rhywla tawel, rhywla lle medrwn ni stopio. Dilyn y lôn yma am mai hon oedd y ddihangfa gynta 'nes i. Heblaw am hynny mi fuaswn i wedi mynd â chdi'n ôl i'n fflat i. Ond mi wn nad wyt ti'n barod am hynny eto.'

'Fydda i byth yn barod,' meddai. ''Sgen i'm isio i ddim byd ddigwydd rhyngddan ni. Stopia'r car cynta medri di. Ma' rhaid i ni siarad am hyn.'

Gyrrodd Karl yn ei flaen a throdd y briffordd brysur yn lôn wledig dawel efo coed a chreigiau a digon o le i aros. Y tu allan i bentref Chappagua tynnodd y car i'r ochr a diffodd yr injian. Roedd hwn yn llecyn prydferth, efo'i enw Indiaidd gwreiddiol. Roedd y ddinas yn ymddangos yn bell, bell i ffwrdd.

'Paid â chyffwrdd yndda i,' meddai hi. 'Paid â chyffwrdd yndda i, a gad i mi siarad efo chdi.'

'Mi dania i sigarét bob un i ni,' meddai. Rhoddodd ddwy sigarét yn ei geg a'u cynnau. 'Wna i ddim byd heb dy ganiatâd di'n gynta, 'nghariad i. Dwi'n gwrando.'

'Mi ddeudaist ti dy fod ti'n ddiolchgar i Julia,' meddai, gan dynnu ar ei sigarét. Crynai'i llaw wrth iddi'i thynnu o'i cheg. 'Be' 'ti'n feddwl wna'th Robert i mi? F'achub i o nunlla, yn sâl a heb go — gwan, tlawd, heb deulu na ffrind yn y byd. Fy mhriodi i, Karl. Doeddwn i'n ddim byd cyn cwrdd â Robert, yn neb, ddim yn bod. Mi ddeudais i 'mod i'n 'i garu o, mi ydw i'n 'i garu, o waelod calon. 'Sgen i'm isio'i dwyllo fo rŵan, ddim ar ôl pymtheg mlynadd. Feiddia i ddim 'i dwyllo fo rhag ofn i mi ddeffro ryw ddiwrnod i weld 'mod i 'di dy dwyllo ditha hefyd.'

'Sut medrat ti 'nhwyllo i?' holodd hi.

'Drwy fethu dy garu ditha hefyd, methu dy garu di pan ma' rhaid. Dydw i ddim 'di teimlo dim efo fo — 'rioed. Mae ynta 'di bod mor amyneddgar efo fi, mor dda efo fi — ond fedra i ddim cysgu efo fo, Karl. O 'rarglwydd, am rywbath i orfod 'i gyfadda wrthat ti! Dwi'n oer a dideimlad!' Dechreuodd grio.

'Ac ma' gen ti ofn i'r un peth ddigwydd rhyngddan ninna?' Gofynnodd y cwestiwn mor dyner ag y gallai, ac ar yr un pryd tynnodd y sigarét o'i llaw a'i thaflu. Ugain mlynedd yn ôl rhoesai'i ffunen iddi pan ddechreuodd grio. Gwnaeth yr un peth eto rŵan, ond sychodd ei dagrau hefyd y tro hwn.

''Ti mor dyner, 'dwyt?' sibrydodd wrtho. 'Mor fonheddig efo fi bob amser.'

'Dwi'n dy garu di,' meddai. ''Di dy garu 'di 'rioed.'

'Felly'n union dw inna'n teimlo.' Gadawodd iddo'i chofleidio a phwysodd yn erbyn ei ysgwydd dan gau'i llygaid; teimlai'n flinedig, ond eto'n rhydd.

'Dwi'n teimlo popeth y dylwn i'i deimlo pan dwi efo ti. Ond cariad yn fwy na dim; goeli di hynny?'

'Siŵr iawn. Dyna'n union sut rydw inna'n teimlo hefyd. Teimlo cariad tuag atat ti, Thérèse. Cariad yn 'y nghalon a chariad yn 'y nghnawd. Mae hon yn iaith mor sâl i fynegi petha felly. Nid dyna'n hiaith ni, naci?'

'Na, ond dyna'r gora sgynnon ni. Be' ydan ni'n mynd i' 'neud, Karl?'

'Profi nad wyt ti'n oer. Ddim efo fi. Dydw i ddim yn poeni am dy ŵr di. Fo sy' ddim yn gwbod sut i dy garu di'n iawn. Dwi'n mynd i brofi dy allu di i garu, i ti, cariad. Ddim yn llwyr, dim ond digon i godi archwaeth am y gwir.'

Dyma lle'r amharwyd arnyn nhw'r tro diwethaf; roedd ei gorff wedi cyrraedd yr un pinacl nwydus o'r blaen ac roedd hithau'n barod i'w gorchfygu ganddo. Diflannodd gagendor yr ugain mlynedd heb i'r ffôn ganu eilwaith, heb i'r hunllef ymyrryd eto. 'Paid, paid,' sibrydodd, fel ple reddfol dynes a ofynnai am 'chwaneg. Rhoddodd ei law dros ei llygaid a'i dallu wrtho iddo ymgolli'n llwyr yn y cusanau gwyllt.

O'r diwedd gwahanodd y ddau dan grynu. 'Dwi 'di'i cholli hi,' meddai dan fyseddu llawr y car ac ailafael yn ei synhwyrau bregus.

'Be', be' 'ti 'di golli?'

'Y sigarét — dwi 'di'i gollwng hi.'

'Dwi 'di'i thaflu hi ers meityn,' meddai gan ei dal yn llonydd a'i gorfodi i edrych arno.

'Dwi'n mynd i Chicago ar fusnas drennydd. Ma' gen y cwmni fflat yno; dyna lle bydda i'n aros. Ddoi di yno efo fi?'

'Dwi'n mynd i ga'l *affair* efo chdi?' gofynnodd iddo. 'Gnaf, mi wna i.'

'Paid â defnyddio'r gair yna,' meddai wrthi. 'Mae o'n awgrymu cyfrola o fudreddi. Dyna ydw i wedi'i ga'l yn y gorffennol, dyna ma'n ffrindia gwirion ni'n 'i ga'l efo'i gilydd, caru heb gariad. Nid dyna sgynnon ni. Dwi'n dy garu di. Yn mynd i gysgu efo chdi am 'mod i'n dy garu di. A wyddost ti?' Gafaelodd yn dynn ynddi a'i thynnu'n agos ato, rhag ofn i rywun ddod yno i geisio'u gwahanu. 'Rydan ni'n hynod o lwcus, chdi a fi. Ma' hwn yn ail gyfla.'

'Ydi,' meddai Thérèse. 'Fel mynd i rywla am y tro cynta a gweld rhwbath cyfarwydd, teimlo dy fod ti 'di bod yno o'r blaen. Roeddwn i'n dy nabod di o'r blaen, dwi'n meddwl, mewn cysgod o freuddwyd yn fy ngho cymysglyd. Ma' genod yn breuddwydio am gariad, yn rhoi wyneb cyfarwydd actor iddo fo, neu'n ei greu o allan o dudalennau nofela dirifedi. Fi sy' 'di dy greu di a rhywun arall 'di rhoi cnawd ar d'esgyrn di. Dwi isio dŵad efo chdi i Chicago. A 'ti'n iawn, nid *affair* ydan ni'n mynd i' ga'l chwaith.'

'Na,' meddai. Roedd hyn yn wallgof, fel syrthio dros ddibyn heb ofni cyrraedd y gwaelod. 'Dyma'n cyfrin gyfarfod ni.'

* * *

Wnaeth Vera Kaplan ddim tindroi dros ginio; doedd hi ddim yn mwynhau cwmni merched eraill fel y cyfryw, a dim ond cydnabod o Florida ar drip siopa i Efrog Newydd oedd y ddwy hyn. Roedd y cinio'n dda, a heliodd bob math o esgusion dros adael yn syth ar ôl gwagio'i chwpanaid o goffi. Roedd hi ar bigau'r drain i gael eu cefnau nhw a mynd adref; roedd yn rhaid iddi ffonio cyn i Joe gael cyfle i gyrraedd yn ôl o'r ysbyty. Fflat fawr ar un o gorneli Park Avenue oedd eu cartref, a thalwyd am y cyfan gan Joe. Dyna un darn o faw yr oedd ei theulu wedi methu â'i daflu at Joe, sef mai'i phriodi er mwyn ei harian wnaeth o. Rhyfedd sut y cadwai gefn ei gŵr pan oedd ei theulu neu rai o'i ffrindiau hiliol eu tuedd yn gweld beiau arno. Ond nid er ei fwyn o y gwnâi hynny bellach chwaith; toddodd ei theyrngarwch wrth i'w chariad ato ddadmer a'i chasineb ato gynyddu. Ymladd ei frwydrau er ei mwyn ei hun a wnâi hi bellach, ei hamddiffyn ei hunan a neb arall. Pan oedd pobl yn ceisio'i daro fo roedden nhw'n ei tharo hithau efo'u gwatwar hefyd; ond doedd dim yn ei rhwystro hi rhag ei frifo a'i anafu, ac rŵan roedd y cyfle gorau a gafodd erioed o fewn ei chyrraedd. Roedd hi ar dân am iddo gerdded drwy'r drws yna. Tynnodd ei dillad cymdeithasu oddi amdani, a gwisgo rhyw hen racsyn di-lun; y paratoadau'n taflu 'chwaneg o danwydd ar dân ei buddugoliaeth. Yna eisteddodd a deialu rhif Julia Adams.

'Helô, sut ma' hi? Vera sy' 'ma.'

'Braf clywad 'ych llais chi,' atebodd y llais oeraidd ar ben arall y ffôn. 'Dwi'n iawn, siort ora. Sut ma' Joe?'

'Ar ben 'i ddigon,' meddai Vera. 'Gwranda, del, ffonio ydw i oherwydd mi welais i ffrind i ti heddiw pan oeddwn i allan yn ca'l cinio. Doeddwn i ddim yn rhy siŵr a oeddat ti'n gwbod am 'i gampa fo, felly mi feddyliais i y buasai'n well i mi ga'l gair bach efo chdi. Roedd dy bishyn di'n ca'l sgwrs go glòs efo Thérèse Bradford. Ella ma' fi sy'n gneud môr a mynydd allan o'r peth, ond roeddan nhw'n edrach fymryn yn rhy agos i mi.'

'Oeddan ma'n siŵr, Vera. Mi wyt ti'n iawn, ma'n nhw fymryn yn rhy agos. A wa'th i chdi ga'l gwbod ddim, dydi o'n golygu dim i mi bellach. Mi ydw i 'di hen ddangos y drws iddo fo. Os ydi o isio camfyhafio efo hi, ma' croeso iddo fo 'neud. Teimlo dros Bob ydw i, 'na'r cwbwl.'

'Finna hefyd,' meddai Vera. 'Dwi 'di deud 'rioed mai dipyn o ast ydi hi. Del, ma'n ddrwg gen i drostat titha hefyd — gobeithio nad wyt ti ddim yn torri dy galon?

Dydi o'm gwerth poeni amdano fo — mwy na'r un dyn arall.'

'Mi anghofia i amdano fo'n ddigon buan,' meddai Julia; roedd hi'n swnio'n hollol ddedwydd. Doedd Vera ddim i wybod ei bod hi'n lled-orwedd ar ei gwely, ei phen yn dyrnu'n ddi-baid a'i llygaid yn chwyddedig ar ôl oriau o grio a methu cysgu. Roedd yn rhaid iddi gael un diwrnod o lonyddwch a thawelwch er mwyn hel a threfnu'i meddyliau cyn y gallai wynebu'r byd heb Karl Amstat. Doedd diwrnod yn ddim, a medrai hithau fod yn ddewr mewn sefyllfaoedd annymunol. Ond frifodd ei dau ysgariad ddim llawn cymaint â'r methiant carwrol hwn.

'Roedd dwy flynadd yn sbelan go lew o amsar beth bynnag; roeddan ni'n dau'n dechra ca'l llond bol ar 'yn gilydd. Paid â phoeni amdana i achos dydw i'n poeni dim. Felly y tro nesa ti'n 'i weld o'n llygadrythu ar rywun, 'sdim isio i chdi fynd i'r draffarth o ddeud wrtha i.'

Clywodd Vera'r ffôn yn brathu yn ei chlust. Roedd Julia wedi hyrddio'i ffôn hi i lawr. Dyna oedd hyd a lled ei gwewyr. Ac mi'r oedd hi'n gwybod am Thérèse ac yntau; dyna pam eu bod nhw wedi gwahanu. Roedd hynny'n ergyd finiog arall i'w thaflu at Joe, yn ogystal â'i darganfyddiad mawr arall. Yr arwres ryfel fach bitw, a phawb yn ei moli hi. Chwarddodd yn uchel cyn mynd i dywallt Martini mawr iddi'i hun. Roedd hi'n gwybod hanes Thérèse Masson i gyd oherwydd fod Joe wedi dweud wrthi er mwyn ceisio ennyn ei chydymdeimlad. Y cyfan a lwyddodd i'w wneud oedd ei gwneud hi'n genfigennus; a'r unig beth a'i cadwodd rhag dweud wrth neb arall, rhag hyd yn oed awgrymu'i hanes wrth Thérèse, oedd ofn llid ymateb Joe. Unwaith, mewn ffit o wenwyn, llwyddodd i gornelu Thérèse a dweud wrthi pa mor falch oedd ei gŵr ei bod hi a Bob yn dod yn eu blaenau cystal. Roedd dweud wrth Bob pryd y dylai gysgu efo'i wraig wedi bod yn boendod mawr ar ysgwyddau Joe. Ymddangosodd Vera'n gydymdeimladwy iawn efo Thérèse, gan sibrwd ei geiriau'n garedig a thawel, gydag un llaw'n pwyso ar fraich ei hysglyfaeth. Ni fu dial arni chwaith, a hynny am na ddaeth Joe erioed i wybod am ei hymyrraeth. Ond dyna'r tir peryclaf y meiddiodd hi erioed ei droedio. Bu ffrae ynglŷn â gweld Thérèse yn ei stafell yn yr ysbyty; clywodd Vera'r ysgrifenyddes yn crybwyll enw Thérèse pan ffoniodd hi; datblygodd y ffrae i fod yn rhyfel cartref pan wrthododd ddweud wrthi pam ei bod hi wedi galw i'w weld. Chafodd Vera ddim arlliw o beth oedd yn bod; y cyfan ddywedodd Joe oedd mai mater meddygol, cyfrinachol oedd o, a dim o'i busnes hi. Gadawyd hi yn y gwyll i hel meddyliau ac ensyniadau ac i gasglu mai esgus gan y ddynes arall oedd hyn i ddenu'i gŵr drwy chwarae efo'i gydymdeimlad meddygol. Mor ddewr. Petaet ti'n gwybod cymaint mae hi wedi'i ddioddef. Roedd o'n mynd i gychwyn ei amddiffyniad eto, ac roedd hithau'n mynd i'w dywys o'n ofalus ar hyd y llwybr hwnnw. Ac yna byddai'n ei ddal yn ei we o'i hun.

Clywodd yr allwedd yn troi yn y drws. Pan ddaeth i mewn i'r stafell fyw roedd hi'n tywallt Martini arall iddi'i hun.

'Helô,' meddai. ''Ti'n hwyr — 'ti isio diod?'

'Ma'n ddrwg gen i, gwaith yn galw ar y funud ola. Mi fuasai diod yn gneud byd o les i mi, cariad, diolch.' Cerddodd tuag ati a'i chusanu'n fecanyddol ar ei boch. Roedd hyn yn rhan o'r traddodiad cariadus diystyr oedd rhyngddyn nhw. Petai o ond unwaith yn medru gafael ynddi a'i chusanu'n iawn, ond wedyn roedd hithau wedi troi'i chefn arno'n llawer rhy aml iddo ailddechrau byw felly. Cysgu efo hi er mwyn bodloni'i chwantau'i hun roedd o, yn union fel dyn ar lwgu'n rheibio'r cypyrddau bwyd ganol nos. Trachwant di-serch oedd rhyw iddynt, a theimlai'r ddau yn isel eu hysbryd wedyn. Eisteddodd a sipian ei diod.

'Dwi 'di blino,' meddai Joe. 'Ma' hi 'di bod yn uffarn o ddiwrnod. Un strimyn hir o gleifion, y naill ar ôl y llall, a heb ddigon o amsar, byth ddigon o amsar i helpu neb!'

'Wn i ddim pam na roi di'r gora i beth o'r hen waith ysbyty 'na,' meddai. 'Dim ond dy flino di ma'r gwaith a dwyt ti byth yn ca'l digon o afa'l ar yr un achos i fod o unrhyw fudd go iawn i neb; 'ti'n pregethu hynny byth a beunydd, a 'ti'n dal i fynd yno wedyn. 'Sgen i'm 'mynadd efo pobol hannar pan. Ma'n nhw'n gneud i mi deimlo'n anghyffordddus.'

'Felly ma'n nhw'n gneud i'r rhan fwya o bobol deimlo,' meddai'n araf. 'Dyna'u problem nhw. Ma'n nhw'n bobol wael ac mewn poen, ond dydi hynny ddim i'w weld fath â choes glec ne' gancr. Dydi salwch meddyliol ddim yn ennyn y cydymdeimlad y dyla fo, Vera. Ma' cymaint ohonyn nhw'n gorfod cuddio'u poen y tu ôl i gysgodion gwan fel gwylltineb, hunllefa a methu dygymod. Mi fedr rhywun ddirnad pam fod pobol "normal" yn gwylltio a cholli 'mynadd efo nhw, ne'n penderfynu troi'u cefna arnyn nhw.'

'Ma' rhaid 'mod i'n weddol normal felly,' meddai.

'Dim rheswm pam na ddylat ti fod,' meddai. 'Ond ma'r rhain yn bobol arbennig i mi. Dwi'n meddwl y byd ohonyn nhw am 'mod i'n medru dirnad 'u poen nhw. A dyna sy' arnyn nhw'i isio — angan rhywun i'w deall nhw a gwrando arnyn nhw, hyd yn oed tasa hynny ddim ond am gwta ugain munud. Dyna pam na fedra i byth droi 'nghefn ar yr ysbyty. Byth.'

'Dy draffarth di,' meddai ei wraig, 'ydi dy fod ti'n methu anghofio amdanyn nhw ar ôl i ti gau drws y swyddfa 'na. Ddyla doctoriad ddim mynd yn rhy agos at 'u cleifion. 'Ti'n siarad am garu dyrnaid o wallgofiaid fel tasat ti'n Iesu Grist ne' rywun. Mi fuaswn i'n ofalus, taswn i'n chdi, cariad; wedi'r cwbwl, mi est ti'n rhy agos unwaith o'r blaen a wna'th hynny ddim mymryn o les i chdi, naddo.'

Edrychodd yn filain arni. 'Be' ddiawl 'ti'n feddwl — rhy agos? Rhy agos at bwy?'

Gorffennodd Vera ei diod a gosod y gwydryn yn ofalus ar lawr. 'Mrs Bradford. Yr arwres fach ddewr achubaist ti o afa'l y Gestapo ers talwm. Ne' pa bynnag stori glwyddog arall raffwyd amdani.' Estynnodd sigarét o'r bocs ar y bwrdd a'i thanio.

Ystum dyn wedi blino gormod i gyffrôi oedd ei ymateb o. Pwysodd ei ben yn ôl yn erbyn y gadair, tynnu ei sbectol ac ochneidio.

''Rarglwydd,' meddai, 'ydan ni'n mynd i ga'l ffrae am hynny eto heno? Meddylia am rwbath newydd wir Dduw, Vera. 'Ti fath â thiwn gron. Yn rhygnu 'mlaen a 'mlaen a 'mlaen.'

'Rwyt ti'n credu dy fod ti'n iawn,' meddai, 'ac felly'r ydw inna'n teimlo am yr holl beth hefyd. Finna'n deud 'i bod hi'n gelwyddgast 'di gwirioni, a chditha'n dal i fwydro'i bod hi'n rhyw fath o symbol, yr atab benywaidd i Charles de Gaulle myn uffarn i! Ac mi ydw inna'n dal i ddeud mai celwyddgast ydi hi!'

'Vera, 'ti'n medru bod yn gymaint o ast weithia. Dwi 'di ca'l uffarn o ddiwrnod — dwi 'di deud wrthat ti. Ond mi wyt ti isio agor yr un hen friwia am Thérèse Bradford. Iawn, cladda dy gyllall yndda i. Ty'd, i ni ga'l gorffen â hi. Ella cawn ni gyfla i ga'l swpar a gwylio mymryn ar y bocs wedyn. Jyst gad i mi ga'l diod arall yn gynta.'

'Tasat ti ddim mor biwis yn 'i chylch hi,' meddai, 'fuaswn inna ddim yn gwylltio cymaint ar 'i chorn hi. Ond 'ti'n rhy brysur yn poeni am deimlada pobol eraill i sbario eiliad i feddwl am deimlada dy wraig dy hun — ond ma' hynny i'w ddisgwyl debyg. Digwydd sôn am 'mod i 'di digwydd 'i gweld hi heddiw 'nes i, a doeddwn i ddim yn digwydd licio be' oedd hi'n 'neud chwaith. Coelia fi ne' beidio, ond ma' gen i barch mawr at Bob. Mae o'n ddyn da. Yn ffeind a gonast — ac ma' hitha'n 'i fradychu o cfo Karl Amstat.'

'Dydw i ddim yn dy goelio di,' meddai Joe'n araf. Trawodd ei sbectol yn ôl ar ei drwyn ac eistedd i lawr.

'Dydw i ddim yn disgwyl i chdi 'nghoelio i,' meddai. 'Fuasai hynny ddim yn iawn na fuasai? Dydi hi ddim y fath o ddynas i gysgu efo dyn arall yng 'nghefn 'i gŵr ydi hi? Wel, mi gwelais i hi efo'n llygaid 'yn hun yn ca'l cinio efo fo heddiw, yn gafa'l yn 'i law ac yn chwara mig efo'i draed o flaen pob enaid yn y gwesty. Isio pwcad o ddŵr am 'u penna tasat ti'n gofyn i mi.'

'Welodd hi chdi?'

'Naddo, debyg gen i — fedra hi ddim tynnu'i llygaid oddi arno fo'n ddigon hir i sylwi ar neb arall. A be' tasan ni'n derbyn 'i bod hi 'di crwydro oddi ar y llwybr cul — be' tasan ni'n anghofio'i bod hi 'di bod trwy gymaint a bod 'i gŵr hi 'di gorfod ca'l caniatâd y sanctaidd Joe Kaplan cyn y câi o afa'l ynddi hi.' Roedd hi'n gweiddi'n ei wyneb o erbyn hyn, yn chwifio'i dyrnau wrth i stêm blynyddoedd o gasineb a chenfigen lifo allan o'i cheg. 'Wel, mi fedri di ddeud "ta ta" wrth dy theori fawr am 'i dioddefaint hi'n ystod y rhyfal beth bynnag! Tasa hi 'di diodda hannar cymaint ag wyt ti'n ddeud, tasa hi 'di

125

gweld chwartar y cam-drin wyt ti'n mynnu 'i bod hi 'di
ga'l, sut ar wynab y ddaear fedar hi hyd yn oed feddwl
am fynd i'r gwely efo Almaenwr. Ateba hynna!'

'Dwi'm yn deall,' meddai Joe Kaplan. 'Un o'r Swistir
ydi Karl Amstat.'

'O, naci.' Safodd Vera o'i flaen yn chwerthin am ei
ben; dyma'i munud o orchest, ei gweledigaeth ar ôl pwt
o sgwrs anghofiedig yn rhoi grym ychwanegol iddi droi'r
gyllell ymhellach i mewn i'r briwiau dyfnion. ''Ti 'di dy
synnu, 'dwyt?' meddai. 'Wel, mi ges inna'n synnu
hefyd, a dydw i ddim hyd yn oed yn Iddew. A 'naethon
nhw ddim llabyddio chwe miliwn o 'mhobol i.'

'Pam wyt ti'n deud mai Almaenwr ydi o?' holodd ei
gŵr. 'Pam, Vera?'

'Oherwydd 'mod i 'di bod yn yr ysgol yn Berne;
treulio pum mlynadd yno'n dysgu sut i fod yn ferch
ifanc fonheddig a sut i siarad Ffrangeg efo'r acan iawn
a ballu. Yn fan'no y cafodd o'i eni a'i fagu medda fo.
Mi ges i sgwrs ddifyr efo fo am y lle yn nhŷ Bob
Bradford y noson gynta honno i ni gyfarfod, ac mi ydw
i 'di bod yn meddwl deud wrthat ti ers talwm. Dydi o
ddim 'di bod ar gyfyl Berne yn 'i oes. Mi ddigwyddais
i sôn am westy'r Magnus, ac mi roddodd o'i ddwy
droed fawr ynddi hi, drwy ddeud cystal lle oedd o a sut
y byddai'i deulu o'n mynd yno am ginio bob Sul. Y
cwbwl yn swnio mor argyhoeddiadol, mor berffaith.
Dim ond 'u bod nhw 'di chwalu'r Magnus yn 1947, ac
ynta 'di deud wrtha i mai yn 1952 y gadawodd o gartra
a mynd i fyw i Ariannin. Ac mi ddeudodd o mai yn y
Magnus y cafodd o a'r teulu ginio ffarwél cyn iddo fo
fynd. Na, cariad, celwyddgi ydi ynta hefyd. Yn union fel
taswn i'n sôn wrth rywun am y Waldorf bum mlynadd
ar ôl i'r lle gau. Almaenwr yn trio ailosod 'i lwybra ydi
o. Ella'i bod hi'n licio'r driniaeth gafodd hi — os cafodd

hi 'i cham-drin 'rioed yntê. Lle 'ti'n mynd? Joe — lle 'ti'n mynd?'

Trodd cyn mynd drwy'r drws; roedd o'n welw a'i lygaid yn dduon; tynnodd ei sbectol a'u glanhau efo cornel ei ffunen. 'Nunlla yn y byd, Vera. Dim ond i'n stafall i newid. Galwa pan fydd swpar ar y bwrdd, 'nei di?'

'Dyna'r cwbwl?' bytheiriodd. 'Dyna'r cwbwl sgen ti i' ddeud . . . ?'

'Be' 'ti'n ddisgwyl i mi ddeud?' Gofynnodd ei gwestiwn yn dawel. 'Ma' hi'n cysgu efo Almaenwr. 'Ti 'di taro'r hoelen ar 'i phen, Vera. Os oedd o'n camgymryd am y gwcsty, yna ma'n siŵr dy fod ti'n llygad dy le yn 'i gylch o. Ond wela i ddim fod a 'nelo ni ddim â'r peth bellach.' Aeth allan o'r stafell gan gau'r drws yn dawel ar ei ôl. Teimlai Vera'n fethiant gwaeth nag arfer wedi'r ffrae. Aeth yn ôl i eistedd ar y soffa a meddwl faint yn union o dir roedd hi wedi'i ennill heno.

* * *

'Fedrwch chi ailadrodd y neges?' Gwnaeth Kaplan yn siŵr ei fod o wedi cael pob llythyren o'r neges i lawr yn iawn wrth i'r llais ailadrodd y geiriau. 'Neges frys i Hoffmeyer, Meyerexport, Buenos Aires. Chwiliwch am fanylion Karl Amstat, brodor o'r Swistir, gradd mewn pensaernïaeth o brifysgol B.U. Cyrraedd Ariannin ym '52. Tua deugain oed, corff Ariaidd, dim creithiau amlwg. Ymgeisio am swydd ac eisiau ymchwil manwl i'w gymeriad. Cofion, Kaplan.'

'O'r gora,' meddai Joe. 'Diolch yn fawr.' Rhoddodd y ffôn i lawr ac edrych yn ei lyfr apwyntiadau am orchwylion y bore. Doedd o ddim wedi llwyddo i wneud yr un iot o waith neithiwr; ar ôl swper gwyliodd Vera ac yntau raglen ddogfen ar ymchwil meddygol yn Asia ac yna un o hen ffilmiau Claudette Colbert. Thorrodd y naill air efo'r llall; roedd o'n rhy brysur yn ystyried ei gam tyngedfennol nesaf, a'r mwyaf y meddyliai, sicraf yn y byd ydoedd mai dim ond un llwybr oedd yna i'w ddilyn. Doedd dim gwesty Magnus yn Berne pan ddywedodd Karl Amstat ffarwél wrth ei deulu. Gallai fod dwsinau o esboniadau am y camgymeriad hwn, ond allai o yn ei fyw a meddwl am un oedd yn tawelu'i feddwl. Heblaw am esboniad ffwrdd â hi Vera. Almaenwr oedd Amstat, yn cymryd arno ddod o'r Swistir. Roedd o'n flin ac wedi'i glwyfo, os oedd Thérèse wedi anwybyddu'i gyngor ac wedi dechrau twyllo'i gŵr, ond doedd hynny'n ddim ochr yn ochr â'r sgerbwd roedd Vera wedi dechrau ysgwyd ei esgyrn. Os oedd Karl Amstat yn cuddio y tu ôl i bapurau a phersonoliaeth ffug, yna roedd hynny'n bwysig iawn i Joe Kaplan. Bu'n gweithio i fyddin gudd Israel ers y cychwyn cyntaf. Roedd ei deulu'n cydymdeimlo'n fawr efo'r Seonistiaid a bu'n cyfrannu a chasglu arian yn ddygn er mwyn ei bobl, a hynny heb i Vera wybod yr un dim. Wyddai hi ddim am ei gysylltiadau efo byddin gudd Israel chwaith, a ph'run bynnag, fyddai hi ddim wedi coelio gair petai o wedi mynd i'r drafferth o egluro wrthi hi. Fel Americanwr medrai weld cymhlethdod y sefyllfa. Mae'n debyg mai byddin gudd yr Israeliaid oedd y mwyaf effeithiol a'r mwyaf creulon yn y byd; roedd ganddyn nhw ddynion ym mhob gwlad a milwyr wedi'u hyfforddi'n gelfydd. Prawf amlwg o hynny oedd herwgipio Adolf Eichmann. Roedden nhw wedi dal yr hoelion wyth yn fyw, ond bu farw ugeiniau o droseddwyr dibwys heb sôn amdanynt, yn ddistaw a disymwth mewn gwahanol gorneli tywyll o'r byd. Ac roedd rhestr hir o enwau pobol oedd yn dal ar ffo, cannoedd o hen ddrwgweithredoedd erchyll i'w dial yn enwau'r miliynau a ddienyddiwyd. Cefndryd, ewythrod, rhieni, brodyr a chwiorydd — eu llwch yn un â'r amgylchfyd, wedi'i sugno i'r aer drwy simneiau cywilydd Auschwitz a Buchenwald a dwsinau o lefydd eraill bythol erchyll. Eu hesgyrn wedi'u gwasgaru a'u claddu yn Rwsia, ym Mhwyl, mewn caeau a choedwigoedd a rwbel rhesi o dai diogel; eu gwaed yn gweiddi a sgrechian mewn Hebraeg dan ddwrn caled yr Aifft, a gallai Joe Kaplan glywed eu cri.

'Wel, mi ges inna'n synnu hefyd,' dyna ddywedodd ei wraig. 'A dydw i ddim hyd yn oed yn Iddew. A 'naethon nhw ddim llabyddio chwe miliwn o 'mhobol i.' Os oedd Karl Amstat yn Almaenwr, efallai mai dim ond un rheswm oedd ganddo dros guddio; doedd rhesymau megis dwyn a thwyllo'n poeni dim ar Joe nac o ddiddordeb i Israel chwaith. Doedd ei bobl o ddim yn rhan o unrhyw heddlu rhyngwladol. Ond os oedd Karl Amstat wedi troseddu yn erbyn yr Iddewon, roedd hi'n iawn iddo dalu am ei drosedd hefyd. Hoffmeyer oedd y pen dyn yn Buenos Aires; dihangodd y rhan fwyaf o fwystfilod y rhyfel i ddiogelwch De America, llwyddodd nifer helaeth ohonyn nhw i fynd â'u gwragedd a'u plant yno hefyd. Roedd cymdeithasau cudd ac arian y tu cefn i'r rhain hefyd, cymdeithasau dieflig oedd yn llwyddo i'w 'hachub' nhw rhag iddyn nhw orfod mynd o flaen cyfiawnder yn llysoedd Nurenburg. Dihangodd rhai i Affrica hefyd, gan gyfnewid labordai anfoesol y gwersylloedd am ysbytai cyntefig yn y gwledydd annatblygedig.

Gadawyd rhai o'r troseddwyr eraill i ddioddef cosb dan law gwledydd eraill; doedd Israel ddim yn dial gwarth a sarhad cenhedloedd eraill. Roedd dyn yn safle Joe yn gysylltiad allweddol; cyfarfu â phobl o bob lliw a llun yn ei waith yn yr ysbyty, nifer fawr ohonyn nhw o dras Almaenaidd; unwaith neu ddwy llwyddodd i gael gafael ar ddernyn allweddol o wybodaeth. Darganfu unwaith, drwy gyfaddefiad dagreuol merch anhydrin o dan gyffuriau, fod un o'r dynion ar eu rhestr wedi marw. Bu farw yn Chile cyn iddyn nhw gael cyfle i ddod ag o i'r Unol Daleithiau, ac roedd y ferch yn cael triniaeth am iselder ysbryd ar ôl darganfod fod ei thad yn gynaelod o'r S.S. Cafodd bob gofal a charedigrwydd gan Joe ac ysgydwodd law â hi pan adawodd yr ysbyty. Tynnodd byddin gudd Israel enw ei thad hithau oddi ar eu rhestr.

Rŵan, ar ôl i'w neges frys o gyrraedd, byddai rhywun yn chwilio drwy'r rhestr eto, yn chwilio am enw Karl Amstat. Ar yr un pryd byddai rhywun arall yn dechrau holi yn y brifysgol, yn ymweld â lle bu'n byw, yn cael gair efo pobl oedd yn ei nabod. Gallai'r holl broses gymryd wythnosau, neu fisoedd hyd yn oed. Roedd y cyfan yn dibynnu ar pa mor llwyddiannus yr oedd Karl Amstat wedi cuddio'i lwybrau, neu pa mor eirwir oedd ei stori. Galwodd Joe ar ei ysgrifenyddes a daeth ei glaf cyntaf i mewn i'w stafell. Fedrai o wneud dim mwy na disgwyl rŵan.

*　*　*

'Cariad, dwi'n meddwl yr a' i lawr i'r tŷ fory i 'nôl 'chwanag o ddillad a gneud yn siŵr fod popeth yn iawn. Mi fydda i'n f'ôl ddydd Iau.' Roedd Thérèse wedi ymarfer ei phwt o bregeth cyn iddo ddod adref, ac roedd ei geiriau'n swnio'n berffaith synhwyrol wrth iddi'u hadrodd. Roedd Bob yn brysur yn mynd drwy bapurau'r ewyllys y noson honno. Roedd Ruth a'i chyfreithiwr i fod i alw ymhen rhyw chwarter awr, felly wnaeth o ddim cymryd llawer o sylw o'r hyn roedd ei wraig yn ei ddweud.

'Iawn, cariad, wrth gwrs. Mi ffonia i di.' Cododd ei ben o'i bapurau am funud i wenu arni; meddyliodd ei bod hi'n edrych yn ddieithr, bron yn anhapus.

'Paid â rhuthro'n ôl er 'yn mwyn i os wyt ti 'di blino. Aros am ddiwrnod ne' ddau os wyt ti isio. Dwi bron â boddi yng nghanol y papura 'ma beth bynnag. Ond ella y bydda i 'di ca'l trefn arnyn nhw'n o fuan ac wedyn mi fedrwn ni ddianc i Bortiwgal. Sut fuasai hynny'n plesio?'

'Paid â phoeni amdana i,' meddai. 'Mi fedrwn ni fynd i fan 'no rywbryd eto. A paid â'n ffonio i fory chwaith, achos dwi'n rhyw feddwl ffonio'r Phillips a gwadd 'yn hun i swpar. Mi ffonia i di yli. Ma' Ruth yma rŵan, Robert. Mi adawa i lonydd i chi.' Arhosodd yn ddigon hir i daro cusan sydyn ar foch ei chwaer yng nghyfraith ac i ysgwyd llaw efo'r cyfreithiwr, cyn mynd drwodd i'w llofft i bacio i fynd i Chicago.

* * *

Cyfarfu â hi yn y maes awyr; roedden nhw wedi teithio ar wahân, ac roedd yntau wedi treulio'r diwrnod yn trio gweithio. Ond roedd hynny'n amhosib oherwydd ei fod o'n methu'n lân â chadw'i feddwl ar gynlluniau'r siop, na'r swyddfeydd nac yn medru bod yn amyneddgar efo'i gwsmeriaid. Doedd o ddim mewn hwyliau i gynllunio deunaw llawr o goncrid. Prynodd flodau i'w gosod yn y fflat, rhosod coch, gwyn a phinc ac yna darganfu nad oedd ganddo ddim byd i'w dal nhw, felly anfonodd un o'r merched o'r swyddfa i brynu jwgiau. Chafodd o ddim cyfle i fynd â nhw'n ôl i'r fflat cyn mynd i gyfarfod â Thérèse. Roedden nhw'n dal i orwedd yn eu papur ar sedd gefn y car benthyg.

Cymerodd ei chês — bag teithio ysgafn efo'i henw arno — a'i daflu'n ddiseremoni at y jwgiau ar y sedd gefn. Ddywedodd y naill na'r llall air wrth ei gilydd. Fflat fechan, mewn ardal dawel ar gyrion y ddinas, ar rent i'r cwmni adeiladu dros gyfnod y comisiwn ydoedd. Roedd yn well gan Karl Amstat y trefniant hwn na gwesty lle'r oedd y bobl yn sych a'r gwasanaeth yn symol. Roedd o'n cael llonydd i weithio ac i wneud fel mynno fo yn fan 'ma hefyd. Agorodd y drws a sefyll o'r neilltu er mwyn iddi hi gael mynd i mewn yn gyntaf. 'Dydi o ddim yn chwaethus iawn,' meddai, 'ond mi gawn ni lonydd yma. Mi fedrwn ga'l swpar yma heno hefyd.' Cerddodd yn araf i mewn i'r stafell fyw gan edrych yn ofalus o'i chwmpas; sylwodd ar y rhosod, a throdd ato'n sydyn gan gynnig ei dwylo iddo.

'Ma'r lle'n llawn bloda, Karl. Gormod o floda, cariad. Doedd dim rhaid i chdi.'

'Brynais i jwga hefyd,' meddai. Cusanodd ei dwylo, un ar ôl y llall. 'Ond mi anghofiais i nhw yn y car. Fedrwn i ddim rhoi'n meddwl ar ddim heddiw. Poeni dy fod ti'n mynd i ffonio i ddeud dy fod ti 'di newid dy feddwl.'

'Fu bron i mi 'neud,' meddai Thérèse. 'Sawl gwaith fu bron i mi ffonio. Ond 'nes i ddim, naddo?'

'Naddo.' Tynnodd hi'n agos ato a gafael yn dynn ynddi. Wnaethon nhw ddim cusanu, dim ond sefyll yn gafael yn niogelwch ei gilydd. 'Diolch i Dduw na 'nest ti ddim. Fuaswn i ddim yn medru byw taśat ti 'di newid dy feddwl. Ma' gen i *champagne* hefyd; be' am 'i yfed o i gyd!'

'Agora'r botal tra bydda inna'n dadbacio,' meddai. 'Yna, ma' rhaid i mi ffonio'r forwyn yn Boston i ddeud wrthi 'mod i'n aros efo ffrindia rhag ofn i Robert ffonio. Mi ddeudais i wrtho fo, ella y byddwn i'n aros efo'r Phillips. Mi ddeudais i wrtho fo am beidio â'm ffonio i

132

hefyd, ond mi all'sai o 'neud. Dwi isio gneud hynny cyn i ni ga'l diod ac ymlacio efo'n gilydd, Karl.'

''Teimlo'n euog?' gofynnodd iddi. 'Mi fedra i ddeall hynny.'

'Os gadawa i'n hun i deimlo felly,' meddai'n ddi-lol, 'ond dwi'n dechra peidio — pob munud yn dy gwmni di'n gneud yr euogrwydd yn llai a llai. Dim ond y manylion sy'n drewi, petha fath â deud celwydd wrth y gweision. Dau funud fydda i. Oes 'na ffôn yn y llofft?'

'Oes, drwodd yn fan'na.'

Roedd o wedi rhoi blodau yn y llofft hefyd; roedd tusw anferth yn eistedd yn eu papur ar y gadair, yn disgwyl am gael eu rhoi mewn dŵr. Rhwygodd y papur a sylwi'u bod nhw'n dechrau gwywo'n barod. Roedd ei bag ar y gwely; agorodd o a'i gau ar ei hunion; cododd y ffôn ac o fewn eiliadau roedd hi'n siarad efo'i morwyn, yn hel esgusion fyddai'n bodloni Bob petai o'n ffonio. Roedd y cwbl yn drewi; dweud celwyddau'n drewi, gosod llwybrau gweigion rhag ofn i'w gŵr ei dal hi yn y gwely efo dyn arall, caru yn lle mynd allan i swper efo'r Phillips yn Boston.

Roedd hi wedi trio'i gorau i osgoi'r anorfod; roedd hi wedi mynd at Joe Kaplan am gyngor ac wedi pledio efo Bob ei hun; roedd hi wedi penderfynu cadw'n glir oddi wrth Karl am na allai ei rheoli ei hun petaen nhw'n dal i gyfarfod. Ond i ddim diben. Roedd hi yma efo fo rŵan, yn rhedeg yn gyflymach, gyflymach tuag at yr anochel, a doedd dim allai rwystro hynny bellach. Os mai dyma oedd gwir gariad, yna roedd hi wedi byw ei holl fywyd yn amddifad ohono, heb nag arlliw na thamaid ohono. Teimlai'n drist oherwydd Bob, ond teimlai'n hapus hefyd, yn ofnus ac yn llawn cynnwrf, a gwyddai nad oedd modd troi'n ôl bellach. Roedd hi'n caru Karl Amstat. Swniai hynny'n sathredig a chyffredin. Cariad yn gyfystyr a chelwydd, twyll a godineb, a'r unig gysur wrth feddwl am Bob oedd na ddeuai o byth i wybod, na fyddai hi byth yn dweud wrtho dan unrhyw amgylchiadau. Roedd yn rhaid iddi'i warchod o. Gallai guddio euogrwydd y gyfathrach hon, cyn belled nad oedd y gwirionedd yn cyrraedd clustiau'i gŵr. Dechreuodd dynnu'i dillad allan o'i bag; ffrog ar gyfer fory a dillad ysgafn ar gyfer y daith awyren, a'r pethau 'molchi aur ac ifori a gafodd yn anrheg Dolig gan Ruth bum mlynedd ar ôl priodi. Ac ar waelod y bag, roedd y goban sidan gwerth mil o ddoleri a brynodd ddoe. Aeth yn unswydd i siop ddieithr i'w phrynu gan nad oedd eisiau iddi gael ei rhoi ar ei bil. Doedd fiw i Robert weld na thalu am y goban arbennig hon. Gwiriondeb oedd hynny debyg. Pan oedd rhywun yn cysgu efo cariad yn ganol oed doedd dim angen dillad. Dim angen sidan i guddio noethni dibrofiad.

'Yli.' Daeth i mewn efo gwydraid o *champagne* yn ei law. ''Ti'n edrach mor boenus, 'nghariad i. Paid â bod f'ofn i, plîs.'

'Dydw i ddim, Karl. Yli — sbïa be' brynais i.'

Gafaelodd yn y goban sidan ysgafn, gwyn ac yna'i thaflu'n ôl ar y gwely. Roedd hi'n gwneud popeth yn union fel y gobeithiai y byddai'n ei wneud. Gydol ei fywyd roedd o wedi ceisio bod yn bwyllog efo merched. Yn sgîl ei gefndir parchus, cul cysylltai berthynas barchus efo mynd i'r gwely mewn rhyw lun o ddillad. Ac roedd hon *yn* berthynas barchus; roedd y ddynes hon yn annwyl iddo a bwriadai'i thrin yn union fel petai newydd briodi â hi yn eglwys Frankfurt lle priodwyd ac y meithrinwyd ei dad a'i fam yn y ffydd. Dychmygai eu bod nhw ar eu mis mêl mewn gwesty ar lannau'r Rhein, yn syllu ar olygfeydd trawiadol ac yn arogli blodau yn eu stafell gyfforddus. Dyna oedd ei fwriad, dychmygu a cheisio creu beth allai fod. Dyna pam iddo brynu rhosod, er mwyn ceisio llenwi'r fflat Americanaidd di-ddychymyg efo arogleuon gorffennol na fu. Fu 'na ddim priodas, dim tŷ i'w brynu, dim gwraig na phlant i gynhesu'r aelwyd; dim ond byw o'r naill awr i'r llall mewn cysgodion disymud, dim byd i fyw er ei fwyn ond bywyd ei hunan, a dim gorffennol i ymfalchïo ynddo, dim ond distryw. Roedd ei rieni'n farw; ei gartref yn furddun. Doedd ganddo ddim i'w alw'n eiddo iddo fo'i hun am y deng mlynedd cyntaf o'r ugain wedi'r rhyfel, bellach roedd ganddo'i yrfa, ei ffug gymeriad, ei rigol gymdeithasol a'r cyfan am ei fod yn byw bywyd o gelwyddau. Thérèse a'r hyn oedd ar fin digwydd rhyng-ddyn nhw oedd yr unig beth go iawn i ddigwydd iddo oddi ar ddiwedd y rhyfel. Nid ail Julia Adams oedd hon, doedd hon ddim am dynnu'i dillad heb gywilydd, nac am ddangos ei champau carwriaethol.

'Ma' hi'n brydferth,' meddai. 'Ac mi fyddi ditha'n edrach yn brydferth ynddi hi. Ty'd drwodd i ga'l gwydraid o *champagne*.' Dyma'n union sut y dylai pethau fod; doedd o erioed wedi teimlo'n gymaint o Almaenwr, yn gymaint ohono'i hun. Moesymgrymodd iddi wrth afael yn dyner yn ei llaw. Doedd dyn ddim yn rhuthro pethau fel hyn, ddim yn cythru i'w wthio'i hun arni, pa chwantau bynnag oedd yn ei gorddi. Aros, ei chanlyn hi'n iawn, ac yna, pan fyddai cloc natur yn caniatáu, fe gyflawnid ei serch.

'Ma'n siŵr dy fod ti'n meddwl 'mod i'n hen hulpan wirion,' meddai. Roedden nhw'n eistedd yn yfed wrth ochrau ei gilydd, y gwydrau'n fur rhyngddyn nhw. 'Dwi 'di priodi ers pymtheg mlynadd a dwi'n teimlo ar biga'r drain, ma'r peth yn hurt! Wn i ddim be' ddylwn i 'i 'neud — sut i fyhafio.'

'Does dim byd yn hurt yn hynny,' meddai. 'Mi ddyla

dynas fod ar biga'r drain — ryw fymryn beth bynnag. Dwi'n mynd i dy 'neud di mor hapus, 'nghariad i. Paid â bod ofn dim, mi fedri di ymddiried yndda i. Mi 'drycha i ar d'ôl di.'

'Dyma'r tro cynta,' meddai, gan ei hamddiffyn ei hun. 'Taswn i 'di gneud hyn o'r blaen mi fuasai petha'n wahanol. O, Karl, gobeithio i Dduw na wna i mo dy siomi di.' Cododd y botel, roedd hi'n wag. Cymerodd y gwydryn o'i llaw, pwyso 'mlaen a'i chusanu'n nwydus. Wnaeth o ddim rhoi cyfle iddi siarad 'chwaneg, dim ond bod yn dyner efo hi.

'Ty'd i'r gwely efo fi, Thérèse.' Gafaelodd yn dynn am ei wddf a chau ei llygaid.

'Dos â fi yno.'

Roedden nhw fel petaen nhw'n hedfan, yn teimlo fel y teimlai dyn wrth hofran filltiroedd uwchben y ddaear mewn hanner breuddwyd. Roedden nhw'n symud efo'i gilydd, yn codi efo'i gilydd i ecstasi uchafbwynt corfforol ac emosiynol, y ddau'n ymdoddi'n un mewn eiliad hir o nwyd, gan golli hunaniaeth a phob syniad o arwahanrwydd. Clywodd hi'n sgrechian uwchben ei synau buddugoliaethus ei hun. Roedd o wedi colli cymaint arno'i hun yn ei binacl o bleser nes iddo sibrwd ei eiriau cariadus olaf wrthi mewn Almaeneg. Ond roedd hi'n dal i sgrechian, ond y waedd wedi troi o fod yn gri ffyrnig o bleser benywaidd i fod yn sgrech annaearol. Sgrech arswydus realiti'r byd hwn ydoedd, ac o ganol y nadau diddiwedd ymladdai un gair syml. Fe'i gwaeddai o drosodd a throsodd wrth iddi'i ddyrnu a'i gicio fo'n ddidrugaredd. 'Chdi! Chdi!'

VI

'Noswaith dda, David. Braf dy weld di eto. Ty'd, 'stedda. Ma'r wraig 'di gada'l coffi a thamad o'i theisan siocled i ni.'

Roedd Jacob Hoffmeyer yn tynnu at ganol ei chwedegau ac yn rhedeg busnes allforio llwyddiannus yn Buenos Aires. Ffoes efo'i deulu i Ariannin ar ddiwedd yr 1930au pan ddechreuodd y Natsïaid erlid yr Iddewon. Cyrhaeddodd Dde America'n waglaw, ond erbyn hyn, diolch i waith caled, diflino, roedd o'n gapten ar gwmni llewyrchus ac yn byw mewn clamp o dŷ yn un o fwrdeistrefi cyfoethocaf y ddinas. Llwyddodd Jacob a'i wraig a'i ferch bum mlwydd i ddianc o'r Almaen mewn pryd. Nid felly'r modrybedd, ewythrod, cefndryd a chyfnitherod a arhosodd ar ôl yn y gobaith mai penboethiaid pum munud oedd y Natsïaid; mygu yn siambrau nwy Auschwitz oedd eu tynged nhw. Darganfu Jacob hynny drosto'i hun pan ddychwelodd i'r Almaen ar ôl y rhyfel. Chwiliodd amdanyn nhw i gyd fesul un; ei rieni hen a musgrell, teulu'i wraig, tri brawd a'u gwragedd a'u plant, a chefndryd, mam weddw ei wraig a'i chwaer — roedden nhw i gyd wedi'u caethiwo, i gyd wedi marw. Dychwelodd i Buenos Aires, at ei fusnes a'i dŷ chwaethus, ac er ei fwyn o a'i wraig cynhaliodd y *rabbi* wasanaeth er cof am y meirwon ym mhrif synagog y ddinas. Ddwy flynedd yn ddiweddarach aeth y teulu ar bererindod i Israel, a byth oddi ar hynny bu Jacob yn aelod gweithgar o heddlu cudd yr Israeliaid.

Roedd David Klein yn ei dridegau; roedd o wedi bod yn gweithio i Jacob ers tair blynedd bellach ac yn arbenigo yn y gwaith ymchwil manwl a diflas oedd yn llawer rhy feichus i'r hen ŵr. Bu'n crwydro'r ddinas, yn holi hwn a'r llall am Karl Amstat, a daeth i dŷ Jacob i adrodd ffrwyth ei ymchwil.

Tywalltodd gwpanaid o goffi iddo'i hun, bwyta tamaid o'r deisen flasus, ac yna tynnu'i lyfr nodiadau o boced ei gôt.

'Roedd 'na Karl Amstat ar lyfra'r brifysgol yma yn 1955; un o fyfyrwyr Diego Bolsa. Yn gneud yn reit dda'n academaidd, ennill gradd mewn pensaernïaeth ac wedyn gada'l ar ddiwedd ei gwrs pedair blynedd. Un o'r Swistir yn ôl y gofrestr, 'di 'i eni yn Berne yn 1921.'

'Hynny'n 'i 'neud o'n ddeugain, yn ddeugain ac un rŵan,' meddai Jacob. 'Ma' hynny'n cyfateb i'r ymholiad o Efrog Newydd.'

'Doedd gynno fo ddim teulu yma,' meddai David Klein. 'Bu'n byw mewn lle gwely a brecwast yn ardal Aruna am ddwy o'r bedair blynadd; fûm i yno ond doedd neb yn 'i gofio fo'n rhy dda. Deud 'i fod o'n ei gadw'i hun iddo fo'i hun. Wedyn, wna'th o fada'l i le 'chydig drutach yn nes at y coleg; roedd o'n ca'l 'i fwyd i gyd yn fan 'no. 'Run stori eto; dyn bonheddig, tawel yn treulio'i holl amser uwchben 'i lyfra, a byth yn dŵad â ffrindia adra.'

'Ym, ia. Oedd gynno fo ffrindia yn y coleg? Merched?'

'Roedd yn rhaid i mi droedio'n ofalus,' eglurodd David. 'Mi es i i weld Bolsa 'i hun, ond mi wrthododd o 'ngweld i. Ond mi lwyddais i i ga'l gair efo un o'i gynorthwywyr o.'

'A be' ddeudaist ti wrtho fo?'

'Deud 'mod i'n sgwennu cyfres o erthygla yn dilyn gyrfaoedd rhai o gynfyfyrwyr tramor Bolsa. Deud fod Karl Amstat yn enwog yn America erbyn hyn a'i fod o'n destun erthygl diddorol.'

'Da iawn,' meddai Jacob. 'Oeddat ti rywfaint callach?'

'Ddim llawar,' atebodd David. 'Roedd o'n cofio Karl Amstat am 'i fod o'n weithiwr caled a'i fod o'n gymaint hŷn na'r myfyrwyr eraill. Mi holais i ynglŷn â'i ffrindia fo, fel medrwn i ga'l rhyw wedd wahanol arno fo, ond fedrai o ddim cofio am neb. Deud yr un peth â'r bobl yn y lle gwely a brecwast wna'th o. Deud 'i fod o'n ddyn tawel oedd yn 'i gadw'i hun iddo'i hun.'

'Be' am y dosbarth gradd — oedd 'na lunia?'

'Ddim rhai efo Mr Amstat ynddyn nhw. Fedrai'r cynorthwywr ddim cofio pam nad oedd o ynddyn nhw, dim ond 'i fod o'n absennol.'

'Wyddost ti,' meddai Jacob, 'dwi'n dechra ca'l blas ar y stori 'ma. 'Chwanag o goffi, David, 'ngwas i. Ma' 'na ryw lun ar batrwm yma. Mae o'n dŵad i'r coleg yn 1955 — ella'i fod o yma 'mhell cyn hynny. Dim teulu ac mae o dros 'i bymtheg ar hugain — mae o'n lletya mewn tŷ gwely a brecwast yn un o slymia'r dre. Mae o'n dawel ac yn 'i gadw'i hun iddo fo'i hun. 'Run fath yn union eto ac yntau'n fyfyriwr hŷn; ydi, mae o'n symud, am fod gynno fo resyma da, ac mi all'sai hynny fod oherwydd 'i fod o'n dechra teimlo'n ddiogel. Mae o'n dal yn dawel, yn dal i gadw merched hyd braich, yn dal i fod heb ffrindia. Unrhyw awgrym 'i fod o'n wrywgydiwr?'

'Dim o gwbwl. Mi ddeudodd y ddynas yn y tŷ gwely a brecwast 'i fod o'n olygus, ond ddim mewn ffordd oedd yn awgrymu'i fod o'n cymryd ffansi at ddynion chwaith. Dyn golygus oedd o ac o ddifri ynglŷn â'i betha. Dyna ddeudodd hi. Ydach chi'n meddwl 'yn bod ni ar sodla rhywun pwysig, Mr Hoffmeyer?'

'Dwn i'm,' meddai'r henwr. 'Dim ond megis dechra ydan ni. Ond, fel ddeudais i, ma' 'na batrwm yma. Patrwm digon tebyg i lawar o bobol rydan ni 'di bod ar 'u trywydd nhw. Ma'n nhw i gyd yn dawel, ac yn dewis byw mewn hofela rhad. Wel, does gynnyn nhw fawr o ddewis pan ma'n nhw'n cyrraedd yma gynta, nac oes? Y? Wel, gad i ni edrach ar y rhestr. Ma' hi gen i'n fan 'ma. Dydi hon ddim yn rhestr gynhwysfawr o bell ffordd, 'ngwas i, dim ond enwa y rhai ydan ni'n feddwl all'sai fod wedi llithro drwy'r rhwydi i'r rhan yma o'r byd. Rŵan 'ta.'

Dechreuodd ddarllen yn ofalus drwy'r rhestr enwau; roedden nhw wedi'u rhestru yn ôl trefn yr wyddor, efo byddin, S.S. neu fanylion meddygol mewn cromfachau ar eu hôlau a nodyn byr i esbonio'u troseddau.

'Ma' hwnna'n rhy hen — dros 'i drigain erbyn hyn. Doctor oedd hwn — fuasai un felly ddim yn trio bod yn bensaer — am wn i — aros funud, na, Frichte — go brin mai hwnnw ydi o, er 'i fod o tua'r un oed. Mi all'sai o fod yn edrach yn ifanc o hannar cant. Ma' Frichte'n gwisgo sbectol. Swyddog meddygol efo trydedd gynghrair Panzer, 'di'i anfon wedyn at uned S.S. Waffen lle bu'n dewis Iddewon i ga'l 'u difa ar ôl terfysg Warsaw. Noda enw Frichte, David. Gad i mi weld. Na, ddim y fo, nac ynta chwaith,' meddai wrth dynnu'i bensil yn araf i lawr y tudalen. Sibrydodd yr enwau wrth eu darllen; ac ychwanegwyd dau enw arall at restr fer David Klein.

'A dyna'r cwbwl, ond aros funud, i mi ga'l edrach drwyddi eto.' Trodd y papurau a dechrau o'r dechrau eto.

'Ma' 'na un arall yn fan 'ma. Brunnerman, Gestapo, pedwaredd adran yr S.D., gwrth-ysbïo. Yn eisiau am ddienyddio poblogaeth Iddewig Lodz yn 1944. Meddylir iddo ddianc i Dde America, ac ella'i fod yn Sbaen yn 1949. Dim sôn amdano ers hynny. Mae o'r oed iawn ac yn rhyw led debyg i'r disgrifiad pytiog sgynnon ni.

Dim sbectol na chreithia amlwg. Mab i Athro ym Mhrifysgol Stuttgart. Cefndir addysgol a phroffesiynol, felly.'

'Ond dim awgrymiada eraill?'

'Nac oes, dim un; llwyddwyd i ddilyn Frichte a'r ddau ddiwetha, Kronberg ac Elsner, i Brasil a Chile ond yna collwyd nhw rywsut. Does dim i ddeud bod Brunnerman 'di cyrraedd yma 'rioed. Ond mi ro i'i enw fo i lawr, jyst rhag ofn. Dwyt ti byth yn gwbod.'

'Fawr o enwa,' meddai David Klein. 'Mi ddylai hynny 'neud petha'n haws. Ydach chi isio i mi 'neud rhwbath arall?'

'Nac oes, dwi ddim yn meddwl. Mi ydan ni'n gwbod lle mae o os byddwn ni'i isio fo, ac mae o'n siŵr o ga'l 'i wylio yn Efrog Newydd. Mi anfona i'r enwa yma i Tel Aviv; ma' gynnyn nhw ffeilia manylach yn fan 'no. Os ffeindian nhw rwbath, mi ydan ni'n siŵr o glywad.'

Roedd cribo drwy'r ffeiliau'n waith hir a chymhleth, ond roedd pethau'n llawer haws ers i'r Iddewon yn llywodraethau America a Ffrainc drosglwyddo'u ffeiliau a'u hymchwil anorffenedig ar y troseddwyr rhyfel, i'r Israeliaid.

Gwnaethpwyd y cwbl yn hollol answyddogol; ond rhywsut, rywfodd cyrhaeddodd llungopïau a chopïau gwreiddiol y ffeiliau ddesgiau penaethiaid byddin gudd Israel. Weithiau cyrhaeddai lluniau, hen ddogfennau a phapurau, enghreifftiau o lawysgrifen, a phob math o anialwch arall a fyddai o fudd i nabod dyn oedd wedi bod ar ffo ers dros ugain mlynedd ac wedi defnyddio dwsinau o wahanol enwau, mewn dwsinau o wahanol wledydd. Mân siaradodd y ddau am y byd a'i bethau am dipyn; roedd David Klein yn briod, a'i wraig yn disgwyl eu hail blentyn. Holodd Jacob o ynglŷn â'i deulu, a siarad mymryn am ei fab a'i ferch ei hun.

Roedd gobaith am briodas ar y gorwel, a'i fab o'n caru'n glòs efo merch un o'u ffrindiau nhw. Mi fyddai'n gwirioni ar gael 'chwaneg o wyrion ac wyresau. Roedd hynny'n parhau'r llinach. Ac yn parhau hil a fu bron â mynd ar ddifancoll. Roedd Jacob yn hoff o David; nid yn unig am ei fod o'n gyd-weithiwr ac yn dipyn o ysgolhaig, ond hefyd oherwydd ei fod o'n ym-gnawdoliad o'r genhedlaeth newydd o Iddewon, ac mor debyg i'r plant a welsai'n creu gwladwriaeth Israel. Ar y dechrau, synnwyd ef gan agwedd wynebgaled ac archwaeth filitaraidd y merched. Ond bellach roedd o wedi dod i ddeall ystyr hynny hefyd. Plant i rieni na wyddai sut i ymladd oedden nhw. Lladdwyd ac alltudiwyd y genhedlaeth hŷn heb i neb godi'i lais i gwyno, a dyma oedd ymateb y bobl ifanc i feddylfryd diffygiol eu hil. Un o'r to newydd o Iddewon oedd David Klein; unwaith y byddai'r hil wedi codi ar ei thraed eto, ac wedi llwyddo i sefyll ysgwydd yn ysgwydd â gweddill y byd gwâr, fyddai dim angen am restr fel yr un roedd o newydd ei rhoi i gadw yn nrôr ei ddesg. Collwyd chwe miliwn heb unrhyw gythrwfl. Nid dial personol yn unig oedd wrth wraidd gwaith y fyddin gudd. Roedden nhw am ddangos i'r byd na feiddiai neb ladd Iddewon byth eto, oherwydd fod yr Iddewon hwythau bellach wedi dysgu sut i danio gwn. Bore drannoeth, anfonodd Jacob air i'r swyddfa yn Tel Aviv. 'Archwiliwch fanylion y canlynol: FRICHTE. ELSNER. KRONBERG. BRUNNERMAN. Cofion. Jacob Hoffmeyer.'

Bu Frichte yn yr Iseldiroedd. Byddai gair yn cael ei anfon at eu dyn yno a byddai'r wybodaeth yn cael ei chymharu â'r hyn oedd yn wybyddus am ei weith-gareddau yn Warsaw. Llwyddwyd i gael gafael ar un o uwchgapteiniaid yr S.S. ym Mhortiwgal am ei fod wedi cael llawdriniaeth ar ei lengig; roedd craith y dyn oedd yn byw yn Lisbon o dan yr enw Franken yn cyfateb i'r disgrifiad o graith oedd wedi'i chofnodi ar un o hen ffeiliau personol llychlyd yr S.S. Roedd o wedi saethu pump ar hugain o Iddewon yn Mauthausen â'i law ei hun ac wedi anfon eu penglogau at Athro Anthropoleg Prifysgol Stuttgart am fod ar hwnnw eisiau enghreifftiau o wahanol benglogau ar gyfer ei gasgliad helaeth. Safodd tri Israeliad uwchben yr uwchgapten tan iddo'i saethu'i hun yn farw yn ei gartref.

Treuliodd Elsner, Kronberg a Brunnerman ran o'u gyrfa efo'r S.S yn Ffrainc, bu'r ddau olaf yn gweithio ym Mharis. Byddai Paris yn edrych drwy eu ffeiliau nhw; roedd y Ffrancwyr yn hynod o barod i helpu cyn belled â bod yr holl ymchwil yn cael ei wneud yn y dirgel. Wedi'r cwbl, roedd yr Almaenwyr yn elfen bwysig ym marchnad dwristiaeth Ffrainc. Chwilio ac ail chwilio. Roedd yr Israeliaid yn ymfalchïo yn y ffaith na wnaethon nhw erioed ladd neb ar gam.

* * *

Doedd dim golau'n symud yn ôl a blaen wrth iddi ddeffro'r tro hwn; roedd hi'n noeth ac yn methu â symud gewyn, ond doedd dim llabwst o law yn hyrddio'i phen dan ddŵr rhewllyd, nac yn bygwth mwytho'i chroen efo sigarét wedi'i thanio. Gafaelai'n gadarn amdani oherwydd ei bod wedi gwingo a chicio cymaint, ond doedd neb wedi'i chlymu rŵan fel y clymwyd hi yn stafell erchyll Freischer. Pwysau corff ei chariad oedd ei hunig garchar yn awr.

'Paid â chrio, paid â chrio,' meddai drosodd a throsodd. 'Does neb isio dy frifo di, 'nghariad annwyl i. Ma' popeth yn iawn, ma' popeth yn iawn.'

Roedd hi wedi ail-fyw ei hunllef eto mewn ychydig

eiliadau; toddodd yr argae yn ei meddwl dan flagur y caru; llifodd ei chof yn ôl fel afon wedi dilyw. Rŵan roedd hi newydd gyflawni'r drosedd yr oedd hi droeon wedi ceisio'i chyffesu wrth Kaplan a hithau dan afael cyffuriau; roedd hi wedi cysgu efo'i charcharor Almaen-aidd ac wedi cydweithio efo'r gelyn. Rŵan, wrth i'w dryswch ddiflannu ac i'w chof cymysglyd ruthro'n ôl, roedd hi wedi'i bradychu'i hun yn llwyr.

'Raoul oedd 'i enw fo,' meddai. 'Raoul Duclos, ac mi'r oedd o'n byw mewn tŷ yn St Germain des Pres. Dyna oedd arnat ti isio'i wbod, yntê? Dyna wrthodais i'i ddeud wrth y bwystfilod wedyn.'

'Dwi'n mynd i gynna'r gola,' meddai. 'Paid â chynhyrfu, 'ti'n gwbod lle wyt ti rŵan, Thérèse. Yn Chicago, yn fy fflat i.' Symudodd yn araf ofalus oddi wrthi; wrth iddo gynnau'r goleuni gwelodd hi'n plygu i'w chwman, a gafaelodd yn dynn ynddi a gadael iddi guddio yn ei fynwes. Roedd yr amhosib wedi digwydd; roedd o wedi mentro, rŵan roedd yn rhaid iddo dalu. Doedd dim modd dringo allan o'r twll hwn heb anafu'r greadures oedd yn crynu yn ei freichiau. Fedrai o byth freuddwydio am ei brifo hi; ond roedd yn rhaid iddo aros i weld a oedd hi am ei frifo fo. Byddai'n gwybod hynny ar ôl iddi ailafael yn ei synhwyrau a rhoi'r gorau i grio.

'Ma' gen i frandi yn y tŷ 'ma,' meddai. 'Fyddi di'n iawn os gadawa i di am funud i fynd i'w nôl o?'

'Byddaf,' sibrydodd. Tynnodd y flanced drosti'i hun er mwyn cuddio'i chorff noeth. Gwnaeth Joe Kaplan iddi anghofio; clodd y drws ar ei huffern bersonol o'r Avenue Foch i Buchenwald, ond roedd ffrwydriad ei charu wedi bod yn allwedd i ailagor y drws led y pen unwaith eto. Daeth â'r brandi iddi a'i helpu i godi ar ei

144

heistedd; daliodd y gwydryn at ei gwefus tra yfai hithau'n araf ohono.

'Chdi oedd yn croesholi,' meddai. 'Y cynta welais i, yr un fu bron i mi fradychu Raoul wrtho fo.'

'Ia,' meddai. ''Ti'n iawn.'

'Roeddwn i isio deud wrthat ti,' meddai Thérèse; cymerodd y gwydryn o'i law a'i wasgu'n dynn er mwyn ceisio'i rhwystro'i hun rhag crynu. 'Roeddwn i isio mynd adra efo chdi, 'doeddwn?'

Edrychodd ar y boen annirnadwy yn ei llygaid. Trodd oddi wrthi, ac am y tro cyntaf ers yn blentyn, dechreuodd feichio crio. 'Tasat ti ond wedi dŵad efo fi — taswn i ond wedi medru d'achub di.'

'Mi 'naethon nhw dorri 'mysedd i efo morthwyl,' meddai. 'Y naill ar ôl y llall, wrth i minna wrthod atab y naill gwestiwn ar ôl y llall. Dwi 'di priodi, do? Robert Bradford ydi enw'r gŵr. Rydan ni'n byw yn Boston.' Petrusodd am funud wrth iddi geisio dirnad ei bywyd. 'Rydan ni'n drewi o bres ac ma' ynta dros 'i ben a'i glustia mewn cariad efo fi. Dwi'n gwbod 'mod i 'di bod yn hapus, mi fedra i deimlo hynny. Mi wn i'n hanas i gyd. Ond ma'r cwbwl fel tasa fo'n freuddwyd.'

Gallai glywed yr ofn yn dechrau dychwelyd i'w llais a gafaelodd yn dynn yn ei harddyrnau, er mwyn ceisio'i rheoli. 'Yfa'r brandi 'na, styria, yfa fo.' Rhoddodd ei law ar ei thalcen a gwyrodd i gusanu'i gwallt.

'Ara deg, Thérèse. Mi fydd petha'n haws os byddi di'n bwyllog.'

'Pam ydw i yn dy wely di rŵan?' sibrydodd wrtho. 'Rydan ni newydd fod yn caru, 'dydan — dyna a 'neffrôdd i o 'nhrwmgwsg; dyna pryd sylweddolais i pwy oeddat ti.'

'Do,' meddai. 'Mi gofiaist ti. Cofio popeth.'

'Rydan ni'n gariadon,' meddai. 'Dyna'r cwbwl sy' 'di

145

digwydd mewn gwirionedd. Ac *rŵan* ddigwyddodd hynny, nid ugain mlynadd yn ôl. Dydw i ddim hyd yn oed yn gwbod dy enw di. Nid Karl Amstat ydi o, naci?'

'Naci,' atebodd. 'Brunnerman, Alfred Brunnerman.' Fe'i rhyddhaodd ei hun o'i afael a syllu i ganol ei wyneb.

'Dwyt ti ddim 'di newid fawr chwaith.'

'Na titha. Roeddwn i'n meddwl dy fod ti mor brydferth bryd hynny; dwi'n cofio edrach arnat ti, yn ista yn fy swyddfa i, a meddwl wrtha i'n hun: "Be' ddiawl ma' hogan cyn ddelad â hon yn 'i 'neud mewn lle mor hyll â hwn?" Sut wyt ti'n teimlo rŵan? 'Nghariad annwyl i, 'ti'n crynu fath â deilan. Tria dawelu rhywfaint, ymddiried yndda i a gorffwyso.'

'Ma'r peth yn wallgo,' meddai. 'Yn hunllef nad oes modd dianc ohoni. Gafa'l yndda i, er mwyn y nefoedd gafa'l yndda i!'

''Di dianc ydan ni, Thérèse,' meddai. 'Derbynia hynny. Rhan o ddoe ydi'r hunlla, mi gei di ystyried hynny rywbryd eto — meddwl am y cwbwl rywbryd eto, ond ddim rŵan. Rŵan ma' rhaid i ti fod yn gry a thawel, a gada'l i minna fod yn gysur i ti.'

'Ma' arna i isio cysgu,' meddai. 'Ma' hyn yn ormod o faich, atgofion yn neidio ata i o bob cyfeiriad. Dwi mor oer, Karl.'

'Gad i mi dy gynhesu di; ty'd yn nes ata i.'

'Mi fedra i gofio Joe Kaplan hefyd,' meddai; roedd y brandi'n dechrau treiddio i'w chorff a'i thawelu. 'Fo oedd fy noctor i ar ôl i Robert ga'l hyd i mi. Wyt ti'n gwbod am hynny?'

'Na,' meddai. 'A dwyt titha ddim am ddeud wrtha i chwaith, ddim eto. 'Ti'n mynd i gynhesu a chau dy lygaid a cha'l cyntun bach.'

Wedi i'r golau gael ei ddiffodd gorweddai'r ddau efo'i gilydd yn y tywyllwch; roedd hi'n dal i grynu'n achlysurol ond ymhen hir a hwyr dechreuodd anadlu'n dawel eto a llwyddodd i gysgu. 'Brunnerman, Alfred Brunnerman.' Doedd o ddim hyd yn oed wedi ceisio'i amddiffyn ei hun rhagddi. Roedd o wedi aberthu'r holl flynyddoedd o reoli'r meddwl a'r tafod a'r holl flynyddoedd o guddio y tu ôl i gelwydd wrth ddatgelu'r enw iddi. Roedd ateb hawdd i'r broblem, ac oherwydd nad oedd o'n bwriadu dilyn y llwybr hwnnw gallai ei ystyried a'i wrthod mewn gwaed oer. Ei lladd hi ddylai o. Dyna'r unig ffordd i gadw'r celwydd yn fyw; ei lladd hi rŵan tra oedd hi'n cysgu yn ei gesail. Plethodd ei ddwylo am ei gwddf, yn dyner, ac yna'i chusanu; wrth iddi anesmwytho dechreuodd rwbio'i fysedd ar ei gwegil main. Wrth iddo ddechrau cosi'i bronnau, deffrôdd a throi ato. 'Dwi'n dy garu di,' meddai Karl wrthi mewn Almaeneg.

'O, Karl, Karl, gafa'l yndda i. Ma' arna i gymaint o ofn. Cysura fi . . .'

Rywbryd, a nhwythau'n caru am yr eildro ceisiodd ddianc o'i afael, ond daliodd ei afael ynddi a'i orfodi'i hun arni fel petai hi'n wyryf ddeunaw oed yn dechrau difaru dod i oed. Drwy ddychwelyd i angerdd eu hoed cyntaf, llwyddodd Karl i ailafael yn ei dynerwch, a hithau, i ailafael yn ei mwynhad. Wnaeth o ddim gadael iddi siarad wedyn y noson honno; cysgodd am ychydig gan ddeffro bob tro yr ystwyriai hi. Erbyn i belydrau cynnar yr haul wthio rhwng y llenni roedden nhw wedi cadarnhau eu huniad sawl gwaith.

Roedd hi'n ganol prynhawn erbyn iddyn nhw ddeffro o ddifrif; pan agorodd ei lygaid roedd hi ar ei heistedd yn y gwely'n gwylio'i chariad. Thorrodd y naill na'r llall air am rai munudau. Yna rhoddodd ei llaw'n dyner ar ei ysgwydd.

'Oes gen ti fwyd yma? Dwi ar lwgu.'

'Mi ffonia i am beth rŵan. Thérèse . . . ?'

'Dwi'n iawn, Karl. Dwi'n gwbod be' 'ti'n mynd i' ofyn, a dwi'n iawn.' Roedd hi'n brydferthach fyth a hithau'n gwenu arno; cysgod ei hanaeddfedrwydd anghyffredin wedi diflannu o'i hwyneb dros nos. Roedd hi'n ddwy ar bymtheg ar hugain oed ac yn feistres lwyr ar ei bywyd ei hun erbyn hyn. 'Dwi'n mynd i ga'l bàth. Meddylia di am rwbath i' fyta i mi, cariad. Dwi 'di blino gormod i feddwl drosta i'n hun.'

Ar ôl iddyn nhw wisgo, cythrodd y ddau i blatiaid anferth bob un o wyau a stêc; tywalltodd hithau goffi tra rhyfeddai yntau at ei phrydferthwch. Fel hyn y byddai pethau petaen nhw wedi priodi ac ar eu mis mêl mewn gwesty ar lannau hudol y Rhein.

Taniodd sigarét iddi, ac ar ôl tacluso a golchi'r llestri, doedd o ddim yn rhy siŵr beth i'w wneud. Na beth i'w ddweud. Roedd hi wedi'i alw o'n cariad. 'Plîs, cariad.' Wrth iddo edrych i fyw ei llygaid allai o weld dim ond bodlonrwydd a dedwyddwch. Ond allai hynny ddim parhau am byth; wedi meddwi dros dro ar ei rhyddid a'i gallu i gofio roedd hi. Gallai ddeall hynny, roedd yntau'n hanner rhydd eto hefyd. Roedd hi wedi rhoi ei hunaniaeth yn ôl iddo fo; ac yntau wedi deffro'i chof yn anrheg iddi hithau. Roedd hi'n dal yn feddw ar ei gallu i garu, ac roedd yntau, am heddiw'n rhan o'r meddwdod hwnnw. Ond roedd yn rhaid sobri rywbryd; roedd o'n sicr o hynny. Closiodd ato a'i gyffwrdd.

'Pwy sy' ar d'ôl di?'

Roedd o'n gwybod ei bod hi'n mynd i holi hynny'n hwyr neu'n hwyrach, ond ddim mor fuan â hyn chwaith. Doedd dim diben mewn dweud celwyddau; gwnaethai ormod o hynny'n barod.

'Yr Iddewon. Dwi ar 'u rhestr nhw. Fel Eichmann.' Cododd a dianc o'i gafael; doedd o ddim eisiau cyffwrdd ynddi, ddim eisiau bod ar ei chyfyl hi. Disgwyliodd, a holodd hithau'r cwestiwn.

'Be' 'nest ti, Karl? Pam ma'n nhw ar dy ôl di?'

Trodd a dweud yn lleddf, 'Wyt ti *isio* gwbod? Wyt ti isio gwbod sut un ydw i ar ôl be' ydan ni newydd 'i 'neud?'

'Oes,' atebodd. 'Ma' rhaid i mi ga'l gwbod. Be' ddigwyddodd?'

'Mi ddigwyddodd y cwbwl wrth i ni droi'n cefna ar y dwyrain,' cychwynnodd. Mi ddylai'r geiriau fod yn gloff yn ei geg, ond wrth iddo ddechrau siarad rhuthrai'r brawddegau i ddianc o'i berfedd. 'Mi ges i'n hel o'r Gestapo ar ôl i mi d'yrru di i'r ysbyty. Doedd hynny'n poeni dim arna i, roeddwn i isio mynd o 'no beth bynnag. Ti oedd yr hoelan ola yn fy arch i o ran y math yna o waith. Isio bod ar faes y gad oeddwn i, ac mi ges i 'nymuniad gynnyn nhw. Ca'l f'anfon i gwffio i Rwsia efo adran Waffen yr S.S. Thérèse, fedri di byth freuddwydio sut brofiad oedd bod yno yng nghanol y brwydro a dim ond diwadd y rhyfal welais i. Yr oerni, y newyn, y budreddi a'r brwydro brwnt. Dim carcharorion, dim maddeuant — erchyllltra am erchyllltra. Welais i 'rioed mo'r pennaeth heb 'i gôt fawr — 'rarglwydd mi fedra i'i weld o flaen fy llygaid rŵan; dim ond wyneb yn cuddio dan gap oedd o. Roedd o'n crafu'i chwain drwy'i ddillad, a'i unig ddiddordab o oedd 'i wenwyno'i hun efo *cognac* a saethu Rwsiaid wrth y dwsin. Nid dyn na bod dynol mohono fo. Ac mi'r oedd o uwch fy mhen i. Tasat ti 'di gofyn iddo fo 'nisgrifio i, ma'n siŵr mai dyna fydda ynta 'di'i ddeud amdana inna. Nid dynion oedd 'y nynion i; ond peirianna, yn ymladd fel peirianna ac yn lladd fel peirianna hefyd. Roeddan ni'n byw ar ladd, Thérèse. Roeddan ni'n colli ac yn gwbod hynny, a dyna oedd yn 'yn gwylltio ni, yn wyllt fel peirianna, yn ddideimlad, rhy galad i gasáu na chynhyrfu. Difa oeddan ni, difa am mai dyna oedd 'yn gorchymyn ni, a doedd neb byth yn gwrthod ymateb i orchymyn. Yna mi gyrhaeddon ni Lodz a chael gorchymyn arall.' Rhewodd ei geg yn sydyn.

Eisteddai hi'n hollol lonydd efo sigarét ynghynn rhwng ei bysedd, yn ei wylio ac yn gwrando ar ei stori. Gallai yntau deimlo'r chwys yn llifo'n ffrydiau i lawr ei fochau ac yn cronni ar ei gorff wrth iddo sefyll yno'n ceisio dweud wrthi sut y gorchmynnodd i bedair mil o bobl gael eu lladd mewn gwaed oer. Taniodd sigarét efo'i ddwylo crynedig, ac yna eisteddodd i lawr yn bell oddi wrthi.

'Wyt ti'n dal i fod isio gwbod?' Holodd y cwestiwn ac amneidiodd hithau. Fedrai hi ddim siarad; dim ond eistedd a gwrando a theimlo'i chalon yn rhewi ac yn oeri'i holl synhwyrau. Roedd o wedi'i wasgu'i hun yn erbyn cefn ei gadair, yn troi a throsi'r sigarét rhwng ei fysedd, ac yn llenwi'i ysgyfaint efo mwg rhwng bob gair.

'Mi ddeudwyd wrthan ni am hel yr Iddewon at ei gilydd a'u saethu nhw. Mynd â nhw o glyw'r dre, a'u claddu nhw mewn lle na fuasai neb byth yn ca'l hyd iddyn nhw.'

'O Dduw,' meddai. 'O Dduw mawr!'

'Roedd hi'n gythral o oer; a dyna oedd 'yn gorchmynion ni, ac wedyn roeddan ni i fod i hel y Pwyliaid allan o'u cartrefi cyn llosgi'r dre'n ulw. Dyna oedd y patrwm arferol; bob tro oeddan ni'n dod o hyd i gymdeithas Iddewig roeddan ni i fod i'w difa nhw i gyd. Ond hwn oedd y tro cynta i mi. Cyrraedd ar ddiwadd y rhyfal 'nes i. Dwi'n cofio'r uwch swyddog yn taflu'r gorchymyn ata i; roeddan ni'n aros mewn tŷ mawr yng nghanol y dre, ond roedd y ffenestri i gyd wedi'u torri, a hitha mor oer yno. A ninna'n gorfod byta

a chysgu yn 'yn drewdod ni'n hunain. Roedd y *cognac*
yn 'i gadw fo'n hapus. "Gei di 'neud hyn, Brunnerman,
a gneud hynny'n reit sydyn hefyd. Mi fyddan ni'n hel
'yn traed o fan 'ma fory ar ôl i ni roi matsen yn y lle.
Helia nhw i gyd at 'i gilydd ac mi gawn ni warad arnyn
nhw yn y goedwig basion ni ar y ffordd yma. Isio
cychwyn mewn rhyw deirawr." Dyna'r cwbwl
ddeudodd o, ac mi wrandawais i arno fo, Thérèse. Mi
anfonais i'r dynion allan i hel y bobol 'na at 'i gilydd fel
defaid ac wedyn mi dilynon ni nhw yn y car wrth iddyn
nhw gerdded yn un rhesaid i'r goedwig. Dim ond
'chydig o filltiroedd oddi yno oedd y lle, rhyw bedair ne'
bump ella, ac mi fedra i gofio'r coed 'na byth. Roedd y
Rwsiaid a ninna wedi bod yn brwydro yn y cyffinia ac
mi basion ni dancia a cheir 'di llosgi ar y ffordd. Dwi'n
cofio meddwl pa mor ara roedd y rhesiad yn symud a
gobeithio y bydden nhw'n styrio a gafa'l ynddi. Fedri di
goelio un peth?

'Mi fedra i drio,' sibrydodd. 'Mi fedra i drio coelio.'

'Dim pobol oeddan nhw i mi,' meddai. Cododd yn
sydyn a dechrau cerdded yn ôl ac ymlaen yn wyllt o'r
naill wal i'r llall. Yn ôl ac ymlaen, yn ôl ac ymlaen dan
siarad. 'Mi wyliodd Himmler ddienyddiad fel 'na
unwaith, ac mi lewygodd o. Y merched a'r plant yn codi
cyfog arno fo. Felly mi orchmynnodd o mai dim ond
dynion oedd i fod i ga'l 'u saethu'n rhengoedd ar ôl
hynny. Mi'r oedd y merched a'r plant yn ca'l 'u hanfon
i'r siambra nwy mewn fflyd o fania. Ond doedd gynnon
ni ddim fania. Mi es i i ganol y goedwig, Thérèse, tra
oedd y diawl pennaeth 'na'n ista'n gynnas yn y car ac
yn cadw cwmni i botal o wisgi, ac mi gwyliais i nhw'n
torri'u bedda'u hunain.'

'Dwi ddim yn meddwl y medra i ddiodda 'chwanag,'

meddai Thérèse yn sydyn. 'Dwi ddim yn meddwl y medra i 'ngorfodi fy hun i wrando.'

Doedd o ddim yn ymddangos fel petai o wedi'i chlywed hi; cododd ei ben mewn penbleth oherwydd ei bod hi wedi torri ar lif ei gyfaddefiad, yna ailafaelodd yn ei stori.

'Fedrwn i mo'u gweld nhw fel pobol oedd ar fin cael eu lladd. Parseli oeddan nhw, parseli clwt oedd yn symud ac yn siarad mewn iaith ddieithr. Os oeddan nhw'n gofyn am faddeuant, fedrwn i ddim deall yr un gair. Anifeiliaid budron annynol oeddan nhw; heb wyneba na theimlada. Doedd dim modd deud y gwahaniaeth rhwng y dynion a'r merched; roeddan nhw i gyd yn edrach yr un fath, yn union fel bwystfilod. Dim Iddewon oeddan nhw yn fy ngolwg i, Thérèse, oherwydd byddai rhoi hil yn rhoi hunaniaeth iddyn nhw. Anifeiliaid oeddan nhw. Ond dydi hynny ddim yn gneud synnwyr rŵan,' meddai. 'Doedd hynny ddim yn gneud synnwyr ar ôl y saethu chwaith. Mi wyddwn i bryd hynny. Dydi'r ffaith y byddwn i 'di ca'l 'yn saethu am wrthod ymateb i orchymyn ddim yn esgus chwaith. Gwrthod ymateb ddylwn i fod wedi'i 'neud. Ond 'nes i ddim. Plygu i'r drefn 'nes i ac mi gaethon nhw'u saethu a'u claddu. Pedair mil ohonyn nhw. Mi'r oedd 'na gymaint ohonyn nhw; ma' rhywun yn colli gafa'l ar realiti yng nghanol rhifa fel 'na. Ma' hi'n haws lladd cannoedd drwy wasgu botwm na saethu un dyn yn gelain. Dwi ddim yn meddwl y byddwn i wedi medru gneud hynny, Thérèse. Fedrwn i ddim fod wedi mynd at y bobol 'na fesul un, gweld fod gynnyn nhw wyneba ac yna'u saethu nhw. Felly mi sefais i o'r neilltu a deud wrth fy nynion am 'neud. Ond fi'n hun lladdodd nhw, 'run fath yn union.'

Roedd distawrwydd llethol ar ôl iddo orffen. Aeth yn

ôl i eistedd ar y gadair a phwyso ymlaen gan ddal ei ben rhwng ei ddwylo. Allai hi ddim symud na sibrwd.

'Dyna pam ma'r Israeliaid isio ca'l 'u crafanga yndda i,' meddai o'r diwedd. 'Dwi'n cofio adag pan oeddwn i'n gweddïo y bydden nhw'n ca'l gafa'l arna i. Dwi ddim 'di gneud dim byd ond rhedag ers ugain mlynadd. Mi fuasai hi 'di bod yn llawar iawn gwell taswn i 'di ildio ar ôl y rhyfal a 'di gada'l iddyn nhw 'nghrogi i adra. Dydw i ddim wedi trio f'esgusodi fy hun efo chdi, oherwydd nad oes 'na ddim esgus dros be' 'nes i.'

Wnaeth hi ddim ceisio lleddfu'i gydwybod euog o. Clywodd hi'n codi ond wnaeth o ddim symud gewyn. Dim ond dal i eistedd ar y gadair. Clywodd y drws yn agor ac yna'n cau, a gwyddai'i bod hi wedi mynd. Pwysodd yn ôl yn erbyn cefn caled y gadair a chau'i lygaid; roedd o'n rhy flinedig i fedru teimlo unrhyw emosiwn. Eisteddodd yn ei unfan am yn hir, yna cododd a mynd i'r llofft i hel ei bac. Doedd o ddim yn mynd i redeg eto, roedd o'n mynd i fynd yn ei ôl i Efrog Newydd i ddisgwyl am yr heddlu neu'r dienyddwyr o Israel neu pwy bynnag arall a ddeuai amdano. Doedd o ddim yn poeni a doedd dim ots ganddo chwaith. Ganddi hi roedd yr hawl ar ei ddyfodol a'i dewis hi oedd ei dynged. Plygodd ei ddillad yn ofalus, gariadus a'u rhoi yn ei bag; gwnaeth hynny'n araf a threfnus gan nad oedd unrhyw frys bellach.

''Sdim isio i chdi bacio 'mhetha i,' meddai y tu ôl iddo. 'Ma' gynnon ni fory efo'n gilydd eto.' Trodd ati a'i gweld yn sefyll yn y drws; roedd hi wedi bod yn crio.

'A finna'n meddwl dy fod ti 'di troi dy gefn arna i,' meddai.

'Felly meddyliais inna hefyd.' Cerddodd tuag ato, a lapiodd yntau hi'n dynn yn ei freichiau.

'O 'rargian, Thérèse, 'nghariad i, 'nghariad annwyl i. Mi oeddwn i'n meddwl dy fod ti 'di 'ngada'l i.'

'Mi 'nes i drio,' meddai. 'Trio mynd adra a d'ada'l di. Ond fedrwn i ddim, Karl, oherwydd mi ydw i'n rhan ohonat ti rŵan. 'Sgen i unlla arall yn y byd i fynd iddo bellach.'

'Er dy fod ti'n gwbod be' 'nes i,' meddai, "ti'n dal i fedru deud dy fod ti'n rhan ohona i?'

'Mi gerddais i un stryd ar ôl y llall,' meddai, 'yn troi a throsi be' ddeudaist ti wrtha i yn 'y mhen. Mi ofynnaist ti i mi goelio rhwbath — coelio nad oeddat ti'n medru'u gweld nhw fel pobol. Wel, mi ydw i'n dy goelio di. Dwi 'di bod yn dyst i'r un peth fy hun. Mi welais i'r un peth efo'r carcharorion yn Buchenwald.' Gallai ei deimlo'n cloi ei emosiynau. 'Do, mi fûm i'n fan 'no hefyd. I dyna'r lle es i ar ôl gada'l y sbyty. Nid pobol welais inna chwaith yn y budreddi fan 'no pan gyrhaeddais i'r lle, ac roeddwn i'n hannar gwallgo bryd hynny. Ond ddim yn llwyr. Roeddwn i'n dal yn lân; a nhwtha mor fudr. Doeddwn i ddim 'di ca'l cyfla i lwgu a bod yn flêr a budr a cholli'n hunan-barch. Fedrwn i ddim teimlo drostyn nhw; mi'r oedd 'u drewdod nhw'n codi cyfog arna i, 'u budreddi a'u cyrff tena nhw'n troi arna i. Fedrwn i ddim gweld dynion a merched am 'u bod nhw wedi troi'n anifeiliaid. Pan ddois i i ddechra'u derbyn nhw roeddwn inna 'di dechra disgyn i'r un pydew â nhw. Dwi'n gwbod be' welaist ti yn y goedwig 'na yn Lodz. Dwi'n gwbod sut roeddan nhw'n ymddangos i chdi. Ella na fuasai neb arall yn deall, ond mi ydw i. Ac mi ydw i'n dal i dy garu di. Goeli di hynny?'

'Feiddia i ddim,' meddai. Roedd hi'n gafael ynddo fo rŵan; y hi'n gefn iddo fo. 'Doeddwn i ddim am drio dianc. Doeddwn i ddim yn poeni os oeddan nhw'n ca'l gafa'l arna i ai peidio, oherwydd mi'r oeddwn i'n meddwl 'mod i 'di dy golli di.'

'Cholli di byth mohona i,' meddai. 'Tasat ti heb drio'n helpu i, fuasat ti byth 'di mynd i Rwsia. Mi sylweddolais i hynny hefyd tra oeddwn i'n cerdded. Tasa petha 'di bod yn wahanol rhyngddan ni — taswn i ddim 'di bod mor bengaled a di-ildio, mi fuaswn i 'di bradychu fy ffrind. Mi fuasan ni 'di bod yn gariadon wedyn, a fuasat titha ddim 'di ca'l dy hel o 'na. Yn lle hynny dwi'n un o arwresa'r *Résistance*. Ma' gen i gywilydd, rŵan 'mod i'n gwbod y gwir. Byw y tu ôl i gysgod ydw inna, Karl. Ma' Thérèse Bradford yr un mor wag â Karl Amstat. Dim ond y chdi a fi efo'n gilydd sy'n bod.'

'Ar y ffôn roedd y bai,' meddai. 'Tasa Knochen heb ffonio, mi fuasat ti 'di ildio, ac mi fuasai'n bywyda ni 'di bod mor wahanol. Ond ma' gen i isio i ti wbod hyn,' cododd ei phen a'i chusanu, 'fuasat ti byth 'di bradychu neb. Mi wn i hynny rŵan, er nad oedd gen i ddim syniad ar y pryd, ddim pan oeddwn i'n gweithio arnat ti ac yn trio chwalu dy ysbryd di. Roeddwn i'n bencampwr ar y peth; dyna oedd fy ngorchest i, gneud ffrindia efo'r carcharorion, crafu'n ffordd i'w hymddiriedaeth nhw. Dyna 'nes i efo titha hefyd. Ond mi faglais i yn fy ngwe fy hun. Roeddwn i dy isio di fy hun. Mi gymerais i fantais ohonat ti, 'nghariad i, oherwydd dy fod ti'n hogan fach ifanc, ofnus. Mi blinais i chdi, dy lwgu di a dy ddrysu di, ac wedyn mi gynhyrfais i dy nwyda di, a hynny er mwyn lladd d'ewyllys di. Doedd gen ti ddim gobaith yn f'erbyn i, felly paid â'th feio dy hun. Ond mi'r oeddat ti'n fwy arbennig na'r lleill i mi ac mi 'nes i gam mawr â chdi, yn ogystal â fi'n hun, pan adewais i iddyn nhw dy gymryd di. 'Sgen ti syniad sut dwi'n teimlo bob tro dwi'n gweld y creithia 'na ar dy law dde di? 'Sgen ti syniad sut dwi'n teimlo wrth ddychmygu'r driniaeth gest ti?'

'Dim ots.' Roedd hi'n ei dywys i'r stafell arall; eisteddodd y ddau ynghlwm ym mreichiau ei gilydd. Roedd hi'n ymwybodol ei fod o bron â syrthio dros y dibyn.

'Dim ond y chdi sy'n bwysig i mi rŵan,' meddai Thérèse. 'Waeth gen i pwy wyt ti na be' ydi dy wendida di, 'nghariad i. Dydw i'n poeni dim am y gorffennol bellach chwaith. Ma'r dyfodol yn fwy na digon i mi.'

'Dyfodol efo fi? Dyna sgen ti isio?'

'Dwi 'di deud wrthat ti,' ychwanegodd yn ddi-lol. 'Mi gerddais i allan drwy'r drws 'na'n barod i fynd adra. A dyna pryd sylweddolais i nad oes gen i gartra i fynd iddo fo; dydw i ddim yn perthyn i Robert Bradford, nac i'w deulu o nac i'w ffrindia o chwaith. Dydw i ddim yn rhan ohonyn nhw. Dwi'n gymaint o alltud yma ag wyt titha. Phia ni mo'r wlad gyfforddus yma efo'i phobol gonfensiynol, glên. Fuasan nhwtha ddim mor ffond ohonan ninna tasan nhw'n gwbod y gwir; chdi'n llofrudd a finna'n wallgo — y math o bobol ddylai fod yn gaeth rhwng golygfeydd hen ffilm ryfal. Dwi'n siŵr nad oes yr un o deulu Robert yn gwbod y gwir amdana i, a fuasan nhw ddim isio gwbod beth bynnag. Ma' gwersylloedd rhyfal yn gelyniaethu pobol. Troi'n ôl a dŵad yma am mai *yma* ydi'n lle i 'nes i. Yma efo chdi.'

'Ac wyt ti'n dal i 'ngharu i?' holodd. ''Nei di ddal i afa'l yndda i, dal i gysgu efo fi, rŵan dy fod ti'n gwbod y cwbwl?'

'Does gen i ddim dyfodol heb dy ddyfodol di,' meddai. 'Ac ma' gynnon ni heddiw i gyd ar ôl efo'n gilydd. Ma' hi'n ddigon buan fory i feddwl am y byd y tu allan i'r walia cyfyng 'ma.'

VII

Roedden nhw wedi bod yn ôl yn Efrog Newydd ers pythefnos; gorffennodd yntau'i gynlluniau terfynol ar gyfer y siop yn Chicago a phenderfynu mai hwn oedd y gwaith gorau iddo erioed ei wneud. Roedd cariad yn sbardun newydd iddo; yn gwneud popeth yn bwysig oherwydd ei fod o'i hun yn byrlymu o fywyd. Gwnaeth drefniant efo siop leol i gael rhywun i ddod i osod blodau yn ei fflat dridiau'r wythnos, er mwyn gwneud yn siŵr fod rhosod ifanc yn y llofft bob tro y galwai Thérèse heibio. Cafodd wared ar y gwely ac ar y gorchudd croen llo di-chwaeth; bwriadai ailbapuro ac ailbeintio'r fflat i gyd yn unol â'i chwaeth hi. Roedd y bocs diddychymyg wedi troi'n gartref oherwydd ei bod hi'n dod yno, a'r llofft yn dechrau edrych yn debycach i'w hen stafell gartref yn Frankfurt, heblaw am y waliau lledr gwyn wrth gwrs. Byddai'r rheini'n cael eu newid hefyd, ond gan fod Thérèse yn mwynhau dewis a thrafod efo fo doedd dim brys o gwbl. Y bythefnos ers dod yn ôl i Efrog Newydd oedd pythefnos hapusaf ei fywyd o. Ac roedd Thérèse yn hapus hefyd; gellid gweld hynny mewn ffyrdd bach annelwig megis ei hunanhyder newydd-anedig. Tybed sut roedd ei gŵr yn medru bod mor ddall i beidio â sylwi ar y pethau hynny? Gallai Karl ei gyfarfod bellach heb deimlo owns o gywilydd, yn union fel y cyfarfu â Julia mewn parti a drefnwyd gan un oedd yn ffrind i'r ddau ohonynt. Roedd o'n dal i gasáu partïon â chas perffaith, ond fe'i gorfododd ei hun i fynd i hwn am ei fod yn gwybod fod Robert Bradford a Thérèse yn mynd i fod yno, ac allai o ddim fforddio colli cyfle i'w gweld hi. Aeth Julia ato a dal ei llaw iddo. Allai o ddim llai na'i hedmygu hi am ei dewrder.

'Helô. Sut wyt ti?'

'Yn dda iawn. A titha? 'Ti'n edrach yn brydferth iawn.'

'Diolch. Ty'd draw i fan 'ma am funud. Diolch am y bloda, Karl, a'r nodyn hefyd. Dwi'n ddiolchgar i chdi am 'u gyrru nhw.' Roedd hi wedi beichio crio pan gyrhaeddon nhw; roedd o wedi gwneud rhywbeth sentimental ac allai hi ddim bod yn flin efo fo oherwydd hynny. Rhyfeddai pa mor wag oedd ei bywyd hebddo, a doedd ganddo yntau ddim mymryn o syniad wrth sefyll a siarad efo hi cymaint oedd ei hawydd i grefu arno i ddod yn ôl ati. Wedi dod i'r parti i weld Thérèse roedd o; a hithau wedi dod yno i'w weld yntau.

'Dim ond isio deud 'i bod yn ddrwg gen i,' meddai. 'Mi 'nes i golli arna fy hun y noson ola honno. Roeddwn i'n anghwrtais ac mi ddeudais i betha nad oeddwn i wedi bwriadu'u deud. Roeddwn i'n gobeithio y buasat ti'n madda i mi. Yn gobeithio dy fod ti wedi madda i mi.' Gwelodd y gwrid yn dychwelyd i'w bochau — y tro cyntaf erioed iddo'i gweld hi'n cochi hefyd. 'Ac wedi f'anghofio i hefyd,' ychwanegodd. 'Heblaw fel ffrind da.'

Llwyddodd i led-wenu a chodi'i hysgwyddau. 'Dwi 'di gneud y ddau,' meddai. 'Madda ac anghofio. Mi gaethon ni fwy na'n siâr o hwyl tra pharhaodd petha ac ma'n siŵr 'mod inna 'di bod yn ddigon anghwrtais hefyd. Gyda llaw, sut ma' petha'n mynd?'

'Sut ma' be'n mynd?' Cymerodd wisgi a soda wrth i'r gwas fynd heibio efo hambwrdd.

'Dy garwriaeth newydd di,' meddai. 'Efo Thérèse Bradford. O, paid ag edrach arna i fel 'na, Karl, dwi'n gwbod y cwbwl, ma' pawb yn gwbod y cwbwl heblaw am Bob. Mi welodd Vera, yr arch-ast 'i hun, chi'ch dau'n ca'l cinio ryw ddiwrnod ac ma' hi 'di bod ar ben 'i digon byth oddi ar hynny yn hau straeon amdanach chi ym mhobman. Mi ddylach chi fod yn fwy gofalus, 'ych dau.' Dywedodd hynny efo gwên ddifalais.

'Dwi isio i chdi ddeall nad ydw i'n genfigennus bellach. A does dim isio i chdi boeni y deuda i wrth Bob chwaith, achos wna i ddim. Mae o'n rhy annwyl i'w frifo, ac mi wyt titha'n annwyl i minna hefyd, mewn ffordd, rŵan 'yn bod ni'n ffrindia.'

''Ti'n ddynas garedig, Julia,' meddai'n sydyn. 'Ac mi fyddwn ni'n ofalus. Diolch o galon i chdi.'

'Ma'n nhw newydd gyrraedd,' meddai Julia. 'Dos, does dim rhaid i chdi wastraffu d'amsar prin efo fi. 'Ti 'di gwirioni dy ben efo hi, do?'

Anghofiodd am Julia wrth iddo weld Thérèse yn ymwthio drwy'r dyrfa o westeion; yna trodd yn ôl ati. 'Ydw,' meddai. 'Ydw, mi ydw i.'

'Hwyl, Karl. Braf dy weld di eto.'

'Hwyl, Julia.' Cododd ei llaw at ei wefusau a'i chusanu.

'Dim ond y chdi fedrai guro dy sodla fel 'na heb i neb sylwi,' meddai. 'Ma' Americanwyr mor anwaraidd. Dwi 'di deud hynny 'rioed. Pob lwc.' Trodd oddi wrtho a boddi yng nghanol y dyrfa. Roedd o wedi anghofio. 'Rargian! Roedd o wedi curo'i sodlau a chusanu'i llaw yn union fel y dysgwyd iddo wneud yn y fyddin. Blêr, blêr a gwirion. Fe'i rhegodd ei hun dan ei wynt wrth iddo nofio i gyfeiriad Robert a Thérèse. Ar Thérèse roedd y bai, hi oedd wedi rhoi'r cyfle iddo fod yn fo'i hunan eto. Hen arferion yn ailafael ynddo fo, ac yntau'n cael ei lusgo'n ôl drwy ofod amser. Aeth at Bob Bradford ac ysgwyd ei law.

'Helô,' meddai. 'Helô, Thérèse, sut ydach chi?' Aeth

i'r drafferth o ysgwyd llaw efo'r ddau, yn ofalus, er
mwyn cuddio'i gamgymeriad efo Julia Adams. Ond
doedd neb wedi sylwi ar hynny, a fyddai neb yn gweld
unrhyw arwyddocâd i'r peth beth bynnag. Ceisiai
fodloni'i gywreinrwydd bob tro y gwelai Bob Bradford;
sylwai arno'n ofalus. Roedd ganddo ddiddordeb yn y
dyn oherwydd ei aberth dros Thérèse; doedd o ddim yn
genfigennus ohono chwaith oherwydd na lwyddodd
erioed i ennill calon ei wraig. Gallai borthi'i gywrein-
rwydd heb deimlo tamaid o genfigen. Holodd hi
unwaith a oedd ei theimladau tuag at ei gŵr wedi newid
rŵan; cwlwm cenfigen yn ei galon oedd yn gyfrifol am
hynny ond sicrhaodd hi o nad oedd dim wedi newid a
bodlonodd ar hynny. Doedd dim wedi newid rhyngddi
a Bob. A fyddai dim yn newid chwaith. Roedd ganddo
hawl ar ei diolchiadau a'i dandwn crintachlyd, hawl i
fynnu hynny cyhyd ag y dymunai. Roedd hynny'n rhan
ddigyfnewid o'i bywyd, rhan nad oedd ag unrhyw
gysylltiad â'r bywyd a rannai â Karl. Nhw oedd biau
hynny, a neb ond y nhw, a hwnnw oedd ei bywyd go
iawn, a dim ond efo fo yr oedd hi'n rhydd i fod yn hi'i
hun. Dywedodd yn dyner wrtho ar ôl iddyn nhw
ddychwelyd o Chicago nad oedd fiw iddo gymysgu'i
theyrngarwch efo'i chariad. Dim ond un oedd yn eiddo
i Robert; roedd ganddo fo'r hawl ar y ddau a dylai
fodloni ar hynny. Ac mi'r oedd yntau'n fodlon. Dyna
pam na feiddiodd o fentro'i holi eilwaith am ei
theimladau. O dan amgylchiadau gwahanol efallai y
byddai o wedi cymryd at Robert Bradford, ac wedi
mynd i'r drafferth o geisio'i nabod o'n iawn yn hytrach
na'r lled-nabod cymdeithasol, arwynebol hwn. Roedd
o'n olygus a phoblogaidd. Dyna ddywedodd Julia —
'Mae o'n rhy annwyl i'w frifo' — roedd Thérèse wedi'i
hudo ganddo hefyd, yn dal i'w amddiffyn ac yn

anfodlon ei adael na'i frifo fo. Hwn oedd y math o Americanwr dilychwin y byddai o neu'i ddynion wedi'i ladd mewn pum munud ar faes y gad yn nwyrain Ewrop. Doedd ganddo ddim modfedd o ormes na chasineb yn ei gorff. Dim tamaid o'r ysbryd brwydrol oedd yn dal i fud-ferwi yng ngwythiennau'r Ewropeaid rhyfelgar. Roedd Bob Bradford yn ymgnawdoliad o'r Byd Newydd; roedd Karl a'i gariad yn rhan annatod o'r hen un, a byddai ysbryd hael America yn fêl ac yn wenwyn i'r Ewropead. Diddorol, ond amherthnasol, oedd gadael i'r meddwl grwydro fel yna; dechreuodd siarad efo Bob ac anwybyddu Thérèse. Bydden nhw'n cael digon o gyfle i ddianc am sgwrs yn hwyrach.

'Dwi 'di bod at 'y ngheseilia mewn gwaith,' meddai Robert, 'yn chwarae hoff gêm f'annwyl chwaer — torri ewyllysia! Peidiwch byth â gada'l pres i'ch plant, Karl, achos mi ydach chi'n siŵr o gychwyn rhyfal cartra rhyngddyn nhw rywbryd!'

'Mi gofia i,' atebodd Karl, 'ond mi fydd yn rhaid i mi aros yn o hir cyn y bydd gen i broblema fel 'na hefyd.'

'Hen bryd i chi ga'l gwraig,' meddai Bob. 'Dyna'n ateb i i broblema pawb. Priodi; chewch chi ddim byd gwell.' Rhoddodd ei fraich am ganol Thérèse gan ddweud. 'Na chei, cariad? Be' am ga'l gafa'l ar ryw lafnas fach ifanc ar gyfar Karl 'ma? Biti bod petha 'di mynd o chwith rhyngddach chi a Julia.'

'Ia, biti garw,' cytunodd dan wenu. 'Ond ma' hi 'di mynd drwy ddau ŵr yn barod. Ella na fuasai hi ddim yn rhannu'ch brwdfrydedd chi am briodas; dydw i ddim yn rhy siŵr a ydw inna chwaith.'

'Wel, ella ma' fi sy' 'di bod yn lwcus,' meddai Robert. 'A finna mor hawdd i 'mhlesio yntê, cariad?'

'Ia,' cytunodd Thérèse. 'A dwi'n cytuno efo chdi am Karl. Mi ddylai o ga'l gafa'l ar rywun.'

'Jyst gnewch yn siŵr nad ydi hi'n anwadal fath â rhai merched dwi'n 'u nabod,' ychwanegodd Robert. ' 'Chydig wsnosa'n ôl mi'r oeddan ni ar dân isio mynd i Bortiwgal. Rŵan does dim modd 'i llusgo hi o Efrog Newydd 'ma. Wyddoch chi ddim be' ddaw nesa, na wyddoch wir.'

'Ddim efo merched,' meddai Karl. 'Ond ma' bod yn anwadal yn rhan o'u hyfrydwch nhw.'

Cafodd y ddau gyfle i fod efo'i gilydd yn fuan wedyn, wrth i Bob fynd i chwilio am ddiod. 'Paid â siarad efo fi, cariad,' meddai wrtho. 'Dwi'n meddwl fod pobol yn dechra gweld drwy'r cogio. Dwi'n teimlo mor euog pan dwi'n dy weld di a Bob yn sefyll wrth f'ochor i. 'Sgen ti ddim syniad, 'nghariad annwyl i.'

'Wyt ti'n mynd i ga'l gafa'l ar ryw lafnas ifanc i mi, 'ta?' holodd yn dawel. 'Gwraig fach glên Americanaidd i addurno'n fflat i yn dy le di? Pryd ddoi di fory?'

'Tua phump. Mi a' i i mewn a disgwyl amdanat ti.'

'Mi fydda i yno,' meddai. 'Bechod na fuasen ni yno rŵan. Bechod na fuasen ni'n medru mynd yn ôl yno efo'n gilydd yr eiliad yma.'

'Ia,' meddai. 'Plîs, plîs, Karl, dos o 'ma cyn i Bob ddŵad yn 'i ôl. Fedra i ddim diodda'ch gweld chi'ch dau efo'ch gilydd.'

'Fedri di ddim dŵad i lawr grisia, a dianc am funud? Dwi isio gafa'l ynddat ti, isio dy gusanu di — ty'd i lawr grisia efo fi — gei di ddŵad yn d'ôl wedyn.'

'O 'rargian,' meddai, 'ma' Joe Kaplan newydd gyrraedd. Fedra i ddim rŵan. Mi gawn ni fod efo'n gilydd am oria fory. Mi fedrwn ni garu hynny o weithia fedrwn ni fory. 'Sgen i'm isio iddo fo'n gweld ni efo'n gilydd. Dos rŵan, plîs.'

'Iawn,' meddai. 'Tan fory, felly, 'nghariad i. Mi fydda i'n disgwyl amdanat ti.' Ysgydwodd ei llaw eto, a gallai hithau weld Joe yn anelu amdani wrth i Karl geisio sleifio o'i golwg. Safodd Joe'n fwriadol yn ei lwybr.

'Karl, sut ma' petha — ydach chi'n gorfod brysio o 'ma mor fuan?' Safodd o flaen Karl, efo'i wraig wrth ei ochr. Roedden nhw wedi cyfarfod sawl gwaith yn ystod y misoedd diwethaf. Doedd dim yn anghyffredin mewn aros i sgwrsio am funud.

Cytunodd Thérèse ac yntau ar un peth; doedd fiw i neb arall wybod ei bod hi wedi ailafael yn ei chof. A'r dyn mwyaf tebygol o sylwi ar y newid oedd ei doctor; dyna pam fod ar Thérèse gymaint o'i ofn o rŵan, a dyna pam fod Karl yn teimlo mor rwystredig yn gorfod siarad â'r dyn yn erbyn ei ewyllys.

'Ydach chi'n brysur ar hyn o bryd?' holodd Kaplan. 'Mi fydda i'n fy holi fy hun yn amal a ydi swydd pensaer yn swydd naw tan bump fath â pawb arall. Heblaw amdanan ni ddoctoriaid, wrth gwrs.'

'Ydi.'

Roedd Vera Kaplan yn sefyll rhyngddyn nhw rŵan, yn gwenu'n wenwynig ar y naill ar ôl y llall, heb wybod yn iawn p'run i'w bigo'n gyntaf.

'Ar ddyletswydd bob amsar, 'dwyt, Joe? Diflastod pur yn fy ngolwg i. Neb yn gwahodd rhywun i swpar am dy fod ti'n gorfod rhedag ar ganol y pryd at rywun yn cogio marw, ne' am dy fod ti ryw awran yn hwyr yn cyrraedd. Dydi penseiri ddim fel 'na, nac ydyn, Karl? Ma'n siŵr 'u bod nhw'n ca'l digon o amsar hamdden.'

'Mwya'n y byd ydan ni'n 'i ga'l, lleia'n y byd o waith gaiff ei gynnig i ni,' atebodd yn oeraidd. 'Yn bersonol, dwi'n reit falch o ga'l deud fod gen i fwy na digon ar 'y mhlât ar y funud. Dwi'n gorfod gweithio adra hefyd.'

'Ar rwbath diddorol?' holodd Joe. 'Yn Efrog Newydd 'ma?'

'Dwi wrthi'n cynllunio siop a swyddfeydd yn

163

Chicago,' eglurodd Karl. 'Mi fydda i'n picio draw yno ryw unwaith ne' ddwy'r mis os oes raid, ond yma dwi'n gneud y rhan fwya o'r gwaith hefyd.'

'Dyna braf.' Gwenodd Vera arno.

Doedd o erioed wedi cyfarfod â dynes mor atgas yn ei fywyd; bron nad oedd o'n cydymdeìmlo efo'r doctor Iddewig am fod yn briod efo hi.

'Mi fydd yn rhaid i chi ddŵad draw 'cw am swpar ryw noson. Rydan ni'n taro ar 'yn gilydd yn amal, ond dydan ni byth 'di ca'l cyfla i'ch gwahodd chi acw chwaith. Fuasach chi'n licio i mi ofyn i Julia hefyd? Ne' fuasach chi'n licio dŵad â rhywun arall efo chi?'

'Fedra i ddim meddwl am neb,' meddai. Edrychodd i fyw llygaid Joe Kaplan. 'Mi fuaswn i wrth fy modd yn dŵad acw unrhyw bryd. Ac mi fuaswn i'n hapus iawn i ddŵad â Julia efo fi. Ma' hi'n dal i fod yn un o'r merched clenia i mi'u cyfarfod yn Efrog Newydd. Gwahanol iawn i lawar dwi'n 'u nabod yn y ddinas 'ma. Esgusodwch fi, dwi fod i fynd allan i swpar heno, ac ma' rhaid i mi fynd. Dwi'n hwyr yn barod.'

'Braf 'ych gweld chi eto,' meddai Joe. 'Mi drefnwn ni rwbath gan 'ych bod chi yn Efrog Newydd drwy'r adag. Cyn diwadd y mis, ella? Ma' gen i gynhadledd feddygol ymhen deg diwrnod felly dwi'n o gaeth tan hynny. Mi ffonith Vera chi.'

'Mi edrycha i 'mlaen.' Wnaeth o mo'r un cam-gymeriad y tro hwn. Cododd ei law mewn dull Americanaidd diog a gwthio'i ffordd drwy'r gwarchae o bobl o'i amgylch.

'Mi ffonith Vera chi . . .' meddai. 'Ffonia i byth y diawl yna. Glywaist ti'n o'n tynnu arna i.'

'Mi oeddat ti'n gofyn amdani, del,' meddai Joe. 'Fedri di ddim hogi dy 'winadd ar bobol heb iddyn nhw

164

dy gripio di'n d'ôl. P'run bynnag, 'nes i ddim mo'i wahodd o i swpar — chdi wna'th!'

'Trio codi cywilydd arno fo oeddwn i,' meddai'i wraig. 'Isio iddo fo ga'l gweld 'yn bod ni'n gwbod be' mae o a Joan d'Arc yn fan 'na'n 'i 'neud yn 'u hamsar hamdden oeddwn i. Blydi Almaenwr sy'n ormod o gachgi i gyfadda hynny ydi o!'

'Dyna un peth na fyddwn i ddim yn 'i ddeud wrth y byd a'r betws, Vera,' meddai Joe. 'Mi all'sat ti orfod mynd o flaen dy well. Bydd yn ofalus, ma' deud petha fel 'na'n wahanol i ddeud 'i fod o'n cysgu efo Thérèse — O, dwi'n gwbod yn iawn dy fod ti 'di meddwi ar hau'r stori yna. Ond os wyt ti'n deud mai cymryd arno'i fod o'n un o'r Swistir mae o yna mi wyt ti'n ymosod ar 'i ddelwedd broffesiynol o. Mi fedrai o dy odro di o bob ceiniog sgen ti am hynny; a dwi'n rhyw ama'i fod o jyst y boi i 'neud hynny hefyd.'

'Wel, mi oeddat titha'n meddwl 'i fod o'n deud celwydda pan ddeudais i wrthat ti hefyd,' meddai. 'Yn cytuno efo fi 'i fod o'n gelwyddgi.'

'Dwi ddim mor siŵr o hynny,' meddai Joe. 'Ella mai drysu gwestai wna'th o; ella mai ti oedd yn drysu — dwi'n siŵr mai un o'r Swistir ydi o. Dwi'n nabod Almaenwr pan dwi'n gweld un. A dydi o ddim yn un. Ty'd, be' am roi'r gora i frygawthan ar 'yn gilydd a mynd i ddeud helô wrth Bob a Thérèse; ma'n nhw draw yn fan 'cw.'

'Fedra i ddim aros!' meddai'n sbeitlyd.

Gafaelodd Joe yn dynn yn ei braich a chaeodd ei cheg. 'Paid â meiddio dechra dim byd yn fan 'ma,' meddai'n dawel. 'Dim gair, Vera, dim un, wyt ti'n clywad?'

Syllodd arno. 'Dal i gadw'i chefn hi? Dal mewn cariad efo hi, wyt ti?'

'Trio arbad mymryn ar Bob ydw i,' meddai. 'Rhyngddi hi a'i phetha be' ma' hi'n 'neud — does a 'nelo fi ddim byd â hynny. Ond dydi o ddim yn mynd i ga'l 'i frifo er mwyn dy fymryn plesar di. Gad iddyn nhw, Vera, wyt ti'n deall? Paid â busnesu byth eto, ne' mi wna i'n siŵr y byddi di'n difaru am weddill dy fywyd. Dwi o ddifri tro 'ma!'

Fe'i rhyddhaodd ei hun o'i afael. 'Dydw i ddim yn mynd i gymryd 'y mygwth gynnot ti na neb arall,' poerodd. 'Dwi'n mynd adra. Gei di fynd i lyfu'u tina nhw ar dy ben dy hun. A mynd i'r diawl, tra wyt ti wrthi. Ac os mai cadw'i chefn hi wyt ti — Duw a dy helpo di, Joe, os ffeindia i hynny!'

Gadawodd iddi fynd, ac yna aeth i chwilio am ddiod iddo'i hun; wnaeth o ddim dangos ei deimladau, dim ond sychu'i sbectol; ac erbyn iddo gyrraedd Bob a Thérèse roedd o wedi llwyddo i'w reoli'i hun unwaith eto. Roedd o'n falch fod Vera wedi mynd adref. Diolch i'r drefn fod Karl yn caru efo dynes roedd hi'n ei chasáu; roedd Vera yn rhy brysur yn hefru am hynny i ymboeni am y stori go iawn. Roedd o'n siŵr ei fod o wedi llwyddo i'w dychryn hi oddi ar drywydd y stori honno. Byddai ffrae pan gyrhaeddai; dagrau a chyhuddiadau a'r un hen ddadleuon stêl am ei gyfathrach efo gwraig ei ffrind gorau. Ond doedd dim iot o wirionedd ynddyn nhw, fu dim iot o wirionedd ynddyn nhw erioed chwaith. Nid cenfigennus oedd o am ei bod hi'n twyllo Bob. Blin a siomedig oherwydd Bob yr oedd o. Ni allai lai na meddwl tybed a oedd hi wedi darganfod ei rhyddid rhywiol drwy odineb a chelwyddau. Ond doedd o ddim wir am wybod hynny i sicrwydd chwaith.

Llwyddodd i sefydlu un peth pwysig y noson honno, a llwyddo i gychwyn ar drywydd newydd hefyd. Byddai Karl Amstat yn Efrog Newydd am rai wythnosau heblaw am ei ymweliadau â Chicago. Byddai modd cadw llygaid arno tra'n disgwyl am newyddion o Buenos Aires. Ar ôl mynd adref gallai drefnu bod rhywun yn ei wylio yn Chicago hefyd.

'Helô, Thérèse — sut hwylia, Bob?'

'Siort ora,' atebodd Bob Bradford. ''Sgen ti ddiod, Joe? Ma' 'ngwydryn i'n wag, a d'un ditha, cariad. Wn i ddim pam 'u bod nhw'n talu gwas, dydi o byth ar ga'l pan ma' rhywun 'i isio fo. Mi a' i i chwilio am botal o rwbath rŵan.'

'Na, cariad,' torrodd Thérèse ar ei draws. 'Paid â mynd, dwi ddim isio 'chwanag.'

'Mi ydw i,' meddai. 'Dim ond un bach i gadw cwmpeini i Joe.'

Cynigiodd Joe sigarét iddi. 'Does dim rhaid i chdi f'osgoi i,' meddai. 'Dim ond dy gynghori ydw i, does dim rhaid i neb wrando.'

''Ti'n flin efo fi, 'dwyt?' Byseddodd drwy'i bag wrth chwilio am fatsen. Ar ôl sbel, cynigiodd Joe dân iddi.

'Dwi ddim yn flin, Thérèse. Mi ddeudais i wrthat ti mai chdi oedd yr un i benderfynu.'

'Wel, fel y digwyddodd petha, Joe, nid fi wna'th ddewis.' Edrychodd arno am y tro cyntaf y noson honno, a gwelodd yntau ryw ddieithrwch yn ei llygaid. Cymysgedd o bledio, euogrwydd a rhywbeth arall anesboniadwy hefyd. 'Robert ddewisodd. Mi 'nes i'n union fel deudaist ti; gofyn iddo fo fynd â fi o 'ma. Mi es i ar 'y nglinia o'i flaen o. Ond gwrthod wna'th o; roedd yn rhaid iddo aros yma i drio helpu Ruth i odro ewyllys ei fam yn hesb.'

'Ma'n ddrwg gen i,' meddai Joe o ddifrif calon. 'Dwi'n ymddiheuro. Ac mi wyt ti'n dal i deimlo'r un fath ynglŷn â'r boi arall 'ma?'

Gallai roi ei fys ar y gwahaniaeth ynddi rŵan. Roedd

hi'n ei dal ei hun yn ôl; doedd y ffydd ddiwyro yn ei pherthynas ag o fel doctor a ffrind ddim yno bellach. Roedd hi wedi'i esgymuno o'i bywyd.

'Mi lwyddais i'm rheoli fy hun,' meddai. 'Cadw draw oddi wrtho fo a'm gorfodi fy hun i weld synnwyr. Ddaeth dim o'n perthynas ni'n y diwadd. Felly does dim rhaid i chdi fod yn flin efo fi am hynny chwaith, Joe.'

'Na,' meddai. 'Dwi'n falch, Thérèse. Dwi'n rhyw deimlo na fyddai Mr Amstat wedi bod yn werth yr aberth. Dyma Bob — ella y dylan ni droi'r stori?' Gwenodd wên gyfeillgar, garedig arni; roedd ganddo wyneb dideimlad, wyneb na fradychodd ddim wrth Karl Amstat. Ac wyneb na ddangosodd i Thérèse chwaith na chredai'r un gair o'i chelwyddau.

* * *

Roedd Karl yn gweithio'n ddygn pan ganodd cloch y drws. Roedd o wedi cael swper ar ei ben ei hun mewn caffi tawel yng nghanol y dref, ac wedi mynd adref wedyn. Edrychodd ar ei wats; hanner awr wedi un ar ddeg. Doedd o ddim yn disgwyl i neb alw; doedd o ddim y math o ddyn y byddai neb yn picio draw i'w weld. Efallai mai Thérèse oedd yno.

'Mr Karl Amstat?'

Safai dyn canol oed ar riniog y drws; roedd o wedi'i wisgo mewn siwt syber, las tywyll a chrys gwyn, ac roedd het galed efo rhimyn glas yn ei law. Welsai Karl erioed mohono o'r blaen.

'Ia,' atebodd yn gwrtais. 'Pwy ydach chi? Be' ydach chi isio; ma' hi'n hwyr iawn.'

'Smith 'di'r enw, ac mi ofynnodd ffrind i chi, Mr Bruckner, i mi alw i'ch gweld chi. Ga i ddŵad i mewn?'

Gadawodd Karl iddo gerdded drwy'r drws agored. Ei

gontact Almaenig yn Efrog Newydd oedd Bruckner; fo a'i rhoddodd ar ben ffordd efo'r cwmni pensaernïol pan ddaeth Karl yno'n gyntaf. Roedd o wedi rhoi arian a thalu costau iddo nes iddo gael ei draed tano. Yna diflannodd yn llwyr o'i fywyd.

''Steddwch,' meddai, a gosododd y dyn ei het ar y gadair a suddo i mewn i ddyfnder y soffa. Pwysodd yn ei flaen a siarad efo acen grafog y Bronx. Roedd o'n un o'r ail genhedlaeth o Almaenwyr ac wedi sefydlu busnes marchnata llwyddiannus; yn ei ieuenctid bu'n aelod o'r Bundt ac yna cafodd ei dynnu i mewn i'r fyddin Americanaidd a'i anfon i wasanaethu i'r Dwyrain Pell. Bu'n ddigon hapus i roi help llaw i'w gyd-Almaenwyr ar ôl y rhyfel, ac er nad oedd yn gyfoethog iawn, roedd o'n cyfrannu'n aml at gronfa'r ffoaduriaid alltud. Doedd o erioed wedi gorfod delio efo rhywun cyn bwysiced â chyrnol yn y Gestapo o'r blaen chwaith, a gwnâi hynny o'n anghyfforddus. Teimlai y dylai fod yn cyfarch y gŵr hwn ar ei draed.

'Diod, Mr Smith?'

'Y, na, dim diolch. Ydi hi'n iawn i mi smocio?'

'Siŵr iawn. Cymerwch un o'r bocs yn fan 'na. Rŵan 'ta, be' ydy'ch negas chi, Mr Smith? Ma' 'na bron i chwe blynadd ers i mi glywad gair gan 'yn ffrind Mr Bruckner. Oes rhwbath o'i le?'

'Nac oes,' meddai Mr Smith. Penderfynodd siarad Almaeneg. 'Plîs, deallwch, Herr Amstat, mai dim ond negesydd i Herr Bruckner ydw i.'

'Wel deudwch o 'ta,' meddai Karl. Pwt o ddyn diddim o waelod y dosbarth canol oedd hwn, dyn nad oedd yn gwybod sut i siarad efo swyddog o'r Gestapo.

'Os nad oes dim byd o'i le, pam ydach chi yma? Pam ydach chi'n tarfu arna i am hannar nos!'

'Ma'n ddrwg gen i,' meddai'r dyn. 'Ma'n wir ddrwg

gen i; ond yma ar orchymyn ydw i. Roedd Herr
Bruckner isio i mi ga'l gair efo chi ac isio i mi 'neud
hynny mor dawel â phosib.' Roedd y straen yn ormod
a neidiodd ar ei draed. Gwylltiodd hynny Karl; roedd o
wedi llithro'n ôl i hen agwedd snobyddlyd yr S.S. mor
gyflym nes ei ddychryn ei hun hyd yn oed. A'r llipryn
di-asgwrn-cefn a safai o'i flaen brofodd flas ei dafod.

''Rargian ddyn, 'steddwch a stopiwch fyhafio fel
tasach chi o flaen 'ych gwell. Dynion ydan ni'n dau. A
siaradwch Saesneg hefyd.'

'Ma' Bruckner yn poeni,' meddai Smith.
Dechreuodd siarad yn gyflym, a throdd yn Americanwr
eto. 'Mae o'n wael, dyna pam y ces i ordors i ddŵad
yma i'ch gweld chi. Dydi o ddim yn hapus efo'ch
ymddygiad chi, Mr Amstat, ddim yn hapus o gwbwl
chwaith. Rydan ni'n licio cadw golwg ar 'yn pobol, jyst
i 'neud yn siŵr nad ydyn nhw mewn unrhyw draffarth;
y cwbwl yn rhan o'r gwasanaeth. A dydi o ddim yn
wasanaeth sâl chwaith, dwi'n siŵr y cytunwch chi?'

'Mi achubodd o 'mywyd i,' atebodd Karl. 'Ac ma'n
siŵr fod hynny'n rhoi'r hawl i Bruckner a chitha
'ngwylio i am y gweddill ohono fo. Ewch 'mlaen.'

''Ych cyfathrach chi efo'r Mrs Bradford 'ma.'
Tynnodd Mr Smith ei ffunen o'i boced a sychu'r chwys
oddi ar ei wyneb a'i wddf.

'Ffrances ydi hi ac ma' gynnon ni wybodaeth sy'n
awgrymu'i bod hi 'di treulio peth o'r rhyfal yn y carchar.
Ma' Bruckner yn meddwl y gallai hynny fod yn beryglus
i chi.'

'Chwara teg iddo fo,' meddai Karl yn sbeitlyd.
'Rhywbeth arall?'

'Ylwch, Mr Amstat, os fu'r ddynas 'ma yn y carchar,
ne'n rhan o rwbath, dydi hi ddim y math o berson i
gymysgu efo hi. Mi all'sai hi fod ar drywydd rwbath. Ac

rydach chi'n tynnu sylw atach 'ych hun wrth ga'l estron ar 'ych braich. Ma'n siŵr 'ych bod chi'n troi mewn cylchoedd go gyfyng, efo pobol fawr, gefnog, ond ma' Bruckner yn meddwl fod hynny'n beryglus. Y peth ola dan haul ddylai dyn fath â chi fod yn 'i 'neud ydi tynnu sylw atach 'ych hun!'

Petrusodd Mr Smith; roedd o'n dechrau magu hyder wrth ddweud y drefn wrth y cythraul wynebgaled hwn; roedd o'n dechrau gwrthryfela yn erbyn ei israddoldeb ei hun. Efallai fod hwn wedi bod yn un o'r Gestapo, wedi bod yn un o'r crach yn yr hen wlad, ond ar y *wedi bod* roedd y pwyslais rŵan.

Roedd o ar ffo ac yn ddyledus i bobl fel fo, Smith, neu Schmidt, fel y daliai ei daid i'w alw'i hun, ac i Bruckner ac i gannoedd o Almaenwyr Americanaidd eraill ar hyd a lled y wlad. Doedd dim rhaid iddo'i ofni o; ganddo fo roedd y llaw uchaf.

'Fu Mrs Bradford ddim yn y carchar yn ystod y rhyfal,' meddai Karl. 'Cafodd 'i geni yn Ffrainc, 'na i gyd. Does dim perygl i mi yn y gyfathrach 'ma, fel ydach chi'n 'i galw hi. Does dim math o gysylltiad efo'r gorffennol. Yma yn Efrog Newydd y cyfarfuon ni am y tro cynta. Dim ond un o blith toreth o ffrindia ydi hi, beth bynnag.'

'Dim poeni amdanach chi'n unig ydan ni,' ychwanegodd Mr Smith. 'Tasa'r gwir yn dŵad allan amdanach chi, mi fuasai hynny'n peryglu pawb arall; yn bygwth pobol fel Bruckner a finna a llu o rai eraill sy' 'di'ch helpu chi. Nid chi ydi'r unig un o bwys yn y busnas yma — ma' 'na ddega ar ddega eraill. Ma'n rhaid i ni warchod pawb.'

Petrusodd Karl; roedd hynny'n wir a gwyddai yntau hynny. *Roedd* yna rai eraill; llofruddion fel yntau, dynion fel Freischer oedd wedi cam-drin a thorri bysedd

ei gariad. Roedd ôl hwnnw'n dal ar ei dwylo. Llof-
ruddion nad oedd erioed wedi tanio ergyd o wn, dim
ond wedi cynllunio a thrafod ac anfon gorchmynion.

'Rydach chi 'di'n helpu i,' meddai. 'Diolch, Mr
Smith. Chi a Bruckner a'r lleill. Rŵan ma'n well gen i
sefyll ar fy nhraed fy hun. Does dim rhaid i chi gadw
llygad barcud arna i bellach. Wna i byth ddŵad ar 'ych
gofyn chi eto, beth bynnag ddaw. Rŵan, ewch o 'ma.'

'Iawn.' Cododd Mr Smith, estyn am ei het a'i tharo
ar ei ben. 'Ond byddwch yn ofalus; ma'r Iddewon yn
bobol beryglus. Dydyn nhw ddim yn ildio'n hawdd
iawn; ac rydan ninna 'di colli nifer o ddynion o'u
herwydd nhw'n ddiweddar.'

'Felly clywais i; biti garw. Ond chawn nhw byth afa'l
arna i. Caewch y drws yn ddistaw, os gwelwch chi'n
dda; fiw i chi anghofio cadw'n dawal.'

Trodd ato eto cyn cau'r drws; gwisgai fodrwy efo'i
enw arni ar ei fys canol.

''Newch chi ddim mo'i hanghofio hi? Ydi hynny'n
bendant?'

'Dwi 'di deud wrthach chi unwaith.' Camodd Karl yn
nes ato; doedd o ddim wedi sylweddoli cyn gryfed oedd
ei awydd i afael yn y dyn yma gerfydd ei goler a'i daflu'n
bendramwnwgl drwy'r drws. 'Allan!'

'Iawn,' meddai Mr Smith eto. 'Iawn. O hyn 'mlaen,
rydach chi ar 'ych pen 'ych hun bach.' Aeth allan gan
gau'r drws ar ei ôl; ar yr eiliad olaf penderfynodd beidio
â rhoi chlep annaearol iddo, fel y dyheai am wneud.
Doedd hynny ddim yn bosib wrth gwrs; gwyddai na
allai ddefnyddio'r bygythiad hwnnw a gadael i rywun fel
Alfred Brunnerman gael ei gornelu gan yr awdurdodau.
Roedd gan yr Iddewon yr arferiad anghynnes o ofyn
cwestiynau i'w hysglyfaeth cyn eu lladd nhw. Yng
ngolwg Mr Smith dioddefwyr oedden nhw; Almaenwyr

172

twymgalon yn cael eu herlid yn unig am iddynt ymateb i'w gorchmynion. A doedd yr holl hefru ac arswydo sentimental ynglŷn â'r siambrau nwy yn ddim byd ond cyndynrwydd i gydnabod dyled y byd i'r Almaen am gael gwared ar y giwed. Buasai America yn medru gwneud efo miliwn neu ddwy'n llai ohonyn nhw. Wrth iddo ddal y trên am adref meddyliodd sut ddiawl roedd Bruckner yn mynd i ymateb i hyn. Y brych bach anniolchgar; mi fyddai o'n gorwedd yn uwd o fwledi mewn ffos ers talwm heblaw amdanyn nhw, hen aelodau teyrngar y Bundt. Nhw oedd yn aberthu arian, amser ac egni a thrafferthu cynnal system ysbïo lewyrchus i wrthsefyll yr Israeliaid; a'r cwbl gafodd o fel diolch oedd cic yn ei din. Roedden nhw'n mynd i gadw llygad ar Karl Amstat, p'run ai a oedd o'n fodlon ar hynny ai peidio.

* * *

'Cariad,' holodd Thérèse, 'pam ma' petha mor wych rhyngddan ni bob amsar?'

'Dwn i'm,' atebodd. 'Wyt ti'n mwynhau dy hun? Bob tro?'

'Bob un tro,' cusanodd o. 'Weithia mi fydda i'n poeni y bydd petha'n wahanol. Y byddwn ni'n methu gneud efo'n gilydd — y byddwn ni'n dadla, ne' y byddi di'n ca'l llond bol arna i, Karl. Ond dydi hynny byth yn wir. Dwi'n dy garu di fwy a mwy bob dydd, wyt ti'n gwbod hynny?'

'Dwi'n rhyfeddu at dy allu di i garu.' Dywedodd hynny o waelod calon. 'Mi wyt ti mor fenywaidd, 'nghariad i. Mor ddewr, mor gymhleth. Y math gora dan haul. Mi fuaswn i'n rhoi unrhyw beth am gael dy briodi di. Dydw i ddim yn fodlon ar dy ga'l di amball b'nawn fel hyn, ar yr awr ne' ddwy rydan ni'n 'u

173

benthyca efo'n gilydd. Dwi isio chdi wrth f'ochor i bob amsar.'

'Ond fedri di ddim,' atebodd. 'Paid â dechra deud petha fel 'na. Fedra i byth ada'l Robert.'

Estynnodd amdani a'i thynnu ato. 'Mi adawi di o ryw ddiwrnod,' meddai. 'Oherwydd mi fynna i i chdi 'neud. Fedri di ddim byw bywyd o gelwydd am byth. Mae o 'di dy golli di i mi'n barod.'

'Wna i mo'i frifo fo,' meddai. 'Dyna'r unig sicrwydd sgen i, peidio â'i frifo fo.'

''Ti mor ffeind,' meddai, a'i chusanu. 'Dwi'n dy licio di pan wyt ti'n bod yn ffeind, Thérèse, dwi'n licio i ti fod yn galon feddal. Agor dy geg i mi. Rŵan, cariad, rŵan.'

Wrth iddi wisgo ar ôl caru, dywedodd wrthi, 'Ma'n rhaid i mi fynd i Chicago eto'r wsnos nesa — fedri di ddŵad efo fi?'

'Mi dria i,' meddai. 'Meddwl am ryw esgus. Ond ma' hi'n mynd yn anoddach bob tro.'

'Dwi'n deall hynny,' meddai. 'Dyna pam y bydd yn rhaid i ti'i ada'l o'n hwyr ne'n hwyrach. A phaid â deud na 'nei di ddim, ne' mi fydda i'n dy garcharu di yma drwy'r nos.'

'Fydda hynny fawr o drafferth.' Daeth Thérèse yn nes ato. 'Wyt ti'n 'y ngharu i go iawn, Karl? 'Ngharu fi yn yr un ffordd â dwi'n dy garu di — ddim jyst yn y gwely? 'Ngharu i am bwy ydw i?'

'Ydw,' meddai. 'Dy garu di am pwy wyt ti. Ti ydi'r unig ddynas dwi 'rioed wedi bod isio'i phriodi. Ddim isio chdi fel meistres ydw i, Thérèse, ond fel gwraig. Mi a' i â chdi allan fory. Cyfarfod ar ôl cinio a mynd am dro yn y car.'

'Mi fedrwn ni fynd yn ôl i'r pentra hudolus 'na, Chappagua, a cherdded am dipyn. 'Ti'n cofio pan

174

aethon ni yno am y tro cynta, ac mi ddeudais inna y byddwn i'n dŵad efo chdi i Chicago? Dyna'r tro cynta i ti 'nghusanu i.'

'Cofio'n iawn,' meddai. 'Mi awn ni yno eto fory. Cariad — ma' pobol yn siarad amdanan ni. Julia ddeudodd wrtha i. Vera Kaplan 'di agor 'i hen geg fawr wrth bawb. Ma' rhaid 'yn bod ni 'di ca'l 'yn gweld ddwsina o weithia.'

'Mi ddeudais i wrth Joe Kaplan 'mod i'n dy garu di,' meddai, 'ymhell cyn i ddim ddigwydd rhyngddan ni. Deud wrtha i am ddianc wna'th o, dyna pam 'yn bod ni wedi bwriadu mynd i Bortiwgal. Ond fedrai Robert ddim mynd pan oeddwn i isio mynd. 'Ti'n sylweddoli, tasa fo 'di cytuno, fuasan ni ddim yma efo'n gilydd rŵan?'

'Wyddwn i ddim dy fod ti 'di deud wrth Joe,' meddai. 'Ydi o'n gwbod amdanan ni rŵan?'

'Wn i ddim,' meddai Thérèse. 'Mi ddeudais 'mod i 'di anghofio amdanat ti, ond wn i ddim wna'th o 'nghoelio i. Does dim ots beth bynnag. Dim ots pwy sy'n gwbod cyn bellad nad oes neb yn deud wrth Robert.'

'Mi wnân nhw,' meddai. 'Rhyw ddiwrnod. Mi wela i di tua thri fory; tu allan i'n swyddfa i. Ac mi awn ni am bererindod i'n pentra Indiaidd.'

*   *   *

'Joe! Galwad bersonol o Buenos Aires!' Wnaeth o ddim dangos unrhyw syndod; dim ond mewn argyfwng roedden nhw i fod i ddefnyddio'i rif preifat o. Trodd at ei wraig wrth godi'r ffôn. 'Un o'r cleifion; caea'r drws ar d'ôl, 'nei di, cariad?'

'Be' sy'n gneud i ti feddwl 'mod i isio gwrando,' atebodd ei wraig yn haerllug. Wrth iddi fynd o'r stafell dechreuodd yntau siarad; roedd y llinell yn glir iawn.

'Galwad bersonol i Dr Kaplan. Ai Dr Kaplan sy'n siarad? Dyna chi, ma' Dr Kaplan yn barod i siarad efo chi.'

'Jacob Hoffmeyer sy' 'ma; ddrwg gen i darfu arnach chi adra fel hyn, ond dwi 'di bod yn trio ca'l gafa'l arnach chi yn y swyddfa ers dyddia ond roeddan nhw'n deud 'ych bod chi 'di gorfod mynd i ryw gynhadledd. Sut hwylia?'

'Iawn, diolch,' atebodd Joe. ''Di bod yn San Francisco ydw i. Pa newydd?'

'Mi ydan ni 'di derbyn adroddiad am 'ych cyfaill Amstat. Ma'r cwbwl braidd yn ddryslyd, felly mi feddyliais i y byddai'n well i ni ga'l sgwrs fach fel hyn dros y ffôn cyn i mi anfon y ffeil atach chi. Ydi o'n drwm 'i glyw? Ne'n gwisgo rhywbeth i'w helpu o glywad?'

Yn ôl yr hen ffeil ar Hugo Elsner roedd o wedi colli'i glyw ar ôl salwch pan oedd o'n blentyn. O'r herwydd doedd o ddim yn cael ymuno â'r fyddin Almaenaidd, felly mi gafodd o swydd fel gwarchodwr yn un o'r gwersylloedd yng Ngwlad Pwyl a'i godi'i hun i fod yn llywodraethwr mewn dim o dro. Roedd o wedi dienyddio dau gant a phedwar ugain o ddynion Iddewig efo'i wn ei hun ac wedi anfon dros gant a hanner o filoedd i'r siambrau nwy mewn cwta ddwy flynedd. Diflannodd wrth i'r brwydro gilio a dianc i Chile. Y glust fenthyg oedd ei unig wendid amlwg.

'Ma'i glyw o'n berffaith,' pwysleisiodd Joe Kaplan. 'Dydi o'n cael dim traffarth i glywad o gwbwl — a dydi o ddim yn gwisgo unrhyw fath o offer clywad chwaith.'

Croesodd Jacob enw Elsner oddi ar ei restr. Roedd manylion eraill yn groes i ddisgrifiad pytiog a chyffredinol Joe hefyd. Trwyn mawr a llygaid duon oedd gan

Elsner. Doedd hynny ddim yn cydfynd â'r gwallt golau yn nisgrifiad Joe.

'Iawn, dyna ni un yn nes i'r lan,' meddai Jacob Hoffmeyer. 'Pa mor dal ydi o a thua faint mae o'n 'i bwyso?'

''Chydig dros ddwy lath a thua deuddeg stôn. Dyn reit gyhyrog.'

Cadfridog diegwyddor yn y Reichswehr oedd Kronberg. Gwnaeth ei fywoliaeth drwy fygwth bradychu'r Iddewon Ffrengig i'r Gestapo a chynffonwyr Vichy os nad oedden nhw'n talu mewn arian a thir a gemau am ei gyfeillgarwch. Unwaith roedd y rheini'n ei feddiant roedd o'n eu bradychu nhw beth bynnag. Dyn ysgafn, pum troedfedd saith modfedd efo gwallt golau a llygaid glas oedd o ac yn ôl rhai adroddiadau roedd o yn Rio yn 1949 yn ei lordio hi fel brenin ar gorn yr arian a ddôi yn sgîl ei fygythiadau diegwyddor. Llwyddodd yntau i hel ei draed o'r Almaen mewn da bryd. Roedd hi'n ddigon posib ei fod o wedi magu bloneg ers y rhyfel ond go brin fod yr un dyn yn ei oed a'i amser wedi medru tyfu chwe modfedd. Croesodd Jacob Hoffmeyer ei enw yntau oddi ar y rhestr.

'Ydi hyn yn helpu rhywfaint?' holodd Joe. 'Pam na 'newch chi jyst anfon y ffeil i gyd ata i?'

'Faint o amsar sgynnon ni?' gofynnodd Jacob. 'Ydi'ch ffrind chi'n mynd i fod yna'n hir iawn eto?'

'Mae o'n deud y bydd o yma am fis go lew eto; a does gynno fo ddim rheswm i symud 'i wely ar hyn o bryd; mi wna'th o ddeud fod gynno fo fusnas yn Chicago, ond dwi 'di trefnu cwmni iddo fo'n fan 'no.'

Roedd asiant yn Chicago eisoes wedi bod mewn cysylltiad efo Joe. Gwyddai bopeth am ail ymweliad Thérèse â'r fflat; gwyddai am y blodau a archebodd Karl iddi oherwydd fod y porthor wedi digwydd sôn amdanyn nhw. Roedd hi wedi bod yn dweud celwydd, yn union fel yr amheuai Joe. Roedden nhw'n gariadon yn Efrog Newydd hefyd; roedd rhywun yn cadw llygad arnyn nhw ym mhobman, yn gwneud yn siŵr fod Joe yn gwybod popeth amdanyn nhw.

'Wel — yn ara deg ma' dal iâr, 'dach chi'n gwbod sut ma' petha.' Petrusodd Jacob Hoffmeyer am eiliad. Yna penderfynodd roi ffydd yn yr amheuaeth yr oedd ganddo fo'i hun.

'Mi yrra i'r un adroddiad sy' ar ôl i chi, Dr Kaplan. Ond ffeil go dena ydi hi ma' arna i ofn. Ond dyna'r unig feddyginiaeth sgynnon ni i wella'r clwy arbennig yma.'

''Sgynnoch chi fawr o obaith, felly?' holodd Joe. 'A fedrwch chi helpu dim mwy?'

'Fedra i ddim rhoi 'mhen i'w dorri. Chydig sy' 'na, fel deudais i. Ond does dim drwg i chi ddarllan yr adroddiad i weld be' welwch chi. Os ydan ni, drwy ryw wyrth, 'di taro'r hoelan ar 'i phen, mi fydd raid i ni alw tîm o arbenigwyr i mewn. Ond — go brin y daw hi i hynny. Mi anfona i'r ffeil atach chi ar unwaith, Doctor. Cofiwch fi at Mrs Kaplan. Ac ma'n ddrwg gen i am darfu arnach chi adra, ond rydan ni'n licio datrys y mân broblema 'ma. Ma' gen inna bwt o adroddiad i'w sgwennu hefyd. Nos da.'

'Nos dawch,' atebodd Joe Kaplan. 'A diolch am ffonio.'

Roedd Jacob Hoffmeyer wedi dileu enwau nifer o droseddwyr posib; un yn drwm ei glyw, un arall yn fyr a thenau. Mae'n rhaid fod y ddau wedi cael eu gweld yn Ne America, neu hyd yn oed yn yr Unol Daleithiau, rywbryd, ond fod y frawdoliaeth wedi colli gafael arnyn nhw wedyn. Efallai nad oedd Karl Amstat yn un ohonyn nhw wedi'r cwbl. Doedd y celwyddau ddim yn bwysig. Oni bai fod ei hanes yn llechu rhwng

178

tudalennau adroddiad olaf Jacob Hoffmeyer, doedd y godinebwr hwn ddim yn llofrudd ar ffo rhag dicter cenedl Israel. A doedd yr hen ddyn ddim wedi swnio'n ffyddiog iawn. Wel, cododd ei ysgwyddau a mynd yn ôl i'r stafell fyw. Hyd yn oed petai Vera wedi codi'r ffôn arall a gwrando'n astud ar bob gair o'i sgwrs breifat, fyddai hi ddim mymryn callach. Felly, roedd y ffeil ar ei ffordd o Buenos Aires. Ddywedodd o'r un gair wrth ei wraig ac roedd hithau'n rhy gaeth yn nhudalennau beiddgar breuddwydiol *Vogue* i sylwi ei fod o newydd gerdded i mewn i'r stafell.

★ ★ ★

Roedd Ruth Bradford Hilton wedi bod rhwng dau feddwl ynglŷn â chael gair efo'i brawd ers hydoedd. Doedd hi ddim wedi cael fawr o gyfle er eu bod nhw'n treulio rhyw ben o bob dydd efo'i gilydd, fel arfer mewn cyfarfodydd efo cyfreithwyr, a ph'run bynnag byddai ei gŵr yn fud wrth ei hochr bob tro hefyd. Bu Bob yn angel ac yn achubiaeth iddi drwy'r holl fusnes; roedd angen rhywun call a chytbwys i'w thywys drwy'r amgylchiadau anodd. Siarad yn gyntaf, meddwl wedyn oedd ei bai hi, ac roedd ymyrraeth o'r tu allan yn cryfhau'r elfen honno ynddi. Fyddai ei gŵr hi byth bythoedd wedi cael siarad mor blaen efo hi ag roedd ei brawd wedi gwneud, nac wedi meiddio cytuno efo'r twrneiod ac anghytuno efo hi. Ond roedd hi'n derbyn hynny gan ei chig a'i gwaed hi'i hun.

Meddyliai'r byd o Bob, ac roedd agosatrwydd mewn teuluoedd cyn gyfoethoced â nhw'n beth prin; yn arbennig ymysg yr hen deuluoedd. Collwyd y meddylfryd clòs, unedig oedd mor nodweddiadol o'r mewnfudwyr Lladinaidd a Gwyddelig. Meddyliai Ruth y byd o Bob, ac roedd yn gas ganddi sefyll o'r neilltu a gwylio'r byd yn chwerthin am ei ben.

Dywedodd hynny wrth ei gŵr llipa ar ôl iddyn nhw adael tŷ Bob a Thérèse.

'Tania sigarét i mi, cariad, dwi 'di ymlâdd!' Ufuddhaodd ac eistedd wrth ei hochr gan gosi ei phenglin. Roedd ganddo barch mawr tuag ati ac yn go hoff ohoni hefyd. Er fod ganddo gelc go dda'i hun, llygoden eglwys oedd o o gymharu â'i wraig, ond nid ei harian hi a'i denodd o chwaith.

''Ti'n edrach 'di blino'n lân,' meddai. 'Mi fydda i'n falch o weld diwadd hyn. Ella medrwn ni fynd i grwydro wedyn, Ruth. Pam nad awn ni efo Bob a Thérèse i Bortiwgal? Estoril yn lle bach braf; yno treuliais i ddyddia hapusa 'mywyd cyn y rhyfal.' Cheisiodd o erioed yngan enw'i chwaer yng nghyfraith yn iawn — rhyw ynganiad Seisnig heb fawr o ymdrech y tu ôl iddo.

'Dydyn nhw ddim yn mynd i Bortiwgal,' atebodd Ruth. 'Ma' *hi* 'di newid 'i meddwl; 'di gwirioni ar Efrog Newydd ma'n debyg. Ar ôl pymtheg mlynadd o bicio yma, ma'n nhw 'di penderfynu mai dyma'r lle i fod.'

'Ond roeddwn i'n meddwl 'i bod hi'n dal i fynd i fyny i Boston yn amal,' meddai ei gŵr; gwyddai oddi wrth osgo'i wraig fod rhywbeth yn corddi yn ei pherfeddion. A gwyddai o brofiad na fyddai'n rhaid disgwyl yn hir iawn cyn cael gwybod beth chwaith.

'Ydi, ma' hi'n mynd i'r tŷ. O leia dyna ma' hi'n 'i ddeud wrth y mwnci o frawd 'na sgen i. Ond dwi'n digwydd gwbod nad ydi hi ddim 'di bod ar gyfyl y lle'n ddiweddar. Ddim 'mod i'n busnesu, jyst digwydd ffonio'r forwyn 'nes i ynglŷn â'r llunia 'na — 'ti'n gwbod, dwi 'di deud wrthat ti o'r blaen, y rheini roeson ni'u benthyg i'r amgueddfa ddwy flynadd yn ôl. Roedd isio gneud mymryn o waith atgyweirio arnyn nhw, ac mi glywais inna am gwmni o Ffrainc oedd yn arbenigo mewn petha felly — dydi'r manylion ddim yn bwysig, ac mi anghofiais i sôn wrth Thérèse, felly mi ffoniais i'r forwyn. Roedd hi'n ddigon hawdd deud nad oedd yr un o draed Thérèse 'di bod ar gyfyl y lle. Ma' hi 'di galw yno unwaith ne' ddwy, ond 'rioed 'di aros yno pan oedd hi i ffwrdd o Efrog Newydd.'

'O.' Gwnaeth stumiau. 'Be' ma' hynny'n 'i feddwl 'ta?'

'O, cariad, paid â bod mor blydi diniwad 'nei di. Ma' gynni hi gariad, 'na'r cwbwl. Ac efo hwnnw ma' hi pan ma' hi'n deud wrth Bob 'i bod hi yn Boston. Ne' efo ffrindia, ne' pa gelwydda eraill ma' hi'n eu pobi. Ond dwi ddim yn meddwl y medra i ista yn fan 'ma'n gada'l iddi hi'i drin o bob siâp.'

''Sgen ti syniad pwy ydi'r dyn arall 'ma?'

'Nac oes. Ond dydi hynny ddim yn bwysig. Be' sy' yn bwysig ydi'i bod hi'n gneud ffŵl o 'mrawd i. Mwya'n y byd dwi'n meddwl am y peth . . .' Cododd a dechrau llamu o gwmpas y stafell; edrychai'n union fel llewes fach flin. 'Mwya'n y byd dwi'n meddwl am faint mae o 'di 'neud drosti hi — wel, waeth i ni fod yn onast ddim, cariad, dydi hi'n neb! Dim ond pwt o hogan ddaeth o â hi'n ôl adra efo fo o Ewrop, heb na cho na chefndir, heb ddim ond rhyw hen stori sentimental am ga'l 'i dal yng nghanol rhyw gyrch bomio. Mi fedrai hi fod yn unrhyw beth. A'r hen Iddew 'na'n 'i gwthio hi hynny fedrai o. Ma'n siŵr fod hynny'n rhan o'r pantomeim; ei ffrind gora fo a'i allwedd i fywyd moethus hefyd, ond iddo fo ddandwn 'i wraig fach Ffrengig ddi-ddim o. Dwi'n gwbod yn iawn dy fod ti'n meddwl 'mod i'n hen ast ddideimlad, ond mi fedrai 'mrawd i fod wedi priodi unrhyw un liciai o; iesgob, mi fedrai o fod wedi dewis unrhyw un dan haul, efo'i gorff a'i bres o! Felly, chaiff y gardotes fach fudr 'ma ddim dechra'i dwyllo fo rŵan. Ddim tra bydd chwythiad yndda i beth bynnag.'

"Stedda lawr, Ruth, a phaid â gwylltio,' meddai ei gŵr. 'Ty'd, bach, paid â chynhyrfu fel 'na, dim ond gneud niwed i chdi dy hun 'nei di. Ta waeth be' 'di cefndir a hanas Thérèse, ma'n nhw 'di priodi ers pymtheg mlynadd ac ma' pawb 'di bod yn hapus hyd yn hyn.'

'Doedd Mam druan ddim 'di gwirioni efo hi,' torrodd Ruth ar ei draws. 'Ond roedd Bob fath â ffŵl, yn cáu gada'l i neb siarad efo hi heblaw 'i fod o yno'n gafa'l yn 'i llaw hi.'

'Ond mi oeddat ti 'di cymryd ati, 'doeddat? Mi oeddat ti'n fodlon efo petha?'

'Oeddwn,' cyfaddefodd. 'Oeddwn, mi'r oeddwn i. Ond oherwydd fod petha o'u plaid nhw; Bob yn hapus efo hi; a hitha'n dotio arno ynta, y cwbl i' weld fel y briodas berffaith. Heblaw 'u bod nhw'n ddi-blant. Ond doedd fiw i ni sôn am hynny wrtho fo! Dwi'n deall be' 'ti'n drio'i ddeud, cariad — sut gwn i fod petha 'di newid — dim ond am 'i bod hi 'di deud 'chydig o gel-wydda unwaith ne' ddwy — ond ma' mwy i'r peth 'na hynny.'

'Be' felly?' holodd.

'Ma' pobol yn sibrwd,' meddai. 'Mi fedra i deimlo hynny; bob tro ma' rhywun yn deud 'u henwa nhw mi fedra i weld wyneba pobol yn goleuo a chuddio petha rhagdda i. Ac ma hitha 'di newid. 'Di colli'i diniweid-rwydd rywsut; ma' hi — o, dwn i'm — ma' hi 'di altro drwyddi. Ma' hi fel tasa hi 'di dod i oed yn ddeg ar hugain. Dyna dwi'n weld wrth edrach arni hi. Roeddwn i'n arfar teimlo drosti hi; a hitha fel petai ar goll i gyd, mor ddibynnol ar Bob. Cyn bellad â'i fod o'n fodlon efo'i faich, roeddwn inna'n fodlon hefyd. Roeddwn i'n rhyw led-gydymdeimlo efo hi. Ond ddim rŵan. Ma' hi'n ddynas newydd; ma' rhywun yn medru teimlo hynny, ddim ond drwy edrach arni hi.'

'Ydi Bob yn sylwi?'

'Os ydi o, mae o'n rhy feddal i gyfadda,' meddai ei chwaer. 'Wn i ddim be' i' 'neud. Dwi hannar awydd 'i gwahodd hi draw 'ma a deud wrthi yn ei hwyneb be' fydd 'i thynged hi os ydi hi'n meiddio brifo Bob! Ne' mi fedra i fynd i'w weld o. I'w rybuddio fo. Ia, dwi'n meddwl mai dyna fydda ora.'

'Chymri di ddim sylw ohona i debyg, cariad, ond tasat ti'n cymryd 'y nghyngor i, cadw draw fuasa ora i ti. Fuaswn i byth yn meiddio siarad efo Thérèse; wnaiff hi ddim ond rhedag adra at Bob a chreu cythral o ffrae rhyngddach chi. Mae o 'di gwironi efo'r hogan 'na, 'sti. Cadw hyd braich, fuaswn i. A gada'l i betha gymryd 'u cwrs.'

'Hy! Ysgariad gwerth miloedd o ddoleri gostith hynny i Bob os na fydd o'n ofalus. Ac wedyn mi fydd hi'n priodi rhyw sglyfaeth ma' hi 'di bod yn rhannu'i wely o ac mi fyddan nhw'n medru byw ar 'u blonag. Ac wyt ti'n deud wrtha i am beidio â busnesu!'

'Iawn, cariad, neidia i mewn efo dy ddwy droed fawr. Ond, os oes raid i ti, dos at Bob yn gynta. Ond chdi gaiff y gwaetha.'

'Wn i,' atebodd Ruth. 'Ond fedra i ddim gada'l i betha i fod, ma' rhaid i mi fentro deud rhwbath.'

VIII

'Cariad,' meddai Thérèse, 'fedra i ddim dŵad efo chdi i Chicago wsnos yma. Dwi'n hesb o esgusion, a fedra i ddim meddwl am 'chwanag o gelwydd.'

'Mi fedri di ddeud mai awydd mynd i Boston sy' arnat ti — be' sy' o'i le ar hynny?' Roedd y ddau'n cydgerdded law yn llaw drwy ganol Central Park ar ôl cinio tawel yn Chinatown. Roedd aroglau gwanwyn yn boddi'r aer a chwant cariadon yn eu mygu nhwythau.

'Rhyw deimlad yn mêr 'yn esgyrn sy' gen i, y ca i 'nal. Ma' pawb ydan ni'n 'u nabod yn trafod 'yn bywyda ni y tu ôl i'n cefna ni, Karl. Feiddia i ddim symud o Efrog Newydd mor fuan eto. Ma' hyd yn oed Bob yn dechra holi mân gwestiyna.'

'Pa fath o gwestiyna?'

Gwasgodd ei llaw'n dyner. Roedd o wedi'i chusanu hi yma yn yr awyr agored, yn llygad yr haul unwaith yn barod heddiw. Ymlwybro'n ôl i'w fflat o roedden nhw; roedd hynny'n rhan o batrwm eu bywydau bellach, gohirio bod ar eu pennau'u hunain, mynd allan i siarad ac yfed a bwyta, gan adael i'w chwantau a'u nwydau gyniwair yn araf tan na fedrent reoli ychwaneg arnyn nhw, wedyn rhuthro'n ôl i'r fflat er mwyn gadael i'r emosiynau ffrwydro'n llosgfynydd o serch a chariad. Cariad; roedd o wedi sibrwd y gair yn aml yn ei chlust, fel cwestiwn ac fel cysur. Gynt buasai'r gallu yma i garu a thrachwantu dynes y tu hwnt i'w ddirnadaeth. Bodau israddol i'w hamharchu a'u diraddio fuasai merched i Karl. Pethau a roddai bleser a phlant ac etifeddiaeth i ddyn, peiriannau oedd yn dda am redeg tŷ a pharatoi moethau'r dyn yn barod iddo. Roedd mam Karl ei hun, er ei bod yn ddynes barchus a chaled, wedi chwarae'r rhan i'r dim i'w dad. Dyna ddelfryd yr Almaen o fenyweidd-dra, ond rhywbeth cwbl ar wahân oedd ei deimladau o tuag at Thérèse Bradford. Doedd o erioed wedi'i ddenu gan ferched o'i bath o'r blaen. Yn llanc ifanc, cofiai chwantu am ferched tal, brestiog; doedd merched tenau, eiddil efo soseri o lygaid mawr erioed wedi mynd â'i ffansi. Ddim nes iddi hi gael ei llusgo i'w swyddfa yn yr Avenue Foch. Doedd dim modd cael digon o amser efo hi; dim digon o amser i garu, nac i siarad, nac i chwerthin, nac i rannu bywyd. Nac ychwaith i arddangos ei dynerwch newydd-anedig iddi hi.

'Pa fath o gwestiyna?' gofynnodd eilwaith.

'O, pam dwi'n mynd mor fuan eto? Pam na fedra i jyst ffonio? Mae o'n gweld 'yn isio i.'

Roedd tristwch yn ei llygaid wrth iddi ddweud hynny, tristwch ei bod hi'n dweud y gwir. Mi'r oedd Robert yn gweld ei heisiau hi, ac yn fwy na bodlon dangos hynny iddi hefyd. Gwelai ei heisiau pan ddiflannai am noson neu ddwy bob pythefnos neu dair wythnos oherwydd ei bod hi mor bell a dieithr pan oedd hi efo fo, yn yr un stafell ag o ac yn yr un gwely ag o hyd yn oed. Roedd hi wedi pellhau oddi wrtho fo; ni allai lai na'i bitïo ac roedd ei chalon yn gwingo wrth ddim ond edrych arno, ond allai hi byth adael iddo gael gwybod y gwir chwaith. Edrychai ar ei hôl hi a'i moli hi'n ddi-baid fel petai'n ceisio gwneud iawn am ei thrallod ugain mlynedd yn ôl. Wnâi o ddim hyd yn oed adael iddi gerdded ym mrathiad gwynt main.

'Fedar petha ddim bod fel hyn am byth,' meddai wrthi.

Dyna ddywedai bob tro y gwelai hi a rhoddodd hithau'r gorau i geisio dal pen rheswm efo fo.

'Mae o'n siŵr o'n dal ni'n hwyr ne'n hwyrach, ac yna

mi fydd yn rhaid i ti ddewis. Y fi ne' fo, 'nghariad i. Dwi'n troi a throsi yn 'y ngwely noson ar ôl noson yn pendroni pwy ddewisi di. Yna dwi'n 'y nghysuro'n hun, "Ata i y daw hi. Ei ada'l o a rhuthro ata i. Ac mi briodwn ni wedyn."'

Gwrthododd yn lân â phriodi Julia; ond rŵan ei fod eisiau cadw Thérèse iddo'i hun, roedd o wedi dechrau dymchwel yr hen furiau o rwystr. Fedrai o ddim priodi yn Efrog Newydd, oherwydd dogfennau a chwestiynau dirifedi — yr holl rwystrau y methodd â sôn amdanyn nhw wrth Julia pan oedd hi'n ei ben o. Fedrai o ddim priodi, fedrai o byth deimlo'n ddiogel efo dynes yn rhannu'i gyfrinachau. Ond allai'r un dyn ddim bod yn nes at unrhyw ddynes nag oedd o at Thérèse rŵan. Breuddwydiai am hedfan i lawr i Mecsico, a phriodi'n ddi-lol yno.

'Dwi isio i ni rannu'n bywyda,' meddai. Roedd cymaint wedi newid; flwyddyn yn ôl dim ond eisiau byw o ddydd i ddydd, gwneud arian, gweithio, bod yn ddiogel a chyfforddus oedd arno fo. Ond rŵan roedd o am freuddwydio a chynllunio'i ddyfodol a byw bywyd digysgod fel dynion eraill.

'Dwi isio i chdi fod yn wraig i mi, yn disgwyl amdana i o flaen tanllwyth o dân pan fydda i'n dŵad adra o'r gwaith ac yn gorwedd wrth f'ochor i pan fydda i'n deffro yn oria mân y bora. Dwi isio ca'l cynllunio gwyliau efo chdi, a thrafod 'y ngwaith efo chdi. Dwi isio bod yn sâl er mwyn i chdi ga'l gofalu amdana i. Ma' rhaid i chdi'i ada'l o, Thérèse, a dŵad yma ata i. Wna'i byth ollwng 'y ngafa'l arnat ti, 'ti'n gwbod hynny.'

'Fedra i ddim ca'l plant,' meddai. 'Fedrais i 'rioed ga'l plant Robert, a fedrwn i byth ga'l dy blant ditha chwaith. Pam wyt ti 'di gwirioni dy ben efo fi, Karl?

186

Pam ydan ni'n dau'n dod yn nes ac yn nes at 'yn gilydd bob dydd?'

'Am 'yn bod ni ar ein pennau'n hunain yma,' meddai. 'Ma' a 'nelo hynny rwbath â'r peth. Fedrwn ni ddim dianc rhag 'yn gorffennol; dyna'r cwlwm sy' rhyngddon ni. Alfred Brunnerman ydw i byth, a Thérèse Masson wyt titha. Dim ond y papur lapio sy' 'di newid, ma' be' sy'n gudd oddi tano fo'n dal yr un fath. Be' am fynd adra rŵan?'

Gafaelodd yn gariadus amdano yn y tacsi. 'Am faint fyddi di yn Chicago?'

'Tridia, ella bedwar. Dwi bron â dŵad i'r lân yno.'

'Ma' hynny'n dragwyddoldeb hebddat ti,' sibrydodd. 'Go brin y medra i fyw heb dy weld di.'

'Ty'd efo fi 'ta.'

'Feiddia i ddim. Dydw i ddim yn barod i frifo Bob eto; dwi'n medru palu celwydda wrtho fo am 'mod i'n dy garu di, ond fedra i ddim diodda gweld poen yn crychu'i wynab o a gwbod mai arna i ma'r bai. Mi a' i i Boston, ac aros yn y tŷ felltith 'na. Ty'd yno o Chicago ac mi drefnwn ni rwbath wedyn. Mi fedrwn ni aros mewn gwesty. Ca'l p'nawn a gyda'r nos efo'n gilydd.'

Stopiodd y tacsi a thalodd yntau'n frysiog wrth iddi hi redeg at ddrws y fflat. Cerddodd y ddau law yn llaw drwy'r drws.

'Mi ddo i atat ti i Boston,' meddai.

* * *

Amlen drwchus yn fôr o stampiau wedi'u boddi efo marc post Buenos Aires oedd hi. Cymerodd daith wyth niwrnod i gyrraedd desg Joe Kaplan. Wnaeth ei ysgrifenyddes ddim cyffwrdd ynddi; roedd Joe wedi'i siarsio i beidio ag agor yr un o'i lythyrau am bythefnos gan ei fod yn disgwyl adroddiad meddygol cyfrinachol.

Roedd hi wedi bod yn gweithio i Dr Kaplan am bum mlynedd ac yn hoff iawn ohono hefyd. Roedd o'n ffeind, ac yn prynu siocled iddi ar ei phen-blwydd. Cariodd yr amlen yn ofalus i'w swyddfa, a gwenu arno.

'Y post 'di cyrraedd, Doctor. Hwn ydi'r llythyr rydach chi 'di bod yn 'i ddisgwyl? O Buenos Aires mae o.'

'Ia, hwnna ydi o, Dora.' Gwenodd arni. ''Newch chi agor y gweddill a gofalu amdanyn nhw? Diolch.' Dechreuodd rwygo'r papur i gael at y cynnwys. Roedd copi o ffeil yno, a sawl copi o adroddiadau eraill yn ogystal â phedwar llun. Dyna pam fod yr amlen mor fawr. Dim ond ciledrych ar y lluniau wnaeth o; roedd o wedi gweld dwsinau o rai tebyg a llawer iawn o rai gwaeth hefyd. Yna agorodd y ffeil a dechrau darllen. Copi o wybodaeth a gadwyd gan y Gestapo yn 8 Prinz Albrecht Strasse Berlin oedd ynddi, gwybodaeth a gasglwyd gan yr Iddewon ar ôl y rhyfel.

Alfred Brunnerman. Ganwyd Chwefror 1919 yn Frankfurt, mab i'r Athro Freidrich Alfred Brunnerman a Frau Brunnerman, ganwyd Minna Elsa Neustadt. Cafodd addysg breifat, myfyriwr ym Mhrifysgol Frankfurt o 1934 hyd 1937, aelod o'r Hitler Jugend, ymunodd â'r S.S. yn 1938. Rhestrwyd ei ddyletswyddau yn yr S.S.; ond fel pob copi arall, roedd hwn yn anodd i'w ddarllen a'r papur yn dechrau melynu a breuo. Darllenodd Joe yn araf a gofalus; roedd yn hyddysg iawn mewn Almaeneg. Roedd llun rhwng cloriau'r ffeil, ond llun o Alfred Brunnerman ifanc iawn oedd o. Yn hwn roedd ei wyneb yn grwn a bachgennaidd, ei wallt yn gwta a'i lygaid yn fileinig. Doedd o ddim yn arbennig o debyg i neb ac eto'n debyg i bob llanc deunaw oed dibrofiad. Yn 1941 cafodd Alfred Brunnerman swydd efo adran S.D. y Gestapo. O hynny 'mlaen dringodd yn gyflym i fyny'r ysgol. Roedd o'n dipyn o Natsi, meddyliodd Joe; yn enghraifft berffaith o blentyn y barbareiddiwch.

'Galluog, diwyd, yn medru meddwl drosto'i hun ac yn meddu ar y ddawn i arwain.' Roedd o'n carlamu o'r naill swydd i'r llall. Cafodd swydd ym Mharis o dan yr Obergruppenfurher Knochen a chafodd ddyrchafiad i fod yn Standartenfurher oherwydd ei waith gwrth-ysbïo llwyddiannus. Gorffennai'r ffeil yn y fan yna. Darllenodd drwyddi'n frysiog unwaith eto. Doedd o ddim am ddigalonni o fethu â chael gafael ar dystiolaeth ar y darlleniad cyntaf. Dechreuodd ddarllen yr wybodaeth arall. Darnau o ffeiliau efo pytiau o wybodaeth yma ac acw. Ymgymerodd Brunnerman â swydd ym Mharis; collwyd y ffeil o'r Avenue Foch yn y dryswch ar ôl y rhyfel. Yn 1946 y gwelwyd hi ddiwethaf pan oedd y Ffrancwyr ar ei drywydd o ac mae'n debyg eu bod nhw wedi digwydd colli'r ffeil er mwyn gallu dilyn yr ymchwiliad yn eu dull dihafal eu hunain. Collwyd lluniau mwy diweddar ohono yn yr un modd a doedd neb wedi llwyddo i gael gafael ar unrhyw lun arall.

Llygaid yr Israeliaid ym Mharis oedd wedi llunio'r adroddiad hwn; siopwr parchus ar drothwy oed yr addewid a gollodd ei dylwyth i gyd pan anfonwyd nhw i siambrau nwy yr Almaen yn 1942. Roedd ganddo ffrindiau agos yn gweithio yn y Deuxième Bureau a thrwyddyn nhw cafodd ar ddeall nad oedd ffeil awdurdodau Paris, a luniwyd gan Cyrnol Baldraux, ar Alfred Brunnerman wedi ei throsglwyddo i Israel, a'r cyfan yr oedd modd ei osod at ei gilydd o gyfrolau'r *Résistance* oedd 'chydig o enwau carcharorion a bradwyr Ffrengig oedd wedi bod mewn cysylltiad â'r dyn. Nodwyd bod Cyrnol Baldraux wedi marw yn

1957. Taniodd Joe Kaplan sigarét; doedd Jacob Hoffmeyer ddim wedi dweud gair o gelwydd pan ddywedodd mai niwlog oedd y wybodaeth. Roedd y disgrifiad corfforol yn y ffeil Almaenig yn ddigon tebyg i Karl Amstat, ond doedd hynny'n profi dim. Dyna'r unig dystiolaeth oedd yna hyd yn hyn. Gafaelodd yn adroddiad cyfrinachol Baldraux. Copi oedd hwn hefyd. 'Ceir y sôn olaf am y swyddog Gesatpo hwn pan ddiflannodd yn ystod cyrchoedd olaf Rwsia ar yr Almaen, a chredwyd ei fod wedi'i ladd. Serch hynny, cafwyd adroddiad oddi wrth awdurdodau milwrol Rwsia oedd yn dweud fod swyddog efo adran Waffen o'r S.S. wedi awgrymu fod Brunnerman yn dal yn fyw ac wedi ffoi o'r Almaen yn 1944. Ar sail yr adroddiad hwnnw, rydan ni'n chwilio am Brunnerman er mwyn ei holi ynglŷn â throseddau yn erbyn y werin Ffrengig pan oedd o'n gweithio efo adran gwrth-ysbïo'r Gestapo ym Mharis. Rydw i'n sylweddoli ei fod o ar y rhestr swyddogol o ddihirod rhyfel am ei fod o'n gyfrifol am lofruddio poblogaeth Iddewig Lodz, ond yn y troseddau yn Ffrainc yn erbyn Ffrancwyr yn unig y mae gennym ni ddiddordeb. Yn ystod fy ngwaith ymchwil, rwyf wedi holi tri aelod o'r *Résistance* fu mewn cysylltiad ag o: Jean Paul Belmont, Francois Laffont ac Edwuard de Bré. Yn ôl tystiolaeth y rhain roedd o'n arbenigo mewn artaith feddyliol, ond ni ddioddefodd yr un ohonyn nhw artaith gorfforol o dan ei law. Cafodd y cyntaf a'r olaf eu cam-drin gan ei gyd-weithwyr wedyn, ac roedd Laffont wedi'i garcharu gennym ni am ddatgelu gwybodaeth i'r Gestapo pan holais i o. Fedrais i ddim holi dynes o'r enw Thérèse Masson, oedd yn aelod o *Résistance* Paris ac a gafodd ei chroesholi gan Brunnerman. Roedd hi wedi priodi efo swyddog Americanaidd ac roedd hwnnw'n gwrthod gadael i mi'i gweld hi.' Rhoddodd

Joe'r gorau i ddarllen. Chwyddodd y llythrennau'n fawr o flaen ei lygaid. Crafodd ei fys ar hyd yr inc.

Thérèse Masson. THÉRÈSE MASSON. Symudodd ei fys yn araf yn ôl i'r lle y rhoddodd y gorau i ddarllen.

'Gwrthod gadael i mi'i holi. O ganlyniad i'r artaith a'r carcharu, roedd hi wedi colli'i chof. Yn ôl ffeiliau'r Gestapo ar Thérèse Masson cafodd ei chroesholi'n gyntaf gan Brunnerman, ond methodd â'i chael hi i gyfaddef. O gymharu ei ffeil hi â'i ffeil bersonol o yn yr Avenue Foch, mae'n ymddangos ei fod o wedi cael ei hel oddi yno ac wedi'i orfodi i fynd i faes y gad ar y ffrynt ddwyreiniol oherwydd ei fod o wedi dangos ffafrau tuag at Thérèse Masson. Anfonwyd hi i'r ysbyty am driniaeth ar ei gais o, a nodwyd ar y ffeil fod hynny'n wendid ynddo fo. Erfyniais yn daer ar y Capten Bradford am gael ei holi hi, gan fy mod yn teimlo fod perthynas agosach na'r cyffredin wedi bod rhwng Alfred Brunnerman a Madame Bradford. Rydw i'n bendant fod ganddi wybodaeth allweddol i'w gyfrannu i'r ymchwiliad.' Cododd Joe Kaplan ei ben eto. Roedd Thérèse Bradford, un a fu'n ysglyfaeth i'r Gestapo, yn caru efo Almaenwr oedd yn cymryd arno ddod o'r Swistir. Roedd cyfathrach wedi bod rhwng Thérèse Masson ac Alfred Brunnerman. Perthynas agosach na'r cyffredin, ym marn Baldraux.

'Dwi'n ama'i bod hi wedi ca'l 'i cham-drin yn rhywiol hefyd gan un o'r sglyfaethod.'

Dyna'r oedd o'i hun wedi'i ddweud wrth Bob pan oedd hi yn y sbyty yn yr Almaen. Beth bynnag ddigwyddodd, efo Alfred Brunnerman y digwyddodd hynny. A thrwy geisio chwalu'i hysbryd hi roedd o wedi'i ddinistrio'i hunan hefyd. Dangosodd ffafr tuag at yr eneth benfelen hon, a chollodd y fyddin ffydd ynddo. Thérèse Masson. Edrychodd ar ei henw eto. Roedd gwreiddiau'r gorffennol yn gafael yn dynn ym mlagur y presennol, roedd dyn diwyneb oedd wedi bod yn cael ei hela ers ugain mlynedd wedi crwydro hanner y byd i ailafael yn Thérèse Bradford. Cofiodd ei eiriau o'i hun, geiriau a lefarwyd ganddo flynyddoedd yn ôl; ac yna, ei geiriau hithau, pan ddaeth i'w swyddfa i ofyn am help i'w harbed ei hun rhag Karl Amstat. Roedd o mor gyfarwydd iddi meddai. 'Fel taswn i'n 'i nabod o erioed.' Dywedai pobol hynny heb feddwl, ond rŵan roedd ystyr ddyfnach i'w geiriau.

'Dwi dros 'y mhen a 'nghlustia mewn cariad efo fo.'

Roedd hi wedi bod yn oer a dideimlad am ugain mlynedd; doedd hyd yn oed Bob efo'i amynedd a'i gariad tyner ddim wedi llwyddo i doddi'r rhew yn ei chalon. Fedrodd hi ddim teimlo dim tuag ato fo na neb arall tan iddi gyfarfod â Karl Amstat. Ymbalfalu yn y tywyllwch fu hi am rywbeth neu rywun oedd mor gyfarwydd iddi yng ngwyll ei hisymwybod. A Karl oedd y rhywun cyfarwydd hwnnw. Roedden nhw'n nabod ei gilydd ers tro byd.

Llifodd geiriau gwawdlyd Vera'n ôl i'w feddwl hefyd, dernyn cyntaf y darlun maluriedig, ac efallai'r dernyn pwysicaf hefyd oherwydd ei fod o'n rhyfedd o debyg i ragdybiaeth Baldraux. 'Tasa hi 'di gweld chwartar y cam-drin wyt ti'n mynnu'i bod hi 'di ga'l, sut ar wynab y ddaear fedar hi hyd yn oed feddwl am fynd i'r gwely efo Almaenwr . . .?' Roedd Vera wedi bod mor agos at y gwir. Ond nid unrhyw Almaenwr oedd o. Ond *yr* Almaenwr. Yr un roedd hi eisiau bradychu ei chenedl iddo, eisiau mynd adref efo fo. Darganfu hynny pan oedd o'n glanhau creithiau'i phrofiad, ond wnaeth o ddim edrych yn rhy ofalus arnyn nhw rhag ofn iddo dyrchio'n rhy ddwfn. Doedd Alfred Brunnerman ddim wedi'i cham-drin hi; wedi ceisio'i harbed hi roedd o.

Pencampwr ar arteithio meddyliol. Mae'n rhaid ei fod o wedi syrthio i ganol pydew ei fudreddi'i hunan. Dechreuodd y darnau ddisgyn i'w lle, ac ailffurfio cysgod o'r darlun coll. Yr un taldra, yr un corffolaeth, yr un oed, yr un gwallt golau a llygaid gleision, a'r un ddynes oedd wedi bod yn cyboli efo Alfred Brunnerman. A'r un camgymeriad a'i baglodd o y tro yma ag o'r blaen. Roedd o wedi ailafael yn ei bechod a aned ugain mlynedd yn ôl. Gwyddai o'r diwedd pwy oedd Karl Amstat.

Mae'n siŵr fod Thérèse yn gwybod hynny bellach hefyd, er nad oedd hi wedi bradychu dim ar ei chyfrinach. Roedd hynny hefyd yn rhan o'r patrwm. Tynnodd Joe y lluniau o'r amlen a syllu arnyn nhw. Efallai fod ugain mlynedd o geisio maddau wedi llithro drwy ddwylo'r Iddewon, ond roedd hwn yn mynd i dalu'r gosb eithaf am ei erchyllterau. Doedd o ddim am wastraffu amser efo llythyrau a ffug negeseuon rŵan. Roedd hwn yn bysgodyn gwerth ei ddal, ac roedd o bron â nofio o'u gafael unwaith eto. Cododd y ffôn a dweud, 'Dora? Fedrwch chi ffonio Mr Karl Amstat i mi os gwelwch chi'n dda? Ma' gynno fo swyddfa pensaer yn ganol y dre, mi fydd y rhif dan 'i enw fo. Diolch.'

Roedd y lluniau ar wasgar dros ei ddesg. Tynnwyd hwy gan y Rwsiaid, chwe mis wedi'r lladd. Dim ond ychydig o'r cyrff oedd wedi pydru, roedd y rhew a'r oerni wedi cadw'r rhan fwyaf. Er bod y pedwar llun yn wahanol, yr un oedd eu cynnwys erchyll. Cyrff, wedi hanner pydru, yn gorwedd driphlith draphlith ar bennau'i gilydd; gyda gweddillion braich neu goes yn ymwthio o'r pridd yma ac acw.

'Chi sy' 'na, Karl? Helô, Joe Kaplan sy' 'ma. Sut ydach chi? Iawn diolch, rydan ni'n dau siort ora. Meddwl tybad oeddach chi'n gneud rwbath wsnos nesa? Meddwl liciach chi ddŵad draw am damad o swpar?' Gwrandawodd am funud; roedd o wedi tynnu'i sbectol a'i rhoi i orwedd ar ben y lluniau o gyrff ei bobl yn eu beddau bas.

'O, dyna biti. Am faint fyddwch chi yn Chicago? Ella medrwn ni drefnu rwbath ar gyfer yr wsnos wedyn? Iawn, mi ffonia i bryd hynny. Mwynhewch 'ych hun.'

Rhoddodd y ffôn i lawr a sychu'i geg efo'i ffunen. Teimlai'n fudr ar ôl siarad efo fo. Canodd ei ysgrifenyddes y ffôn. 'Ma'ch cwsmar cynta chi yma, Doctor.' Anghofiodd yn llwyr am ei waith yng nghanol y cythrwfl; fedrai o ddim hyd yn oed gofio pwy oedd yn dod i'w weld o, a dim ond newydd edrych yn y llyfr roedd o. 'Pwy sy' 'na, Dora?'

'Mrs Harper.'

Mrs Harper; hanner cant, yn briod â rheolwr cwmni peirianyddol; tri mab yn eu harddegau, rhwystredig ac yn dechrau poeni'i bod hi ar fin drysu. Gwraig anhapus, ansicr, yn dioddef o'i hoed ac yn methu â chael y sicrwydd na'r cariad roedd arni'i angen gan ei gŵr. Roedd ei llwyr ddibyniaeth ar Joe Kaplan yn gyfoglyd, yn ogystal â bod yn wastraff amser. Ond roedd amser ac amynedd yn hanfodol er mwyn iddi allu ceisio adennill ei hyder bregus. 'Deudwch wrth Mrs Harper 'mod i'n brysur am funud. Mi fydd yn rhaid iddi aros am sbel neu ddŵad yn ôl 'ma fory.' Eiliadau'n ddiweddarach, canodd ei ysgrifenyddes y ffôn eto.

'Popeth yn iawn meddai Mrs Harper, Doctor. Ma' hi'n fodlon disgwyl.'

Doedden nhw byth yn gwrthod aros, eistedd yno'n syllu ar y waliau am awr neu fwy os oedd o'n brysur; dim ond y rhai oedd ar fendio oedd yn ddigon hyderus i beidio ag aros.

'Iawn,' meddai, 'mi goda i'r ffôn pan fydda i'n

194

barod.' Deialodd y rhif ei hun. Rhif preifat yn Detroit a'r ddolen olaf yn y gadwyn gymhleth.

'Joe Kaplan sy'n siarad,' meddai. 'Mi wyddoch am adroddiad Jacob Hoffmeyer?'

'Gwyddom,' meddai'r llais ar y pen arall.

'Dwi'n siŵr mai Alfred Brunnerman ydi o. Dwi'n bendant. Do, mi ydan ni 'di bod yn lwcus tro 'ma. Anfonwch y tîm draw.'

'Mi all'sai hynny gymryd rhai dyddia. Lle mae o?'

'Mi fydd o yn Chicago o'r deunawfed tan y trydydd ar hugain. Dwi newydd siarad efo fo i gadarnhau hynny.'

'Iawn. Mi gaiff o groeso gynnon ni'n fan 'no.'

Trawodd Joe ei sbectol yn ôl ar ei drwyn, tacluso'r pentwr papurau a'u rhoi nhw'n ofalus dan glo. Roedd o wedi gorffen ei waith. Lle'r dienyddwyr o Israel oedd gofalu am gwblhau'r gwaith. Yfodd wydraid o ddŵr cyn tynnu ffeil Mrs Harper o'r cwpwrdd a'i orfodi'i hun i ddarllen pob gair yn ofalus a thrwyadl er mwyn ceisio canolbwyntio eto. Ar ôl ugain munud teimlai'n barod i wynebu'r presennol unwaith yn rhagor.

'Iawn, Dora. Deudwch wrth Mrs Harper am ddŵad trwodd.'

*　*　*

Roedd Karl yn chwyrnu cysgu pan ganodd y ffôn; meddyliodd i ddechrau mai rhan o'i freuddwyd oedd sŵn y gloch yn canu a chanu; pan ddeffrôdd o'r diwedd a chynnau'r golau gwelodd ei bod yn bedwar o'r gloch y bore.

'Mr Amstat?'

'Ia — pwy sy'n holi?'

'Bruckner. Mi adawodd 'na bump ohonyn nhw Tel Aviv echdoe. Ma'n nhw am 'ych gwaed chi. Does gynnoch chi ddim munud i'w sbario; heliwch 'ych pac a'i 'nelu hi am Washington cynta medrwch chi. Mi fydd 'na docyn a dogfenna a phres yn y swyddfa docynna'n disgwyl amdanach chi o dan yr enw Dressler. Os dilynwch chi'r cyfarwyddiada i'r llythyran ella fod gynnoch chi obaith. Ydach chi'n gwrando? Ydach chi yna?'

Atebodd ar ôl eiliad. 'Ydw,' meddai, 'dwi yma.'

'Dim 'ych bod chi'n haeddu help,' meddai'r llais. 'Ond, fel deudodd Mr Smith, ma' 'na bobol eraill i'w hystyried. Fedrwn ni ddim fforddio gada'l iddyn nhw'ch dal chi. A doedd gynnoch chitha ddim hawl i anwybyddu'n rhybudd ninna.'

'Mi ddeudais i'n ddigon plaen wrth Mr Smith nad oedd gen i ddim isio 'chwanag o'ch help chi,' meddai. 'Os oes rhaid i mi ffoi, mi fedra i 'neud hynny'n hun diolch yn fawr.' Hyrddiodd y ffôn i lawr. Pum dyn wedi gadael Tel Aviv. Roedd Bruckner yn saff o'i ffeithiau, roedd yntau'n wallgof i wrthod cymorth. Yr awyren gyntaf i Washington a gofyn am barsel i Mr Dressler ar ôl cyrraedd. Ond roedd o wedi trefnu i gyfarfod â Thérèse yn Boston. Rŵan doedd ganddo ddim dewis ond taflu'i ddillad i mewn i fag a rhedeg i bellteroedd byd, o'r naill wâl ddiogel i'r llall, gan adael sgerbwd Karl Amstat ar ôl yn Efrog Newydd heb hyd yn oed gyfle i ffarwelio â ffrindiau. A dyna'r rhwystr; un fagl sentimental fechan yn sefyll rhyngddo a rhyddid. Rhaid oedd egluro ac esbonio wrth Thérèse. Byddai un alwad ffôn yn ddigon. Gallai ei ffonio rŵan a dweud ffarwél sydyn. Maen nhw ar fy ngwarthaf i, ac mae'n rhaid i mi'i heglu hi oddi yma. Ond fedrai o ddim gwneud hynny. Ddim fel yna. Os oedd ganddo ddigon o amser i ddianc, roedd ganddo ddigon o amser i ddewis ei lwybr hefyd. Cododd a dechrau pacio. Agorodd ddrws y fflat, cerdded allan a chloi'r drws ar ei ôl gan adael y golau ynghynn. Aeth i lawr y grisiau cefn ac allan drwy'r is-fynedfa. Roedd y stryd yn wag ac anghroesawgar. Roedd hi'n amlwg fod llygaid rhywun yn ei wylio, ond ddim yr adeg hon o'r nos chwaith. Meddylient ei fod o'n cysgu'n ddi-glem yn ei wely mae'n rhaid. Cerddodd y naill stryd ar ôl y llall tan iddo weld tacsi'n cropian yn araf yn chwilio am gwsmer meddw. Gorchmynnodd y gyrrwr i fynd ag o i'r maes awyr. Toc wedi saith o'r gloch y bore roedd o'n rhuthro uwchben y cymylau i gyfeiriad Boston.

Safai'r ddau wyneb yn wyneb mewn clamp o barlwr mawr; carped coch a achubwyd o grafangau'r Chwyldro Ffrengig yn llifo hyd y lloriau a darluniau prin Fragonard yn harddu'r muriau moel — merched ifanc, prydferth yn mwytho cariadon ffantasïol mewn dolydd gleision yn gyfoeth o flodau o dan awyr las, ddigwmwl. Roedd y tŷ'n deml i orffennol a diwylliannau gwledydd eraill ac am naw o'r gloch y bore roedd hynny'n esgor ar ddieithrwch rhwng y ddau. Y forwyn atebodd y ffôn pan ffoniodd Karl Thérèse o'r maes awyr i ddweud dim mwy na'i fod o ar ei ffordd yno. Arweiniodd y forwyn o i'r parlwr pan gyrhaeddodd am nad oedd hi wedi tynnu llwch yn y stafell fyw. P'run bynnag, doedd hi ddim yn hoffi gweld trysorau'r parlwr dan glo ymhell o olwg ymwelwyr.

'Karl, be' sy'? Be' sy' 'di digwydd?'

Wnaeth o ddim closio ati, na cheisio'i chyffwrdd chwaith. Roedd o wedi adrodd ei bwt pregeth drosodd a throsodd yn ei ben, byddai cyffwrdd â hi rŵan yn siŵr o amharu ar eiriad gofalus y bregeth honno.

''Di dŵad yma i ddeud ffarwél ydw i, Thérèse. Fedra i ddim aros yn hir na bod efo chdi i fwrw'r Sul; dim ond wedi dŵad i ddeud ffarwél; 'nghariad i.'

197

'Na! Na, fedri di ddim, Karl!' Rhuthrodd ato gan bontio'r pellter rhyngddynt, a chollodd yntau'i gyfle i fod yn ddiemosiwn. 'Be' sy' 'di digwydd? Cariad, be' sy'. . .?'

'Mi ges i alwad ffôn ddoe,' atebodd. 'Ma'n nhw ar f'ôl i eto; ac ma' rhaid i minna'i gwadnu hi o 'ma cynta medra i.'

'Na, na, cariad! Na!' llifai'r geiriau'n rhes ddi-baid o'i cheg. 'Sut medran nhw fod ar d'ôl di . . .?'

'Dydi'r sut ddim yn bwysig,' meddai. Gorfododd hi i edrych arno wrth iddo'i chusanu. 'Paid â chrio, Thérèse. 'Sgen i'm isio gweld dy ddagra di. Fi sy' 'di bod yn ffŵl . . .' Fe'i rhyddhaodd o'i hun o'i gafael, ond cydiodd hi'n ei law. 'Ddylwn i ddim fod wedi dŵad yma; dim ond wedi dy frifo di ydw i! Peth hunanol oedd dŵad yma. Isio dy weld di unwaith eto.'

'Lle 'ti'n mynd?' gofynnodd. 'Karl, 'nghariad i! Paid â throi dy gefn arna i; ty'd i ista i rywla — ma'n gas gen i'r stafall yma. Does 'na nunlla cyfforddus i ista, dim cadeiria iawn, dim soffa. Ty'd i'r gegin.' Doedd hi erioed wedi hoffi'r stafell hon; teimlai'n ddieithryn ynddi, ac rŵan roedd hi'n casáu'r lle am ei fod o'n symbol o garchar ei bywyd. 'Ty'd efo fi! Ffordd 'ma, i'n stafall i.'

Gwahanodd y llenni trymion, ac agor y ffenest; roedd hon yn stafell braf er fod cysgod ei diweddar fam yng nghyfraith yn dal yn drwm arni.

'O leia mi fedri di ista'n fan 'ma heb deimlo pwysa'r holl deulu ar dy sgwydda di. Rŵan, gad i ni drio trafod hyn heb gynhyrfu. Deuda wrtha i'n union be' ddigwyddodd.' Roedd hi wedi rhoi'r gorau i grio ac wrthi'n sychu'i llygaid tra'n disgwyl iddo ddweud yr hanes.

'Fel deudais i, mi ffoniodd y bobol helpodd fi o'r

blaen ganol nos neithiwr. Mi gychwynnodd yr Israeliaid rai dyddia'n ôl; wn i ddim sut roedd 'y mhobol i'n gwbod, ond ma' rhaid fod gynnyn nhw glustia ym mhobman. Roeddan nhw 'di trefnu dihangfa i mi — pres, papura, a phetha felly.' Gafaelodd yn dynn yn ei llaw wrth eistedd, yna fe wyddai y dylai fod wedi mynd i Washington i gychwyn bywyd newydd.

'Gwrthod yr help 'nes i. Dwi ar fy mhen fy hun rŵan. Os cân nhw afa'l arna i, dyna ni, rwy'n fodlon derbyn hynny. Dwi 'di blino edrach dros f'ysgwydd beth bynnag.'

'Dy ladd di wnân nhw 'te?' meddai. 'Dyna be' 'di 'u gorchmynion nhw, yntê?'

'Ia. Wel, fyddan nhw ddim isio mynd â fi'n ôl i Israel. Dydw i ddim digon pwysig i hynny.'

''Ti'n bwysig i mi,' meddai. 'Y peth pwysica ar wynab y ddaear. Faint o bres sgen ti?'

'Chydig o gannoedd o ddoleri. Paid â phoeni am hynny, cariad. Dwi'n gyfarwydd â byw ar lai.'

Edrychodd i fyw ei lygaid a gwenu; roedd hi wedi bod yn brydferth erioed, ond roedd cariad wedi'i gwneud hi'n brydferthach fyth. Cynhesodd drwyddo, fel petai pelydrau'r haul newydd gyrraedd ei galon.

'Dwi'n dŵad efo chdi, Karl,' meddai. 'Paid â dadla, dwi 'di penderfynu.'

Ysgydwodd ei ben, mewn ymdrech dila i anghytuno â grym tawel ei chariad.

'Nac wyt. Dwyt ti ddim yn dŵad efo fi. Dwyt ti ddim yn deall be' fedrai ddigwydd.'

'Dwi'n deall digon i wbod mai isio dy ladd di ma'n nhw,' meddai. 'Ac mi ydw i'n dŵad efo chdi. Dy dynged di ydi 'nhynged inna rŵan hefyd. Chdi pia fi, Karl. Fedri di ddim mo 'ngada'l i yma, chei di ddim. Efo'n gilydd ydan ni i fod.'

'Ma'r peth yn amhosib,' meddai'n dyner. 'Fedri di ddim breuddwydio sut fywyd fydd o. 'Ti 'di arfar â chysur a diogelwch — sbïa ar be' sgen ti! Os llwydda i i ddianc, a dwi'n meddwl y medra i, dyfodol o fân swyddi, gwestai budron a strydoedd cefn sy' o 'mlaen i. Ella, flynyddoedd o hynny. Mi 'nes i ofyn i ti ada'l dy ŵr, ond mi'r oedd hynny'n wahanol. Mi'r oedd gen i ddyfodol i'w gynnig i ti bryd hynny. Ond rŵan 'sgen i ddim byd. Dwi'n mynd, Thérèse. Yn mynd ar fy mhen fy hun.'

Cododd Thérèse a thanio sigarét. Ymddangosai'n dawel a hyderus.

'Mi fuasai'n well gen i fyw gweddill fy mywyd mewn un stafall efo chdi, na threulio un diwrnod arall yn y carchar yma. Dydw i ddim yn mynd yn ôl at Robert — byth. Mi wyt ti 'di deud 'rioed y buaswn i'n gorfod dewis rhyngddach chi rywbryd. Wel, mi ydw i'n dewis rŵan. Dwi wedi'i ada'l o. Dwi'n dy garu di, dyna'r unig sbardun sy' ar ôl yn 'y mywyd i. Ma' petha mor syml â hynny. Os wyt ti'n gorfod ffoi, ma' rhaid i minna ffoi efo chdi. Os wyt ti'n marw, mi ydw inna'n marw hefyd. Mi ddeudais i wrthat ti unwaith, ar ôl i mi gofio pwy oeddwn i ac i titha ddeud dy hanas wrtha i, 'mod i 'di meddwl am fynd adra cyn i mi sylweddoli nad oedd gen i adra bellach. Ma' hynny'n dal yn wir; does a 'nelo fi ddim byd â'r lle 'ma. Chdi ydi'r unig beth ma' gen i hawl arno fo. A dim lol sentimental ydi hyn chwaith, cofia hynny.'

Cododd ei llaw dde at ei wyneb.

'Un bys ar ôl y llall, efo morthwyl. Mi fedra i ddiodda unrhyw beth y medri di'i ddiodda, 'nghariad i. Fedri di ddim gwadu hynny. Mi ydan ni'n rhan o'r un dyfodol.' Gafaelodd yn ei llaw a'i chusanu.

'Iawn,' meddai. 'Iawn, Duw a'm gwaredo i, iawn, mi

rannwn ni'r un dyfodol. Ond os oes yna beryg yn rhywla, ma' rhaid i ti addo gneud fel dwi'n deud.'

'Mi ro i 'ngair,' meddai. 'Os oes peryg, mi wna i fel 'ti'n deud. Faint o amsar sgynnon ni? Ac i le ydan ni'n mynd?'

'Cyn bellad ag y ma' modd o fan 'ma,' meddai. 'Mi fyddan nhw'n gwylio'r meysydd awyr erbyn fory ar ôl iddyn nhw weld nad ydw i yn Chicago. Efrog Newydd, Washington, pob man — a'r porthladdoedd hefyd, wrth gwrs. Mi fyddan nhw'n disgwyl i mi drio'i 'nelu hi'n ôl am Dde America, i ffoi drwy Mecsico. Dwi 'di trio rhoi trefn ar fy meddylia. Dwi'n meddwl mai trio'r annisgwyl ddylan ni. Mynd ar draws i'r gorllewin ac yna troi tua'r gogledd i rywla fel Montana ne' Washington ac yna trio croesi'r ffin i Ganada.'

'Os byddan nhw'n cadw'u llygaid ar y meysydd awyr, mi fydd yn rhaid i ni fynd efo trên ne' mewn car,' meddai Thérèse.

''Sgen i'm car, ac ma' rhaid i ni fynd o 'ma cyn gyflymad â phosib.'

'Ma' 'na ddau gar yn fan 'ma,' meddai. 'Yn sefyll yn y garej rhag ofn y bydda i ne' Robert isio picio i rywla. Felly ma' gynnon ni gar. A phres hefyd. Mi fedra i dynnu deng mil o ddoleri o'r banc yma — mwy os lici di, ond mi all'sai pobol sylwi ar hynny. Ac ma' hon gen i . . .' Gafaelodd yn y fodrwy ddiamwnt ar ei bys. 'A'r 'chydig o drugaredda eraill ddois i fyny 'ma efo fi; mi fedran ni 'neud efo'u pres nhw rywbryd. Mi a' i i ofyn i'r forwyn baratoi brechdana i ni tra bydda inna'n hel 'chydig betha at 'i gilydd.' Cerddodd at y ddesg a chanu'r gloch ar y forwyn. 'Mi dreuliais i flwyddyn gynta 'mywyd priodasol yma yn gwylio fy mam yng nghyfraith yn ista wrth y ddesg 'ma'n sgwennu'i llythyra ac yn trefnu'r fwydlen. Dwi'n cofio ista wrth y ddesg 'na'n hun ar ôl iddi hi farw, yn chwilio am yr hyder i ganu'r gloch a galw ar y forwyn. Fedrwn i ddim. Am dri mis crwn, cyfan mi fûm i'n gneud popeth drosta i'n hun ne'n disgwyl iddi hi ddŵad i ofyn a oeddwn i'n iawn. Diolch byth na fydd raid i mi boeni am y gloch felltith 'na eto.'

'Pa fath o geir sgynnoch chi?'

'Bentley ydi un, Ford ydi'r llall. Y Ford yn flwydd a'r Bentley'n newydd.'

'Y Ford fyddai ora,' meddai. 'Yn gyflym ac yn gyffredin. 'Sgynnon ni ddim isio i bobol sylwi arnan ni. Ma' hynny'n bwysig.'

''Neith neb sylwi arnan ni,' meddai. 'Oherwydd mi fyddan nhw'n chwilio am un dyn, ac mi fyddwn ninna'n ddau. O hyn allan, mi fydd yn rhaid i ni fyhafio'n berffaith normal — nes byddwn ni'n bell o fan 'ma. O, Mrs James, mi ydan ni'n mynd am bicnic p'nawn 'ma ac yna mi fydda i'n gyrru'n ôl i Efrog Newydd wedyn. Fydd petha'n barod mewn rhyw awran? A gyda llaw, fydda i ddim yma i fwrw'r Sul wedi'r cwbwl.'

'O'r gora, madam. Be' fuasai'r gŵr bonheddig yn licio yn 'i bicnic?'

'Be' liciach chi, Karl? Ma' Mrs James yn medru gneud gwyrthia wrth baratoi bwyd.'

'Beth bynnag sy' wrth law,' meddai. 'Peidiwch â mynd i draffarth er fy mwyn i.'

'Dewiswch chi felly,' meddai wrth y forwyn. Roedd hi wedi bod yn byw mewn parchedig ofn o'r forwyn erioed, ond rŵan doedd dim yn ei dychryn. 'Diolch, Mrs James, dyna'r cwbwl. Mi fyddwn ni'n defnyddio'r Ford, felly fyddwch chi cystal â rhoi pob dim yn hwnnw.' Pan gaeodd y drws, cododd Karl a'i gwasgu rhwng ei freichiau.

'Cariadus, a dewr hefyd. Mi wyt ti'n werth y byd i mi,

a finna ddim yn haeddu chwartar cymaint.'

'Cusana fi,' meddai'n dawel. 'Mi a' i i bacio wedyn.'

* * *

'Be' ddiawl sgen ti ar y gweill?' holodd Vera Kaplan. 'Dyna'r ail alwad i ti dderbyn o Buenos Aires mewn deuddydd.'

'Gwaith, Vera,' atebodd Joe. Roedd o'n ceisio darllen copi ddoe o'r *New York Times*, neu o leiaf yn ceisio cuddio y tu ôl iddo rhag i Vera weld celwydd yn ei wyneb.

'Fath â'r alwad o Detroit ddoe, ma'n siŵr?' meddai'n llawn gwenwyn. 'Fedrwn i ddim peidio â gwrando, cariad. Doedd y lol ddim yn swnio fel rwdl feddygol i mi chwaith.'

Syllodd yn flin arni. 'Feddyliais i 'rioed y byddat ti'n medru bod mor ddiegwyddor â hynny, Vera. 'Sgen ti'm achos i edrach dros fy sgwydda i.'

'Diolch, dwi'n dy goelio di,' meddai. 'Ond mi ydw i'n hel meddylia hefyd; wedi'r cwbwl, prin dorri gair wyt ti efo fi'r dyddia yma. 'Ti 'di bod yn sathru arna i cyhyd fel 'mod i'n dechra teimlo fel cicio mymryn yn ôl. Be' ydi ystyr y galwada ffôn 'ma beth bynnag? A phaid â gwastraffu d'anadl yn trio deud wrtha i mai siarad am un o dy gleifion di oedd y dyn 'na o Detroit. Pwy lithrodd o afael pwy?'

Roedden nhw wedi'i golli o. Dyna oedd yr adroddiad diweddaraf o Detroit ddoe, ac roedd o newydd gael cadarnhad o hynny gan Jacob Hoffmeyer. Pan gyrhaeddodd y tîm Chicago roedd o wedi mynd. Fflat Karl yn wag a neb yn gwybod dim o'i hanes o. Doedd o ddim wedi mentro'n ôl i Efrog Newydd chwaith. Roedd o wedi diflannu efo deuddydd i'w sbario.

Roedd Vera ac yntau'n briod ers bron i ddeunaw

mlynedd; gwywodd eu cariad ers blynyddoedd a gwrthododd hithau fagu plant Iddew am fod hiliaeth yn gynhenid yn ei chymdeithas hi. Hynny oedd wrth wraidd methiant eu priodas a hynny oedd wedi chwerwi'r naill a'r llall hefyd. Efallai ei bod hi'n hen bryd iddi sylweddoli pa mor dew oedd gwaed yr Iddew yng ngwythiennau'i gŵr.

'Troseddwr rhyfel o Almaenwr,' meddai. Plygodd y papur a phwyso'n ôl yn ei gadair gan groesi'i freichiau. 'Dyn oedd yn gyfrifol am lofruddio pedair mil o 'mhobl i yn ystod y rhyfal. Rydan ni wedi bod yn chwilio amdano fo ers ugain mlynedd, ac roeddan ni ar fin 'i ddal o. Ond mi agorodd rhywun 'i geg a llwyddodd ynta i ddianc.' Syllai'n gegrwth arno, yn ceisio gwneud synnwyr o'i eiriau gwallgof.

'Troseddwr rhyfel — pa droseddwr rhyfel? Siarada'n gall, 'nei di? Be' ti'n feddwl rydan "ni" wedi bod yn chwilio amdano fo? . . . Pwy ydan "ni"?'

'Yr hil Iddewig,' atebodd ei gŵr. 'Glywaist ti am Adolf Eichmann 'rioed? Ma' rhaid dy fod ti achos dwi'n dy gofio 'di'n hefru pa mor anghyfreithlon oedd 'i gipio fo . . .'

'Deud fod hynny'n codi hen grachod 'nes i,' poerodd yn chwerw. 'Deud fod hynny'n ailagor hen friwia hiliol ar ôl cymaint o amsar.'

'Roedd lladd chwe miliwn o bobol ddiniwad yn friw hiliol hefyd,' meddai Joe Kaplan. 'Mi rydan ni'n teimlo fod gynnon ni hawl i dalu rhywfaint o'r pwyth yn ôl. Gafaelodd yr Iddewon yn Israel yn awena'r frwydr ar ôl i'r parchusion droi'u cefna. Mi gawson ni Eichmann, ac mi fuasat ti'n synnu cymaint rhagor o'r sglyfaethod sy' 'di diflannu oddi ar wynab daear. Mi ydan ni 'di hen laru ista ar 'yn tina'n disgwyl i rywun arall ddechra'n cam-drin ni; byw yn y gwterydd, yn rhedag o'r naill loches i'r llall efo'n mymryn eiddo ar 'yn cefna. Ma' gynnon ni wlad rŵan, a chenedl unedig. Ac mi ydw inna'n rhan o'r genedl honno, Vera.'

'Iddew Americanaidd wyt ti,' atebodd. 'Heb damad mwy o gysylltiad efo'r bwystfilod 'na'n Israel na sgen i. Dydi dy "ni" di'n dal dim dŵr yn fan 'ma.'

'Dwi'n gweithio i'r Israeliaid,' meddai Joe Kaplan. 'Yn gweithio iddyn nhw ers blynyddoedd hefyd, yn chwilio am ddynion fel Eichmann. Ac mi ydw i 'di ca'l gafa'l ar un, diolch i chdi, ac rŵan ma' hi'n ymddangos 'i fod o 'di llithro o'n gafa'l ni eto. Felly, ella medri di ddeall pam 'mod i braidd yn biwis.'

'Be' 'ti'n feddwl?' holodd yn bwyllog. 'Be' 'ti'n feddwl — diolch i mi?'

'Chdi roddodd fi ar 'i drywydd o. Karl Amstat. Heblaw am dy help gwerthfawr di, fuasan ni byth 'di'i ama fo. Ond mi oeddat ti'n iawn, cariad, yn hollol iawn. Almaenwr oedd o. Dyn a laddodd ddynion, merched a phlant Iddewig ar ôl i'r rheini dorri'u bedda'u hunain. A dydi o ddim yn mynd i osgoi talu am hynny. Mi gawn ni afa'l arno fo. Dwi'n addo hynny i ti.'

Camodd yn ei hôl, wrth ddal i syllu arno; ymddangosodd yn welw a sâl. 'Chdi,' meddai. 'Mae a 'nelo chdi â hyn? Ma' dy law di'n rhan o'r cipio a'r lladd dianghenraid 'ma — o 'rargian, be' dwi 'di briodi?' Ffrwydrodd ei llais cyn dechrau toddi'n ddagrau. 'Be' ddiawl dwi 'di briodi!'

Dechreuodd y ffôn ganu, a chaeodd hithau'i cheg; allai hi ddim symud i'w ateb a daliodd y ffôn i ganu. Wrth iddo godi o'i gadair a chodi'r ffôn o'i grud, gwnaeth sŵn fel anifail caeth a dianc allan o'r stafell.

'Bob sy' 'ma,' meddai'r llais. 'Joe, ma' rhaid i chdi ddŵad yma ar unwaith. Ma' Thérèse ar goll.'

* * *

Roedd Bob Bradford yn nabod ei chwaer yn dda; a phan wahoddodd ei hun yn ôl i'r tŷ ar ôl bod yn swyddfa'r cyfreithiwr gwyddai nad eisiau cwmni na diod oedd arni. Roedd rhywbeth yn pwyso ar ei meddwl, a lled-amheuai mai ysgariad arall oedd yn mynd â'i bryd. Eisteddai'r ddau wyneb yn wyneb yn mân siarad, ac ar ôl deng munud o hynny, gofynnodd Bob, 'Ruth! Deuda be' sy' ar dy feddwl di!'

'Ar fin gneud hynny oeddwn i,' meddai. 'Dwi'n cymryd fod Thérèse i ffwrdd eto?'

''Di mynd i Boston i fwrw'r Sul. Pam?'

Roedd yn adnabod yr olwg yn ei llygaid.

'Dwi 'di trio 'ngora i beidio â busnesu,' meddai. 'Ond ma' hi'n hen bryd i ti wynebu'r peth, Bob. Ddim yn y tŷ ma' hi, ond wrthi'n dy dwyllo di'n rhywla.'

Rhoddodd ei gwydryn ar y bwrdd, a disgwyl i gymylau'i gasineb gasglu.

Disgwyliodd yntau hefyd, yn fwriadol felly. 'Deuda hynna eto, 'nei di? Dwi isio bod yn berffaith siŵr 'mod i 'di clywad yn iawn cyn i mi dy hel di o 'ma. Am byth!'

'Gwylltia faint fynni di,' meddai Ruth. 'Deuda be' fynni di wrtha i hefyd, ond deud y gwir wrthat ti ydw i. Dydi Thérèse ddim yn Boston. Dwi'n gwbod am hyn ers wsnosa, ond 'mod i 'di brathu 'nhafod yn y gobaith y byddat ti'n gweld drwyddi dy hun, ond ma' hi'n amlwg dy fod ti yr un mor ddall ag arfar. Dydi Mrs James ddim wedi'i gweld hi ers tri mis. Ac ma' pawb yn siarad; does neb 'di meiddio deud enw wrtha i eto, ond ma'n nhw'n siŵr o 'neud yn o fuan.'

''Ti'n deud celwydda, Ruth,' meddai. 'Dydi 'ngwraig i 'rioed 'di rhoi'r un droed allan o'i lle. Ac mi siaradais i efo hi echdoe. Ac yn Boston roedd hi'r adag honno.'

'Wel, dyna'r tro cynta iddi hi fynd yno, 'ta,' atebodd ei chwaer. 'Dydi hi ddim wedi mynd yno o'r blaen. Yli,

Bob, rydan ni'n deulu. Yn meddwl y byd o'n gilydd, ac wastad wedi bod yn gefn i'n gilydd. Fuaswn i byth yn gneud dim i dy frifo di heb fod raid! Ond mi wyt ti'n destun sbort, yn ffŵl, a 'rarglwydd, fedra i ddim eistedd yn ôl a gwylio hyn yn digwydd i chdi. Nid pobi celwydd ydw i — fu hi ddim yn Boston y troeon d'wetha 'ma. Iawn, ella'i bod hi ddeuddydd yn ôl, ond lle ma' hi rŵan, Bob?'

'Yn Boston,' meddai. 'Tan bora fory fel ma' hi'n digwydd bod. A chyn i mi gloi'r drws 'na arnat ti am byth, mi brofa i hynny i chdi hefyd. Mi ffonia i hi rŵan.'

Ar ôl siarad efo'r forwyn y ffoniodd o Joe Kaplan.

'Pam fo?' holodd Ruth. Safai uwch ei ben yn ceisio'i orfodi i yfed llymaid o wisgi. 'Pam Joe Kaplan?'

'Am mai fo ydi'i doctor hi,' meddai Bob. 'Os oes rhwbath yn bod, mi fydd o'n gwbod be' i' 'neud.'

'Seicolegydd ydi o,' meddai Ruth. 'Be' sy' a 'nelo fo â Thérèse? Wyt ti'n trio deud wrtha i'i bod hi 'di drysu? Deuda wrtha i be' sy' 'di bod yn digwydd, Bob.'

'Ma' 'na gant a mil o betha nad wyt ti ddim yn 'u gwbod am Thérèse,' meddai. Ysgydwodd ei ben a gwthio'r wisgi oddi wrtho. 'Mi ddeudodd o y deuai o yma ar 'i union. Lle ddiawl mae o?'

'Dwi yn y niwl yn llwyr, Robert,' meddai. 'Be' dydw i ddim yn 'i wbod amdani hi?'

'Ddim yn gwbod 'i bod hi 'di bod yn gweithio i'r *Résistance*. Ddim yn gwbod 'i bod hi 'di ca'l 'i dal a'i cham-drin gan y Gestapo. Ca'l hyd iddi yn Buchenwald 'nes i, pan oeddan ni'n rhyddhau'r lle o afa'l yr Almaenwyr. Os wyt ti isio gwbod be' 'naethon nhw iddi, mi fedra i ddeud hynny wrthat ti hefyd! Joe achubodd hi o'i charchar meddyliol; gneud iddi anghofio — mygu'i cho hi'n fwriadol er mwyn iddi fethu â chofio ca'l dal 'i phen dan ddŵr, ca'l 'i llosgi a cha'l torri'i

207

bysedd!' Edrychodd i ganol ei hwyneb, ei lygaid gleision yn boddi yn ei wyneb. 'Nid ast fach gyfoethog, ddiegwyddor fath â'r gweddill ohonach chi ydi 'ngwraig i. Pan oeddat ti 'di meddwi ar dy briodas gynta efo'r brych Charleton 'na, roedd hi'n gaeth yn Buchenwald! Dwi ond yn gobeithio,' meddai, 'dy fod ti'n teimlo'r un mor fychan ag y dylat ti ar ôl trio'i phardduo hi fel y gwnest ti!'

'Pam na fuasat ti 'di deud wrthan ni?' Dihangodd Ruth o'i gyrraedd gan ddechrau sipian y wisgi'i hunan. Roedd y cwbl yn swnio mor anhygoel o ffiaidd a di-chwaeth. Roedd rhywun yn hen gyfarwydd â darllen am y fath bobl. Ond doedd rhywun ddim yn 'u cyfarfod nhw chwaith . . . roedden nhw i gyd mewn ysbytai neu wersylloedd neu rywle. Neidiodd ei meddwl yn gyflym o'r naill ddarlun i'r llall yn ceisio dirnad beth a wyddai am y rhyfel a chysylltu hynny efo gwraig ei brawd. 'Pam na fuasat ti 'di deud wrthan ni?' holodd eilwaith. Yna, fflachiodd i'w meddwl gof am ei mam yn y tŷ yn Boston, wedi gwisgo amdani'n barod i fynd allan i gwrdd â'i ffrindiau cefnog, ac roedd y cwestiwn wedi'i ateb yn barod.

'Am nad oeddwn i isio gweld yr olwg sy' ar dy wynab di rŵan,' meddai. 'Am nad oedd o'n ddim o'ch blydi busnas chi. Joe! Diolch i Dduw dy fod ti yma! 'Ti'n nabod Ruth, dwyt? Be' cadwodd di?'

'Gorfod galw i weld rhywun ar 'yn ffordd,' meddai Joe Kaplan. 'Rŵan deuda wrtha i'n union be' sy' 'di digwydd.'

'Mi ffoniais i adra i ga'l gair efo Thérèse, ac mi ddeudodd y forwyn 'i bod hi 'di cychwyn o 'no er bora Iau. Cychwyn yn ôl i fan 'ma.' Petrusodd, ac yna ychwanegodd, 'Mi roedd 'na ddyn efo hi, Joe. Mynd efo'i gilydd 'naethon nhw! Ma' arna i ofn 'i bod hi 'di ca'l 'i chipio!'

'Wyddai'r forwyn pwy oedd o?'

'Na. Dyna ofynnais inna hefyd. Ond mi ddeudodd hi'i fod o'n ddieithryn. Tramorwr. Deud fod Thérèse yn 'i alw fo'n Karl.'

Edrychodd Joe ar Bob a'i chwaer, y naill ar ôl y llall. Edrychai hi fel petai newydd weld ysbryd dan ei chadair. Tynnodd lythyr Jacob Hoffmeyer o'i boced a'i daflu ar y bwrdd.

'Cyn i ni ddeud dim gair 'chwanag, Bob, ma' rhaid i mi ddeud y buaswn i wrth fy modd yn ca'l d'arbad di rhag hyn. Ond fedra i ddim. Dydi Thérèse ddim 'di ca'l 'i chipio, a dim ond efo un Karl y byddai hi'n mynd i ffwrdd. Karl Amstat.'

'Mi ddeudais i'i bod hi'n dy dwyllo di!'

Bloeddiodd Ruth y geiriau; ei hwyneb yn cochi wrth i rym ei thymer lifo o'i gaethiwed. 'Dwi 'di deud a deud mai twyllwraig ydi hi ac mi ydw i'n llygad fy lle.'

'Ella.' Doedd hi'n hidio dim am yr awgrym yn llais yr Iddew o ddoctor. 'Ond ma' hyn 'chydig yn wahanol i garwriaeth Americanaidd ddiddychymyg. Bob, cyn i ti ddarllan hwnna, ma' rhaid i mi esbonio un ne' ddau o betha. Alfred Brunnerman ydi enw iawn Karl Amstat. Efo fo ma' Thérèse 'di diflannu — ac ma'n nhw ddau gam ar y blaen i'r Israeliaid. Tra wyt ti'n darllan hwnna, mi liciwn i ffonio Julia Adams a gofyn iddi hi ddŵad draw 'ma. Mi fu hi'n byw efo'r bastard yna am ddwy flynadd — ella'i bod hi'n gwbod rhywbeth fydda'n awgrymu i lle ma'n nhw 'di mynd.'

Roedd Julia'n gwylio'r teledu pan ganodd y ffôn; treuliai'r rhan fwyaf o'i nosweithiau yn y tŷ o flaen y tân oddi ar i Karl fynd, nid am ei bod hi'n methu wynebu pobl nac yn boddi yn ei hanhapusrwydd ei hunan, ond oherwydd nad oedd arni awydd codi allan a chwilio am ddyn newydd. Ddim am dipyn, beth bynnag. Roedd Karl yn golygu mwy nag a sylweddolodd iddi, llawer mwy na chywely a rhywun i'w briodi. Dyna'n unig oedd ei chyn wŷr a'i chariadon, ond roedd hwn yn arbennig am mai o oedd y meistr, dyna oedd mor ddeniadol ynglŷn ag o. Nid perthynas gytbwys oedd rhyngddyn nhw, a go brin y gallai hi gael gafael ar rywun tebyg eto yn ei chylch cyfyng o ffrindiau. Wnaeth Joe ddim dweud ei neges dros y ffôn; dim ond dweud ei fod yn bwysig a gofyn iddi ddod i dŷ Robert Bradford cyn gynted ag oedd modd. Cerddodd i mewn i dŷ o dawelwch; eisteddai Bob yn wargam mewn cadair; edrychodd arni wrth iddi ddod i mewn a gwneud rhyw lun ar ymdrech i godi. Safai Ruth a gwrid anghyfarwydd ar ei hwyneb gwelw. Dim ond Joe Kaplan oedd yn ymddangos yn normal, er bod hwnnw i'w weld yn fwy difrifol nag arfer hefyd.

'Wel, helô, bawb,' meddai. 'Pwy sy' 'di marw? O 'rarglwydd!' tawelodd ei lais yn sydyn. 'Bob, annwyl, be' dwi 'di ddeud?'

'Does neb 'di marw, Julia,' atebodd Ruth. ''Di ca'l dipyn o sioc ydan ni, 'na'r cwbwl. Dwi'n meddwl y cewch chitha sioc hefyd.'

''Steddwch,' meddai Joe. 'Ma'n ddrwg gen i'ch galw chi yma fel hyn, ond ma' rwbath 'di digwydd. Mi eglura i rŵan.' Syllodd ar y tri ohonyn nhw, cyn eistedd i lawr. Cynigiodd Joe sigarét iddi cyn troi at Bob.

'Oes ots gen ti os deuda i wrthi hi, Bob?'

'Na, na,' meddai Bob. 'Deuda di, Joe. Ella medar Julia ddeud rwbath i'n helpu ni. Ma' rhaid i mi ga'l hyd iddi hi.'

'Ma' Thérèse 'di rhedag i ffwrdd efo Karl,' meddai Joe. 'Dwi'n gwbod nad ydi hynny'n fawr o syndod i ti,

Julia, ond ma' 'na fwy i'r stori na hynna. Ma' rhaid i ni fynd 'nôl i amsar y rhyfal i ddeall hynny. Roedd Thérèse yn gweithio i'r *Résistance* yn Ffrainc; mi gafodd hi'i dal wrth 'i gwaith gan y Gestapo a'i holi gan un o'u swyddogion nhw. Mi ddatblygodd 'na ryw fath o gyfathrach rhyngddyn nhw — 'sgen i ddim amsar rŵan i egluro ac esbonio sut a pham, ond roedd 'na berthynas go emosiynol rhyngddyn nhw. Dwi'n meddwl 'mod i'n saff yn deud fod y boi 'ma 'di bod yn llai llawdrwm nag arfar efo hi am resyma personol . . .'

'Pam na ddeudwch chi'u bod nhw mewn cariad?' meddai Julia. 'Mi fedar hynny ddigwydd i Almaenwr hyd yn oed, mae'n debyg.'

'Ella,' meddai Joe. 'Ond wna'th hynny ddim arbad dim ar Thérèse rhag ca'l 'i cham-drin gan swyddogion eraill y Gestapo, a phan gafodd Bob hyd iddi yn un o'r gwersylloedd roedd hi'n wael ac yn wan iawn. Fi oedd 'i doctor hi yno, ac mi driais i'i helpu hi drwy 'neud iddi golli'i cho. Ro'n i'n teimlo mai dyna'i hunig gyfla hi i ailgychwyn byw. Mi briododd Bob hi, ac mi 'naethon ni greu'r stori am y cyrch awyr a ballu.'

'Ond pam?' Edrychodd Julia o'r naill wyneb i'r llall. 'Pam y celwydda? Er mwyn y nefoedd, roedd hi'n arwres. Be' oeddach chi'ch dau'n drio'i guddio?'

''Ti'n gweld, Ruth,' siaradodd Bob am y tro cyntaf, 'dydi pawb ddim yn meddwl fath â chdi. Diolch, Julia, am bc' 'ti newydd 'i ddeud. Yn anffodus, dydi 'nheulu i ddim yn medru gosod profiada 'ngwraig ochor yn ochor â pharch yn y gymdeithas gul, Americanaidd — beth bynnag ddiawl ydi hynny!'

'Mi'r oedd yna reswm arall hefyd,' torrodd Joe ar ei draws. 'Y gwir reswm, Bob. Bydda'n deg efo Ruth a'r teulu. Doedd arnan ni ddim isio i neb holi cwestiyna allai brocio meddwl Thérèse. Doeddan ni ddim isio iddi hi fedru cofio.'

'Mi fedra i ddeall hynny,' meddai Julia. 'Ond dydw i ddim yn gweld pa drywydd ydach chi'n trio'i ddilyn. Ma' hi 'di rhedag i ffwrdd efo Karl ac mi ydach chi'n bryderus yn 'i chylch hi oherwydd ei chyflwr meddyliol, ia?'

''Di rhedag i ffwrdd efo'r Almaenwr fu'n ei chroesholi hi ma' hi! Dyna pwy oedd 'ych cariad chitha — troseddwr rhyfal o'r enw Brunnerman, un fu'n gyfrifol am lofruddio cannoedd o Iddewon.'

Allai Ruth ddim dal ychwaneg. Wrth weld yr olwg ar wyneb ei brawd ar ôl iddi oleuo Julia, cododd a mynd ato gan geisio'i gysuro drwy roi'i braich amdano.

'Bob, annwyl, paid ag ypsetio dy hun. Dwi'n gwbod sut . . .' Gafaelodd yn frwnt yn y fraich honno a'i gwthio oddi wrtho.

'Dos,' meddai. 'Dos i'r diawl, i rywla oddi wrtha i.'

'Troseddwr rhyfal o'r Almaen ydi Karl,' eglurodd Joe Kaplan wrth Julia. 'Mi ddihangodd nifer ohonyn nhw ar ôl y rhyfal ac ailddechra byw mewn lleoedd fel Ariannin, Chile a Brasil. Mi guddiodd Karl am ugain mlynedd, tan iddo gyfarfod â Thérèse yma a bod yn ddigon gwirion i drio ailafael yn llinynna'i orffennol. Ma' 'mhobol i, yr Israeliaid, yn chwilio amdano fo, ond ma'n nhw 'di colli gafa'l arno fo. Wyddan ni ddim tan rŵan 'i fod o a Thérèse efo'i gilydd. Meddwl oeddan ni tybad a wyddoch chi lle all'san nhw fod wedi mynd — ella bod gynnoch chi ryw go pell am rywle roedd o'n sôn tipyn amdano fo. Ond yn gynta, gan 'ych bod chi mewn cariad efo fo ma' rhaid i chi edrach ar y rhain. Dyna be' wna'th o yng Ngwlad Pwyl. Dyna pam ydan ni'i isio fo.'

Gosododd Julia y pedwar llun ar y bwrdd o'i blaen. Ddywedodd neb air; cododd nhw ac edrych arnyn nhw, yn gyflym yna'n araf, gan syllu ar bob un. Cododd yn gyflym gan daflu'r lluniau ar y carped.

'Dwi'n mynd i chwydu,' meddai. 'Mi wn i lle ma'r stafall 'molchi . . .'

'A dyna,' meddai Ruth yn chwerw wrth iddi redeg allan, 'fyddai ymateb y rhan fwya o bobol i hyn. Ma'n well i mi fynd ar 'i hôl hi.'

'Gada'l iddi fuasai ora,' meddai Joe. 'Sioc ydi o, 'na'r cwbwl.' Plygodd i'w codi a'u rhoi'n ôl yn yr amlen. Daeth â nhw efo fo yn unswydd er mwyn hyn. Bu Julia allan o'r stafell am rai munudau. Pan fentrodd yn 'i hôl, roedd hi'n wyn fel y galchen. Ar ôl iddi daro ychydig o golur ar ei hwyneb a chribo'i gwallt edrychai'n fwy bywiog eto.

'Ma'n ddrwg gen i,' meddai. 'Ond welais i 'rioed ddim byd fel 'na o'r blaen. Gweld corff un o'r plant oedd y drwg.' Estynnodd sigarét a'i thanio. 'Mi ddeuda i beth bynnag ydach chi isio'i wbod, Joe, ond ma' rhaid i mi ofyn rwbath i Bob yn gynta. Ydi hi'n gwbod pwy ydi o — ydi hi 'di nabod o?' Joe atebodd hi.

'Ydi, os ydyn nhw 'di dianc efo'i gilydd. Ma' hi 'di llwyddo i gofio — efo'i help o. Ma'n siŵr mai fo ydi'r unig berson yn y byd fuasai wedi medru gneud iddi gofio.'

'Iawn,' meddai Julia. 'Rŵan, deudwch wrtha i, sut fath o ddynas fyddai'n medru mynd efo bwystfil fel 'na? Efo dyn fedrai 'neud hynna i ddynion eraill?' Wnaeth hi ddim disgwyl am ateb. 'Mi fûm i'n byw efo'r dyn 'na am ddwy flynadd. Roeddwn i isio'i briodi o. Ond ydach chi isio gwbod pam chwydais i rŵan? Pam chwydais i go iawn? Oherwydd 'i fod o 'di cyffwrdd yndda i! Oherwydd 'mod i 'di rhannu gwely efo dyn fedrodd 'neud hynna i'w gyd-ddyn! Dwi'n crynu, Bob, yn crynu drwydda o feddwl am y peth. Dwi ddim yn meddwl y

213

medra i deimlo'n lân byth eto. Sut fath o ddynas ydy'ch gwraig chi? Ateboch chi byth! Ma' hi'n gwbod be' ydi o, 'dydi? Ma' hi'n gwbod be' wna'th o, ac ma' hi efo fo rŵan, yn 'i helpu o? Yn cysgu efo fo? Diolch i Dduw mai dim ond Americanas fach gyffredin ydw i. Joe, gofynnwch be' liciwch chi i mi — rhywbeth fydd o fudd i chi fedru ca'l gafa'l arno fo, jyst gofynnwch! Ga i ddiod, plîs? Brandi bach?'

'Fuoch chi ar 'ych gwylia 'rioed?'

'Naddo, 'rioed. Dwi'n gwirioni ar yr haul; ond doedd o byth isio teithio. Dwi'n 'i gofio fo'n deud 'i bod hi'n gas gynno fo'r haul. Trio deud 'i fod o'n casáu Ariannin oedd o dwi'n meddwl.'

'Ma'n siŵr 'i fod o,' meddai Joe. 'Oedd o'n arfar mynd i saethu, ne' ddringo ne' fynd i fwrw'r Sul i dŷ ha — rwbath felly?'

'Na,' ysgydwodd ei phen. 'Ddim hyd y gwn i; ond doedd o ddim yn siaradus iawn. Dwi'n gweld pam rŵan. Lle ydach chi'n meddwl 'u bod nhw 'di mynd?'

'Mi adawodd o Chicago a diflannu, roedd hynny bedwar diwrnod yn ôl. Tan i Bob ffonio i ddeud fod Thérèse ar goll, doedd gynnon ni ddim syniad lle i ddechra chwilio. Ond mi aeth o i Boston i'w nôl hi, ac mi adawodd y ddau efo'i gilydd fore Iau. Ma'n siŵr mai 'di mynd tua'r de ma'n nhw, trio gneud 'u ffordd am Dde America eto ma'n debyg. Dyna i lle ma'r rhan fwya ohonyn nhw'n diflannu. Ma' gynnyn nhw gar a phres, ac ma'n nhw ella dri diwrnod ar y blaen i ni. Yn naturiol, roedd 'yn dynion ni'n gwylio'r meysydd awyr, ond chwilio am un dyn roeddan nhw, nid am gwpwl. Bob! Lle ma' pasport Thérèse?'

Cododd ei ben; edrychodd Julia arno, ac roedd o fel petai o wedi heneiddio'n ddyn blinedig, canol oed yn ystod yr awr ddiwethaf.

'Yn fan 'ma, efo f'un i. Fydda i'n cadw'r ddau efo'i gilydd bob amsar. Fuon ni 'rioed dramor ar wahân.'

'Dydyn nhw ddim wedi gada'l y wlad felly,' meddai Joe. 'O leia, ma' hynny'n rwbath!'

'Ma' America'n le mawr,' atebodd Ruth, hefo digon o dylla i guddio ynddyn nhw.'

Trodd i edrych arni; dyn ysgafn, byr ei olwg oedd y doctor o Iddew ond roedd o'n meddu ar yr urddas bonheddig a nodweddai'i hen hil, urddas oedd yn gynhenid ynddyn nhw ymhell cyn i wareiddiad gyrraedd Gogledd America. Roedd o'n feistr arnyn nhw i gyd am ychydig eiliadau.

'Mi gawn ni afa'l arnyn nhw,' meddai. 'Does 'na nunlla ar wynab y ddaear yn ddigon mawr iddo fo a'i debyg guddio yno. Dim ond pitïo'r ydw i, Bob, fod Thérèse efo fo.'

'Ŵyr hi ddim be' ma' hi'n 'i 'neud,' meddai ei gŵr yn ffyddiog. Roedd y ddwy ddynes wedi poeri sen ati; wnaeth Joe ddim dweud gair, ond roedd yntau'n feirniadol ohoni hefyd. Thérèse oedd ei wraig ac roedd o'n ei charu hi; ceisiodd ddweud hynny, ond roedd y geiriau'n gwrthod egluro'i deimladau; swniai fel petai o'n hel esgusion.

'Ma' hi'n sâl — dydi hi ddim yn gyfrifol! Does yr un ohonach chi 'di hyd yn oed trio bod yn deg! Joe, er mwyn y nefoedd, ma'n rhaid i ni'u ffendio nhw! — rhaid i mi'i cha'l hi'n ôl. Be' tasa hi'n ca'l 'i brifo? Does 'na neb 'di meddwl am hynny! 'Ti'n siarad am yr Israeliaid yn ca'l gafa'l ar y mochyn Karl Amstat 'na — ond be' am Thérèse?'

'Fel deudais i,' meddai Joe. 'Ma'n ddrwg gen i. Ond dydw i ddim yn meddwl 'i bod hi'n sâl, Bob, na ddim yn gwbod be' ma' hi'n'i 'neud chwaith. Dwi'n meddwl 'i bod hi 'di gwirioni'i phen amdano fo. Os ydi hi'n bosib i anifail o ddyn fel 'na deimlo rhywbeth mor ddynol â chariad, yna mae ynta 'di gwirioni'i ben amdani hitha. Wnân nhw ddim gada'l 'i gilydd bellach. Cyn bellad ag y ma'i diogelwch hi yn y cwestiwn . . .' Ysgydwodd ei ben. 'Fedra i ddim addo dim byd. Mi a' i â chi adra, Julia — roedd hwnna'n frandi go fawr ar stumog wag. Os medrwch chi feddwl am rwbath, ffoniwch — ddydd ne' nos, does dim gwahaniaeth. Nos dawch, Bob. Os clywa i rwbath mi ddo i draw i ddeud ar unwaith.'

Wnaeth Julia na Joe ddim torri gair yn y car tan eu bod nhw ar fin cyrraedd ei fflat hi. 'Mi gaiff o'i ladd, caiff?' holodd.

'Caiff,' atebodd Joe. 'A hitha hefyd os bydd hi ar 'u ffordd nhw. A does dim yn y byd y medra i 'i 'neud i rwystro hynny.'

IX

Arhosodd y ddau mewn gwesty bychan glân a thawel ar lannau llyn Itasca am ddwy noson; roedden nhw wedi cofrestru o dan yr enw Mr a Mrs Hudson o Newark. Roedden nhw wedi bod yn teithio'n wyllt am y deuddydd cyntaf; y dydd Iau cyntaf ar ôl gadael Boston, gyrrodd Karl drwy'r nos tra chysgai Thérèse wrth ei ochr, a gyrrodd hithau drwy'r dydd drannoeth, a llwyddo drwy hynny i deithio bron i fil o filltiroedd mewn cwta bedair awr ar hugain. Yna mi fynnodd o eu bod nhw'n aros mewn gwesty dros nos er mwyn iddi hi gael ychydig o orffwys. Mi gawson nhw hyd i lety rhad yn un o strydoedd cefn Chicago. Ond camgymeriad oedd hynny, ail-fyw'r gorffennol ac yntau ar ffo ar ei ben ei hun; allai o ddim fforddio fawr mwy na'r tai gwely a brecwast budron yr adeg hynny; ond rŵan roedd rhywbeth yn amheus ynglŷn â dyn a dynes, yn arbennig dynes fel Thérèse mewn dillad drudfawr, efo'i gilydd, yn gyrru car crand, ac yn aros mewn hofel o le yng nghanol dynion busnes dilewyrch a dyrnaid o deithwyr tlawd. Roedden nhw fel sofren felen yng nghanol pocedaid o arian gleision, ac o'r herwydd cododd y ddau gyda'r wawr fore trannoeth a gadael y gwesty'n gynnar.

Y noson wedyn arhosodd y ddau mewn gwesty cyfforddus yn Minneapolis, gwesty lle'r oedden nhw'n ymdoddi'n llawer gwell i'r cefndir. Rhannu'r oriau meithion o yrru wnaethon nhw, gyda Karl yn mynnu nad oedd hi'n gyrru mwy na dwy awr ar y tro oherwydd fod y priffyrdd mynyddig yn hir a blinedig. Ar ôl gadael Minneapolis fe droeson nhw oddi ar y lôn fawr a dilyn y ffyrdd culion tuag at lyn Itasca. Yno'r oedden nhw'n teimlo'n ddigon diogel i orffwys am ychydig a gofynnodd Karl am stafell ddwbwl efo stafell 'molchi breifat. Wrth edrych ar y ddau efo'i gilydd penderfynodd rheolwr y gwesty mai pâr newydd briodi oedden nhw. Gwelai'r ddau'n eistedd y tu allan yn llygaid yr haul yn mwytho dwylo'i gilydd fel cariadon anghyfarwydd. Roedd y rheolwr yn ddyn sentimental efo gwraig flinedig, fyr ei thymer, a phan ddangosodd o Mr a Mrs Hudson iddi, syllodd yn feddylgar arnynt wrth iddynt ddod i mewn a cherdded yn hamddenol i fyny'r grisiau tua'u stafell.

'Pâr bach clen yr olwg,' meddai ei gŵr. 'Braf gweld pobol fel 'na yma. Ac ma' hi'n amlwg 'i fod ynta 'di mopio'i ben amdani hi.'

'Hy!' meddai ei wraig. 'Heb briodi ma'n nhw, siŵr i chdi!'

'Heb briodi?' Roedd yr awgrym yn ei frifo. Roedd Mr a Mrs Hudson yn bobl uchelael; tramorwr o ryw fath oedd o, un o Norwy efallai — creodd y rheolwr ddarlun clir ohonyn nhw yn ei feddwl, gan roi hanes a chefndir iddyn nhw; wedi'r cwbl dyna oedd ei ben pleser tra oedd ei wraig yn brwydro efo'r cyfrifon. Pobl yn gwybod beth ydi beth oedd y ddau ymwelydd hyn, yn arbennig felly'r wraig. Ymddangosai hi'n ddigon prydferth i'w haddoli, a'r peth olaf roedd arno eisiau'i glywed oedd llais cras ei wraig yn baeddu'i ddarlun meddyliol ohonyn nhw.

'Be' 'ti'n feddwl, heb briodi? Dydi petha felly ddim yn digwydd yn y gwesty yma.'

'George,' meddai, gan ysgwyd ei phen yn araf arno, fel petai'n dwrdio plentyn diddeall. 'Ma' petha felly'n digwydd yn y gwesty 'ma, ac mi fuasan ninna'n llawar tlotach hebddyn nhw hefyd. Ma' 'na bobol briod a dibriod yn dŵad yma, ond dy fod ti'n rhy ddwl i sylwi arnyn nhw. Dwi 'di bod yn rhedag y gwesty 'ma ers pymtheg mlynadd ac yn gweithio mewn gwesty yn St Paul am bum mlynadd cyn hynny, ac mi fedra i synhwyro priodas o bell erbyn hyn! A dydi'r rheina ddim yn briod. Dwi'n bendant o hynny. P'run bynnag, dim ond 'u pres nhw sy'n bwysig i ni.'

'Ma' gen ti feddwl milain, Hilda,' meddai. Roedd o'n siomedig am ei fod o'n gwybod fod ei wraig o'n siŵr o fod yn iawn. Daeth i nabod ei phobl; gallai ddweud pwy oedd yn mynd i roi siec ddi-werth iddyn nhw a gallai ddweud pwy oedd yn camfyhafio hefyd. Doedd dim dadlau efo greddf Hilda, ond roedd hi'n troi arno weithiau, ac roedd hi'n troi arno rŵan. Yna dywedodd rywbeth cwbl annisgwyl. Meddyliai'n aml pam ei bod hi'n mynnu edrych ar yr ochr ddu i fywyd.

'Mae o'n ddyn golygus hefyd. Ac yn gwbod sut i edrach ar ôl dynas.'

'Mi ddeudais i wrthat ti,' meddai. 'Ma'n nhw'n gwpwl clên.'

'Ydyn,' ychwanegodd ei wraig. 'Ella oherwydd 'u bod nhw'n ddibriod. Ma'r boi yn stafall pymtheg yn gada'l heno — isio'i fil cyn saith.'

'Ma' nhwtha'n mynd fory,' meddai'r rheolwr. 'Mr a Mrs Hudson dwi'n feddwl; gada'l yn gynnar meddan nhw. Mi wna i fil stafall pymtheg 'ta.'

'Iawn,' meddai ei wraig. 'Mi edrycha inna drosto fo wedyn.'

Cysgodd Thérèse mor drwm wrth ei ochr y noson honno fel na allai feddwl am ei chyffwrdd; gadawodd iddi orffwys, yna cafodd y ddau frecwast efo'i gilydd yn y stafell cyn mynd am dro bychan i ladd yr oriau cyn cinio. Edrychai'n llai blinedig a gwelw, ac roedd awel iach y gwanwyn yn cymell y gwrid yn ôl i'w bochau. Fe'i ceryddai ei hun dro ar ôl tro am adael iddi ddod efo fo; roedd ei hewyllys a'i dewrder yn gryf a chadarn, ond roedd ei phoen meddwl yn dweud ar ei chorff eiddil. Gafaelodd yn dynn ynddo yn y llofft y diwrnod hwnnw. Tynnodd yntau hi ato a mwytho'i gwallt efo cefn ei law.

'Ma' heddiw 'di bod yn ddiwrnod bendigedig,' meddai. 'Wyt ti isio clywad rwbath gwallgo, Karl?'

'Be'? Be' sy'n wallgo?'

'Dwi mor hapus,' meddai. 'Heddiw oedd diwrnod hapusa 'mywyd i, diolch i dy gwmni di. Pam nad wyt ti wedi caru efo fi?'

'Am dy fod ti 'di ymlâdd,' meddai. 'Am fod hyn yn dy flino di, 'nghariad i. Mi'r oeddwn i d'isio di neithiwr; yn ysu amdanat ti heddiw hefyd.'

'A finna'n ysu amdanat titha.' Gorchfygodd ei chwantau o mor gyflym fel yr arweiniodd hi i'r gwely heb ddweud yr un gair arall; doedd dim angen geiriau i gryfhau'u gweithred o uno. Ar ôl gwefr y caru, cusanodd o.

''Nei di laru arna i ryw ddiwrnod?'

'Byth. Wyt ti o ddifri ynglŷn â bod yn hapus heddiw?'

'Hapusach na fûm i 'rioed o'r blaen. Am y tro cynta'n fy mywyd, dwi'n teimlo'n rhydd. Dwi efo chdi rŵan, a dyna'r unig ddyfodol sgen i'i isio. Ni'n dau'n rhan o'r un fory.'

'Ddylwn i ddim fod wedi dŵad â chdi efo fi,' meddai. 'Dwi'n trio 'ngheryddu'n hun byth a beunydd am hynny. Ddylwn i ddim fod wedi dŵad â chdi. Bob tro dwi'n edrach arnat ti wrth f'ochor i yn y car 'na, dwi'n meddwl be' allai ddigwydd taswn i'n ca'l fy nal . . .'

'Chei di mo dy ddal,' meddai. Cododd ar ei heistedd a'i orfodi i edrych arni. 'Chei di byth mo dy ddal. 'Sgen ti wn?'

'Nac oes. Heb weld yr angan am un ers blynyddoedd.'

'Yna ma' hi'n hen bryd i ni ga'l gafa'l ar un, 'dydi?

meddai. 'Dau. Dwi'n dal i gofio sut i saethu.'

'Na,' meddai'n chwyrn. 'Na, fydd 'na ddim byd fel 'na! Dwyt ti ddim yn ca'l peryglu dy hun — gwranda arna i. Na, paid â dadla, jyst gwranda arna i! Os oes unrhyw beryg mi roist ti dy air y byddet ti'n gwrando arna i. Mi addewaist ti hynny yn Boston.'

'Yn Boston oedd hynny,' meddai Thérèse yn dyner. 'Deud er mwyn i mi ga'l dŵad efo chdi 'nes i. Ma'n ddrwg gen i, 'nghariad i. 'Nes i 'rioed fwriadu cadw at fy ngair. Dwi yma wrth d'ochor di gydol y dyddia duon 'ma. Dyna'r unig ffordd.'

'O 'rarglwydd,' meddai. 'Am ffŵl — am blydi ffŵl, i wrando arnat ti!'

'Paid â deud hynna,' plediodd. 'Plîs, cariad, paid â dechra difaru dŵad â fi efo chdi. Dwi'n dy garu di. Rydan ni'n caru'n gilydd. Mynd efo'n gilydd oedd yr unig ddewis, mi wyddost ti hynny.'

'Wn i ddim byd bellach,' meddai. Daeth yn ôl ac eistedd ar erchwyn y gwely. Gafaelodd yn ei llaw a'i gwasgu. 'Rydan ni 'di bod yn teithio ers bron i wythnos rŵan; dwi 'di dy weld di'n rhy lluddedig i fedru llusgo dy hun allan o'r car; dwi'n medru gweld y straen ar dy wyneb di a dim ond megis dechra ma'n hunlla ni. Dyna pam y penderfynais i aros yma am ddwy noson.'

'O'n herwydd i? Ond mi ddylan ni fod wedi dal i deithio a pheidio â cholli amser. O, Karl, Karl, y ffŵl i ti — pam na fedri di 'nhrystio i? Pam cymryd cam gwag fel hwn? Mi fedra i gysgu yn y car! Gwranda, cariad, mi fedrwn ni fynd heno. Cychwyn fel ma'r haul yn machlud.'

'Bora fory,' meddai. 'Dyna ddeudais i wrth y rheolwr. A ph'run bynnag, gwirion ne' beidio, mi wyt ti angan y gorffwys, ac mi fyddan ni'n teithio'n wahanol o hyn 'mlaen.'

221

'Gwahanol? Be' ti'n feddwl?'

'Mynd wrth 'yn pwysa, dim ond teithio faint fedrwn ni mewn diwrnod, yna ca'l noson dda o gwsg. Dwi 'di gweld ffordd eith â ni at y ffin efo Canada mewn llai nag wythnos. Sbïa.' Taenodd y map dros y gwely; roedd o wedi dangos y ffordd efo marc pensil.

'Mynd yn ôl at brifffordd 94, fan 'ma, rhyw ddeg milltir a thrigain o lle'r ydan ni rŵan. Dilyn y lôn honno cyn belled â Forsyth, yna troi ar brifffordd 12 drwy Spokane; yna tua'r gogledd a dros y ffin i Cascade neu Grand Forks yng Nghanada. Ma' 'na westai ar hyd y brifffordd i Spokane. Mi fedrwn ni 'neud y siwrna o Spokane i Kokanee Glacier Park mewn diwrnod. Ac ar ôl hynny, 'nghariad i, mi fedrwn ni anadlu fymryn yn fwy rhydd.'

'Be' am bres? Fydd gynnon ni ddigon?'

'Mwy na digon,' meddai. 'Ond dwi'n meddwl y dylan ni ffeirio'r car.'

'Ia,' meddai. 'Ma' Robert yn siŵr o fod yn gwbod 'mod i 'di mynd erbyn hyn. Mi fyddai'n fwy diogel i ni ffeirio car. Be' 'nawn ni ar ôl cyrraedd Canada?'

'Dwi ddim yn rhy siŵr. Aros o gwmpas ardal dwristaidd y Glacier. Mi gawn ni afa'l ar rywla i aros am 'chydig wythnosa. Mi fedra i ga'l joban. Ac mi fydd yn rhaid i titha, 'nghariad i, drio ca'l pasport. Mi all'sai hynny gymryd 'chydig ddiwrnoda, ond ddylai hynny ddim bod yn draffarth chwaith a thitha'n ddinesydd Americanaidd.'

'A lle wedyn?'

'Dwi 'di bod yn crafu 'mhen,' meddai. 'A dwi'n meddwl y dylan ni fynd i rywla cwbwl wahanol. Ddim i Dde America; 'sgen i'm isio mynd yn ôl i fan 'no byth eto, a ph'run bynnag, dydi hi ddim yn ddiogel yno bellach. Dyma'r tro d'wetha dwi'n mynd i ffoi, Thérèse.

Y tro d'wetha i ni'n dau. Ma' gen i awydd mynd i
Bortiwgal. Dwi'n gwbod am un ne' ddau — Almaenwyr
fel finna — sy' 'di ca'l croeso yno, a does neb 'di dŵad
ar 'u hola nhw. Dwi'n meddwl mai Portiwgal fyddai
ora. Fuasat ti'n licio hynny?'

'Wrth fy modd,' atebodd gan wenu. 'Mi'r oeddwn i
wedi hannar trefnu mynd i fan 'no'n barod. Wyt ti'n
cofio? Mi fedrwn ni werthu 'nhrugaredda i'n fan 'no
hefyd.'

'Medrwn. Os bydd raid . . .'

'Ma'r fodrwy 'ma werth — o, deugain, ella hannar
can mil o ddoleri. Anrheg gan Robert o Tiffany's. Ma'
hi'n ymddangos yn werthfawr beth bynnag. Ac ma' gen
i'r clustdlysa emrallt 'ma a'r perla a'r tlws diamwnt arall
'na. Fydd dim rhaid i ni boeni am bres, 'nghariad i. Mi
fedrwn ni brynu tŷ, ac mi gei di agor swyddfa newydd
a dechra o'r dechra eto. Cychwyn bywyd newydd.'

Plygodd drosto a'i gusanu. 'Paid â difaru dŵad â fi
efo chdi. Ma' meddwl am hynny'n 'y mrifo i.'

'Deud am 'mod i'n dy garu di ydw i,' meddai. 'Dwyt
ti ddim yn gweld hynny? Fedri di ddim gweld na fedra
i ddim diodda dy weld di'n anghyfforddus ne' feddwl
amdanat ti mewn peryg? Dwi 'di dy gipio di oddi wrth
dy ŵr, dy wreiddia a dy gyfoeth, ac i be'? Er mwyn i chdi
ga'l rhedag fel llwynog o flaen haid o gŵn llwglyd, er
mwyn i ti fod heb wreiddia a heb ddyfodol diogel, 'sgen
i'm byd i'w gynnig i ti ond llwybr heb iddo ben draw.'

'Dyna'r cwbwl sgen i'i isio,' meddai. 'Fedri di ddim
deall am mai dyn wyt ti, 'nghariad i, a dwyt ti ddim yn
licio 'ngweld i mewn sefyllfa na fedri di mo'i rheoli.
Dwyt ti ddim yn gweld yn bellach na noson o gwsg.
Dwi'n edrach i fyw llygaid tragwyddoldeb. A dyna lle'r
wyt titha isio edrach hefyd, ne' fuasat ti 'rioed 'di gada'l
i mi ddŵad cyn bellad â hyn efo chdi. Nid gwendid

oedd hynny. Achos dwyt ti ddim yn wan, Karl. Gwbod be' oedd yn iawn oeddat ti.'

Gwenodd arni wrth iddo'i thynnu'n nes ato. 'Dwi mor lwcus. Sawl gwaith ydw i 'di deud hynny wrthat ti? Mor lwcus i dy ga'l di. Mi gyfaddefa i rwbath arall ac mi gei ditha chwerthin 'chwanag am fy mhen i os wyt ti isio. Dydw i ddim yn licio gwerthu dy dlysa di a byw oddi ar y pres hwnnw.'

'Mi wn i hynny,' meddai. 'Mi fedrwn i weld hynny yn dy wynab di pan soniais i am y peth. Mi gei di brynu modrwy newydd i mi ym Mhortiwgal.'

'Gwerth hannar can mil o ddoleri? Ella byddi di'n disgwyl yn o hir.'

'Mi ddisgwylia i,' meddai. 'Ydach chi'n meddwl 'i bod hi'n amsar i ni fynd i lawr i swpar, Mr Hudson?'

'Ydi debyg. A ninna isio cychwyn ben bora fory.'

* * *

'Ma' petha ar i fyny,' meddai rheolwr y gwesty. Eisteddai gyferbyn â'i wraig, ei chwaer a'i frawd yng nghyfraith, ac roedden nhw newydd orffen claddu clamp o swper. 'Roedd hwnna'n dda, Hilda,' meddai wrth ei wraig; sychodd ei geg efo cadach coch a gwenu ar bawb arall. Roedd hi'n gwybod sut i goginio; roedd hi'n ddynes dda mewn sawl ffordd, a beth bynnag ddywedai pobl eraill amdanyn nhw, roedd yr Iddewon yn hil weithgar. Bechod na fuasai hi fymryn yn fwy meddal a sentimental hefyd. Gwthiodd y feirniadaeth o'i feddwl gan ei fod o'n lladd ar flas ei choginio. Roedd chwaer ei wraig a'i gŵr yn berchen ar garej ychydig filltiroedd y tu allan i'r dref yn gwerthu ceir ail law. Roedden nhw'n gweld ei gilydd yn aml, gan fod Hilda a'i chwaer mor glòs. Dipyn yn bengaled oedd Leo'r brawd yng nghyfraith, ond roedd o'n medru gwneud yn

224

iawn efo fo hefyd; gorfod gwneud er mwyn cadw'r merched yn ddiddig. A dweud y gwir, ceisiai arwain busnes i gyfeiriad Leo pan fyddai modd. Os oedd rhywrai yn y gwesty eisiau trin eu ceir at Leo y byddai'n eu hanfon nhw. Roedd hynny'n ei atgoffa o rywbeth.

'Leo, ddaeth 'na rywun acw isio ffeirio Ford 'chydig o ddiwrnoda'n ôl?'

'Naddo.' Ysgydwodd Leo Hyman ei ben. 'Dydw i ddim 'di gwerthu car ers wsnos. Mynd i ddeud nad oedd petha ddim ar i fyny oeddwn i rŵan! Pam 'ti'n holi — roist ti'n enw i i rywun?'

'Do, mi wna'th o, Leo,' meddai Hilda. 'Mi clywais i o. Mi ofynnodd y boi lle buasai o'n medru prynu car ffordd 'ma pan oedd o wrthi'n talu'r bil. Ac mi ddeudodd George wrtho fo am alw yn garej Hyman; deud fod 'na ddigon o ddewis a digon o fargeinion i'w ca'l yn fan 'no. Gofynnwch am Mr Hyman 'i hun a deud mai fi a'ch gyrrodd chi. Dyna ddeudodd o. Mi clywais i o efo 'nghlustia fy hun.'

Gorffennodd Leo Hyman ei wydraid o gwrw gan adael i'w wraig ateb drosto. 'Welson ni ddim arlliw ohonyn nhw,' meddai. 'Fel ma' Leo'n deud, dydan ni ddim 'di gwerthu car ers wsnos a does 'na neb 'di bod ar gyfyl y lle efo Ford. Oedd o'n gar neis, Hilda?'

'Neis iawn; un mawr heb fymryn o rwd arno fo. Roedd o'n edrach fel newydd. Biti 'te, Leo. Ond dyna ni, fedrai George ddim gneud mwy na rhoi d'enw di iddyn nhw, na fedra?' Siarada i'n amddiffynnol ac ychwanegodd ei brawd yng nghyfraith yn gyflym, 'Diolch, George, diolch am drio, beth bynnag'.

'Rhyfadd hefyd,' meddai'r rheolwr. 'Mi sgwennais i'ch cyfeiriad chi ar ddarn o bapur. Tramorwyr oeddan nhw, y fo beth bynnag, ac mi feddyliais i ella y buasan nhw'n ca'l traffarth i ga'l hyd i'r lle, felly mi sgwennais i o iddyn nhw. Methu deall pam 'u bod nhw isio ffeirio car fath â hwnna chwaith.'

'Mi oedd 'na rwbath yn od yn 'u cylch nhw,' meddai ei wraig. 'Mi ddeudais i hynny'r tro cynta i mi'u gweld nhw, ond doedd y breuddwydiwr 'ma ddim isio 'nghoelio i.'

'Dim ond deud 'u bod nhw 'di mopio'u penna am 'i gilydd 'nes i,' atebodd ei gŵr. 'Ac mi ddeudaist titha nad oeddan nhw 'di priodi. Hilda'n deud na fedar neb fod yn hapus ac yn briod. Ond pam lai?'

'Doeddan nhw ddim 'di priodi,' meddai Hilda'n bendant. 'Chdi sy'n methu gweld dim pellach na dy drwyn, George, ond mi fedra i. Mi welais i lythrenna cynta'i henw hi ar 'i bagia hi. A doedd honna ddim mwy o Mrs Hudson nag ydw inna.'

'Be' oedd 'i henw hi 'ta?,' holodd Leo Hyman.

'T.B. Mewn llythrenna bras ar 'i bag hi. Mi welais i'r "gŵr" yn dŵad â'i bag hi i lawr grisia, a meddwl, priod o ddiawl, wrtha f'hun! Ac mi roeddan nhw'n drewi o bres hefyd. Dwi'n gwbod y gwahaniaeth rhwng sidan a sach, a doedd dillad honna ddim 'di dŵad o siop geiniog a dima'n unlla. Fedri di ddim cuddio cyfoeth ...' Siaradodd efo'i chwaer. 'Petha bach fath â sgidia croen neidr a phwrs i fatsio, a phopeth bach arall mewn aur. Petha fel bocs sigaréts a chas colur. Pres yn syrthio allan o'u tina nhw. A doeddan nhw ddim i fod efo'i gilydd chwaith. Wrth gwrs, roedd George yn glafoerio dros 'u celwydd nhw; Mr a Mrs Hudson! Enw rhyfadd i Sgandinafiad, Hudson.'

'Sut wyt ti'n gwbod mai un o Sgandinafia oedd o?' holodd Leo. Roedd o wedi bod yn trio glanhau rhwng ei ddannedd efo coes matsen yn ystod y sgwrs. Ond rhoddodd y gorau iddi rŵan a gwthio'r fatsen i boced ei grys.

'Dydw i ddim,' atebodd Geroge. 'Ond doedd o ddim yn Americanwr, beth bynnag; roedd gynno fo ryw fath o acen, Sgandinafaidd ne' Almaenig ne' rwbath, ac roedd o'n ddyn cyhyrog gwallt gola hefyd. Ella mai o Norwy oedd o. Ella'u bod nhw 'di penderfynu cadw'r car 'di'r cwbwl. Ella mai dyna pam na 'naethon nhw ddim dŵad atat ti, Leo.'

'Ia, siŵr o fod. Sut un oedd y fodan — be' oedd llythrenna cynta'i henw hi eto, Hilda?'

'T.B. Hogan reit ddel, pryd gola. Dros 'i deg ar hugain, ond ma' hi'n anodd deud efo rhai o'r merched 'ma hefyd, 'dydi; a nhwtha'n gwario'n wirion mewn rhyw hen ffermydd iechyd a ballu. Sut ma' dy fam, Leo? Ei choes hi'n gwella?'

'Ma' hi'n iawn erbyn hyn,' meddai. 'Ma'r hen bobol 'ma 'di'u gneud o haearn dwi'n siŵr. Mi biciodd Ruby a finna draw i'w gweld hi Sul d'wetha ac roedd hi fath â hogan. Ma' hi'n cofio at George a titha.'

Llifodd y sgwrs rhwng y pedwar ohonynt, gan drafod busnes a theulu drwy'r trwch. Yn fuan wedyn, trodd Leo a Ruby Hyman am adref. Roedd hi ymhell wedi hanner nos pan alwodd Leo'r rhif y bu Joe Kaplan yn ei alw yn Detroit. Roedd ei wraig yn cysgu'n sownd yn y stafell arall.

'Ella fod gen i drywydd newydd i chi,' meddai Leo Hyman. 'Llinyn go dena ydi o, ond mi all'sai o fod yn werth ei ddilyn. Mi fu 'na ryw foi'n aros yn lle 'mrawd yng nghyfraith ddeuddydd yn ôl. Boi mawr, gwallt gola o dramor; a dynas fechan bryd gola efo fo. Galw'u hunain yn Hudson, ond roedd y llythrenna T.B. ar 'i bag hi. Roeddan nhw'n sôn am ffeirio Ford go newydd, er na welais i mohonyn nhw chwaith. Digon posib. Yr enw Iddewig 'di'u dychryn nhw ella. Iawn, dwi inna'n falch 'mod i 'di ffonio hefyd. Mae o'n swnio'n debyg

iawn i'r bastard beth bynnag. Ma'r disgrifiad yn ddigon
tebyg. Iawn. Unrhyw adag. Hwyl.'

* * *

Agorodd Joe Kaplan ddrws ei fflat; roedd hi wedi troi
hanner awr wedi saith ac yntau wedi ymlâdd. Teimlai'n
flinedig a di-ddim, ac yn isel ei ysbryd yn aml hefyd, ar
ôl treulio diwrnod yn y sbyty; cymaint o bobl y tu hwnt
i achubiaeth, ac yntau'n dioddef efo nhw ac yn ei feio'i
hun am fethu â gwneud 'chwaneg drostyn nhw. Roedd
ei fethiannau'n cryfhau'i ddiffyg ffydd ynddo'i hun;
roedd ei lwyddiannau'n ei lenwi a'i gynhesu ag awch i
fyw, teimlad a ddisodlodd grefydd ei blentyndod. Bu'n
ddiwrnod hir a diobaith; roedd o wedi ymroi'n llwyr i'w
waith, a theimlai'n wag. Daeth adref i fflat wag hefyd,
am fod Vera wedi hel ei phac a cherdded o'i fywyd.
Doedd o ddim yn gweld ei heisiau hi o gwbl. Roedd ei
hôl hi ym mhobman: yn y droriau, yn y cypyrddau;
anghofiodd bâr o fenig a gadawodd beth o'i ddillad isa'
— gadael sbwriel yn hytrach nag atgofion o'u bywyd
priodasol ar ei hôl a wnaeth hi. Ddadleuodd Joe ddim
efo hi; chafodd o mo'r cyfle ganddi hi. Heliodd ei phac
a mynd, ac anfon llythyr ato i ddweud eu bod nhw'n
mynd i ysgaru. Gwyddai fod hynny'n mynd i ddigwydd,
oherwydd iddi wrthod cysgu yn yr un gwely ag o ar ôl
iddo ddweud wrthi am ei gysylltiad efo'r Israeliaid. Allai
hi ddim dioddef gorwedd wrth ei ochr na chyffwrdd â'i
gnawd. Wrth iddi lwyddo i'w gasáu o mor sydyn,
sylweddolodd yntau mor fregus fu ei chariad tuag ato.
Allai o ddim gweld bai arni; wnaeth o ddim byd ond
disgwyl iddi benderfynu pryd i ymadael.

Cerddodd i mewn i'r stafell wely, tynnu'i gôt a newid
ei sgidiau. Roedd y cwbl drosodd; y ffraeo a'r cymodi
a'r briodas bitw oedd yn ddim byd ond rhywfaint o ryw

a charu cyhoeddus, ac yn rhy wan i oroesi'r mymryn lleiaf o storm. Cofiodd am y noson honno y gyrrodd o i dŷ Bob Bradford am swper — sawl mis yn ôl bellach? — ymddangosai fel oes. Ffraeodd y ddau cyn cychwyn am ei bod hi'n genfigennus o Thérèse, ac yna chwarddodd y ddau yn y car wrth sychu un deigryn bach arall oddi ar ruddiau'r briodas. Ond bu gormod o ddagrau ac roedd y cariad wedi pydru'n frau; torrodd o dan bwysau'r straen go iawn. Roedd hi'n genfigennus o'i waith, yn genfigennus o Thérèse Bradford am ei bod hi'n symbol o'r rhyfel yn erbyn ei hil o, ac roedd Thérèse yn fwy o boendod byth am nad oedd hi'n perthyn i'r hil honno.

Dyna oedd wrth wraidd amheuon Vera; roedd gan bopeth roedd hi'n ei gasáu gysylltiadau cudd Semitaidd, ac mor guddiedig nes ei bod hi'n llwyddo i'w thwyllo'i hunan hyd yn oed. Roedd hi'n gymaint haws dweud, "Ti'n chwantu amdani hi . . .' a throi hynny'n drosedd rywiol ar ei ran, na bod yn onest a dweud, 'Mi gwffiodd hi'n erbyn yr Almaenwyr a 'ti'n meddwl y byd ohoni hi am fod yr Almaenwyr 'di lladd Iddewon ac mi wyt titha'n Iddew, a fedra i ddim diodda hynny. A fedra i ddim madda i ti am fy ngneud i'n fethiant cymdeithasol sy'n cywilyddio wrth ei gŵr ei hun.'

Roedd o wedi derbyn methiant ei briodas ac wedi dweud wrthi fod croeso iddi gael ysgariad, os oedd hi'n fodlon mynd i Reno i drefnu popeth. Allai o ddim teimlo dim byd ond gwacter; roedd o'n fwy anhapus oherwydd Robert Bradford nag oedd o amdano fo'i hun a Vera. Roedd eu cyfeillgarwch nhw wedi chwalu rŵan; roedden nhw'n dal i weld ei gilydd ond roedd anghyfeillgarwch Robert yn byrlymu o bob cyfeiriad a doedd o ddim yn gwneud unrhyw ymdrech i guddio hynny chwaith. Roedd Joe wedi colli'i wraig iddo;

doedd dim ots ganddo am Alfred Brunnerman na'i droseddau; dim ond diogelwch a chysur ei wraig oedd yn bwysig iddo ac roedd Joe wedi rhoi hynny yn y fantol drwy ei ymyrraeth. A glynai at y rhith mai sâl ac anghyfrifol oedd hi, yn union fel dringwr yn methu â symud ar wyneb craig ac yn rhoi'i ffydd i gyd mewn un garreg gadarn; petai o'n gollwng honno byddai'n disgyn i bwll anobaith a blinodd Joe ar geisio'i gael i edrych ym myw llygaid y gwirionedd. Methai weld y gwirionedd ei hun, ac roedd o'n gyfarwydd â phob twll a chornel o'r meddwl dynol. Tywysodd Thérèse yn ofalus allan o ganol yr erchylltra a phoen oedd wedi mygu cymaint o bobl yn ystod yr hen ryfel ddiflas yna ugain mlynedd yn ôl. Llwyddodd i'w hail-eni hi a gadawodd iddo'i hun feddwi ar ei lwyddiant pan welodd o hi a Bob, ei gyfaill pennaf, efo'i gilydd. Roedd o wedi mynnu chwarae Duw ac wedi bodloni a rhyfeddu at ei allu'i hun i ddatrys un o broblemau dwysaf dynolryw. Roedd o'n nes ati na neb, yn nes na'i gŵr hyd yn oed, a doedd o'n nabod dim arni hi wedi'r cwbl. A hithau wedi'i orchfygu o a'i holl bwrpas mewn bywyd. Roedd hi wedi mynd efo Alfred Brunnerman am ei bod hi'n ei garu o. Doedd dim moddion na philsen ar gyfer y cyflwr anfeddygol hwnnw. Roedd wrthi'n yfed gwydraid o wisgi ac yn darllen ei bapur newydd pan ganodd y ffôn. Julia oedd yna.

'Ddrwg gen i darfu arnach chi, Joe. Rhyw newydd?'

'Oes, ma' gynnon ni drywydd newydd. O leia felly'r ydan ni'n meddwl, ac rydan ni'n 'i ddilyn o'n gyflym; er 'yn bod ni 'di dilyn sawl llwybr diwerth yn ddiweddar 'ma hefyd, ella mai un arall o'r rheini sgynnon ni eto. Sut ydach chi?'

'Iawn. Dwi adra heno, felly meddyliais i y buaswn i'n ffonio. Mi driais i siarad efo Bob, ond mi wrthododd o siarad efo fi. Dydi o ddim yn siarad efo Ruth chwaith.'

'Dwi'n gwbod,' meddai Joe. 'Dwi'n teimlo drosto fo. Ma' rhaid iddo fo drio'i hamddiffyn hi, a dydi o'n ca'l fawr o help gynnon ni i gyd.'

'Ella mai oherwydd nad oes yna fawr ddim i'w amddiffyn; dwi'n dal i fedru gweld y llunia 'na, Joe, a dwi'n gorfod ca'l tabledi cysgu rŵan. Sut hwylia sy' ar Vera?'

'Dwn i ddim,' meddai. 'Ma' hi 'di 'ngada'l i, ond ma'n siŵr 'i bod hi'n iawn. Ma'n ddrwg gen i am y llunia 'na; mi anghofiwch chi amdanyn nhw'n fuan.'

'Ella. Ma'n ddrwg gen i am Vera. Wyddwn i ddim. Be' ddigwyddodd?'

'Gormod o lawar,' atebodd. 'Methu dygymod â phob dim i gyd yr un pryd. Wela i ddim bai arni hi. Be' ydach chi'n 'i 'neud rŵan, Julia?' Doedd o ddim wedi sylweddoli pa mor unig oedd o tan iddo ddechrau siarad efo rhywun arall. Roedd hi'n dal yn weddol gynnar a doedd o ddim wedi cael tamaid i'w fwyta ers amser cinio. 'Ga i fynd â chi allan am swpar?'

'Pam lai?' meddai. ''Sgen i ddim byd ar y gweill, na chitha chwaith. Dowch draw, Joe, ac mi gawn ni ddiod fach yn gynta. Mi liciwn i glywad 'chwanag am y trywydd newydd 'ma.'

'Mi fydda i draw 'mhen rhyw chwartar awr. Lle liciach chi fyta?'

'Rhywla tawal,' meddai Julia. 'Go brin fod yr un ohonan ni'n teimlo fel mentro i'r El Morocco ar hyn o bryd.'

Eisteddodd y ddau yn ei stafell fyw yn yfed nes iddyn nhw sylweddoli'i bod hi'n rhy hwyr i fynd allan am bryd o fwyd, felly gwnaeth hi fymryn o swper a bwytaodd y ddau yn y gegin.

'Ydach chi'n credu mai 'di mynd i fyny i'r gogledd ma'n nhw?'

'Wn i ddim. Ond mi allai hynny fod. Roedd y disgrifiad yn debyg, y llythrenna ar y bag, hyd yn oed y car. Mi'r oedd gan Bob Ford yn Boston. Dwi'n meddwl 'yn bod ni ar 'u sodla nhw, Julia. Dwi'n meddwl fod y cythral yn 'i 'nelu hi am Ganada, oherwydd 'yn bod ni'n disgwyl iddo fo redag i'r De eto. Ac mi fedran nhw groesi'r ffin hefyd. Go brin y medrwn ni ga'l gafa'l arnyn nhw os gnân nhw. Ma' hi'n wlad fawr, anial; ma' 'na filoedd lawar o filltiroedd a Duw a ŵyr faint o ffyrdd i ddianc. A dydan ni ddim mor drefnus â hynny.'

'Mi ydach chi'n ymddangos yn drefnus iawn i mi,' meddai Julia. 'Joe, sut ma' hyn yn gweithio? Sut oeddach chi'n gwbod ella'u bod nhw wedi bod ar lanna llyn Itasca?'

'Dydi hynny ddim yn anodd iawn,' meddai. 'Dwi braidd yn feddw, Julia, ac yn siarad llawar gormod. Ond mi ddeuda i hyn wrthach chi. Ma' gynnon ni system, ac ma' hi'n gweithio efo help pobol gyffredin — pobol fath â boi'r garej 'na. Dydyn nhw ddim yn crwydro'r wlad efo gynna na chamerâu na dim byd felly; ma'n nhw jyst yn ca'l gorchymyn i wrando a gwylio a ffonio rhyw rif arbennig. Ella na fydd neb yn mynd ar 'u gofyn nhw am flynyddoedd. Ond pan ma'u hangan nhw, fel rŵan, ma' gynnon ni bobol ym mhob twll a chornel o'r wlad 'ma ac ma' gan y rheini ffrindia hefyd. Dyna un o'r cwynion mawr amdanan ni. 'Yn bod ni ym mhobman, yn union fel y gwynt a'r glaw.'

'Sylwi ar 'i bag hi wna'th y ddynas 'na,' meddai Julia. 'Am beth blydi gwirion i' anghofio.'

'Bron iawn mor blydi gwirion â mynd â hi efo fo,' ychwanegodd Joe. 'Ond mi wna'th o. Ydach chi'n dal i deimlo'n euog ynglŷn ag o — amdanach chi'ch dau efo'ch gilydd, dwi'n feddwl?'

'Fydda i ddim yn meddwl am y peth,' meddai. 'Yn rhyfadd iawn, Joe, 'sgen i'm awydd mynd allan efo dynion, nac awydd gneud dim byd arall chwaith. Wrth feddwl am y diawl yna ma' 'nghalon i'n troi'n dalp o rew. Dwi'n teimlo mor fudr. Fedra i ddim teimlo'n lân nes bydd o yn 'i fedd. Dwi inna'n feddw hefyd, ne' fyddwn i ddim 'di deud hynna.' Taniodd sigarét a thynnu'r mwg i'w hysgyfaint. 'Roeddwn i isio'i briodi o. Wyddoch chi hynny? Bron â marw isio'i briodi o, yn 'i blagio fo ac ynta'n mynnu gwrthod. 'Rargian, pan dwi'n meddwl am y peth. Be' oedd yn bod arna i' Joe? Ydi pob merch mor ddall â hynna, yn medru cysgu efo dyn heb weld drwyddo fo? Dydw i ddim yn meddwl amdani hi — ma' hi'n gwbod, gwbod 'i fod o'n llofrudd ac yn derbyn hynny, ond wyddwn i ddim. Mi gysgais i yn y gwely 'na'n fan 'na efo fo am ddwy flynadd — gneud brecwast iddo fo, byta efo fo wrth y bwrdd yma yn union fel rydan ni'n gneud rŵan, a sylwais i ddim byd o gwbwl. Ond ma' rhaid mai fi oedd yn ddall. Fedar neb ladd fel 'na heb ddangos ôl y gwaed ar 'i ddwylo. Fedra i jyst ddim derbyn y peth!'

'Peidiwch â gofyn i mi am atab, achos does gen inna ddim un chwaith,' meddai. 'Dwi 'di treulio 'mywyd yn chwilio am resyma pobol, yn tyrchio i gorneli tywylla'u meddylia nhw. 'Sgen i'm isio carthu pen Alfred Brunnerman; wn i ddim a ydi o fel pawb arall na sut y medrai o ladd dynion, merched a phlant, a dwi'n deud wrthach chi, Julia, does dim ots gen i chwaith. Dim ond isio'i weld o'n ca'l 'i gladdu ydw i, dyna'r cwbwl.'

'Mi'r oeddach chi'n arfar meddwl y byd ohoni hi,' meddai Julia. 'Fel rhyw fath o dad-maeth. Ydach chi'n dal i boeni amdani hi?'

'Nac ydw,' ysgydwodd ei ben. 'Waeth gen i amdani hitha chwaith. Ma'n well i mi'i throi hi am adra, ma' hi'n hwyr. Diolch am swpar, Julia. Dwi 'di mwynhau fy hun.'

'Finna hefyd,' meddai. 'A peidiwch ag ista ar 'ych pen 'ych hun eto, Joe, ffoniwch ne' alw heibio unrhyw adag liciwch chi.'

'Mi wna i,' meddai. 'Nos dawch.'

★ ★ ★

'Ma' hwnna'n gar smart,' meddai Leo Hyman. Safai y tu allan i garej ddeng milltir o'r dref. Roedd o wedi ffonio pob un garej yn y cylch i holi a oedd ganddyn nhw gar Ford ail-law mewn cyflwr da. Daeth y bedwaredd alwad ag o allan i'r lle bychan hwn ar y ffordd i Park Rapids. Roedd y Ford wedi'i barcio'r tu allan ac wedi cael ei lanhau a'i olchi a disgleiriai ym mhelydrau'r haul llachar; roedd yr aer yn dechrau cynhesu a'r blodau'n dechrau ymwthio o'u blagur ar y coed.

Blwydd oed oedd o, a'r rhif yn cyfateb i'r rhif roedd o wedi cael gorchymyn i chwilio amdano. 'Mae o mewn cyflwr gwych,' meddai perchennog y garej. 'Yr injian, yr ecstras, y ffenestri awtomatig, pob un dim. Mae o'n union fath â car newydd — go brin 'i fod o 'di bod ar y lôn o gwbwl.'

'Faint o filltiroedd mae o 'di 'i 'neud?' holodd Leo.

'Ugain mil — 'di gofrestru yn Boston, sbïwch, ma'r papura gen i'n fan 'ma.'

Cerddodd y ddau i'r swyddfa fechan y tu cefn i'r pympiau petrol a byseddodd Leo drwy bapurau'r car. Robert Garfield Bradford o Boston oedd yr enw ar y llyfr cofrestru.

'Faint ydach chi'n 'i ofyn?' holodd Leo wrth roi'r papurau'n ôl iddo.

'Pymtheg mil a hannar i chi. Dim ceiniog mwy na'i werth o chwaith,' meddai'r dyn.

'Iawn, dwi'n meddwl y cymra i o,' cytunodd Leo. 'Mi fydd yn rhaid i mi ddŵad â 'nghwsmar draw i'w weld o'n gynta. Un anodd i'w blesio, ond os ydi o'n 'i licio fo, mi dalith. Rhyw ugain mil iddo fo, ia? Rhowch chi bedair mil a hannar i mi ac mi fyddwn ni'n sgwâr. Deudwch wrtha i, be' gymrodd y boi yn lle hwn?'

Chwarddodd y dyn. 'Chev,' meddai. 'Chev bach du; ma' rhaid 'u bod nhw'n wallgo. Mi gynigiais i'r Chev am fil dau gant a hannar a'r Ford, a 'naethon nhw ddim hyd yn oed dadla.'

'Sut dwi'n gwbod 'ych bod chi'n deud y gwir?' meddai Leo. Roedd golwg flin arno a gwyliai'r dyn drwy gornel ei lygaid mochyn. 'Dwi isio gweld y llyfr, mêt. Os ydi hwnnw'n iawn, ella medrwn ni godi dy siâr di i ddwy fil. Fel arall, anghofia am y peth.'

Roedd y llyfr yn profi'i fod o'n eirwir. Chev du'r oedd o wedi'i werthu i'r gŵr a'r wraig ddieithr. Ond allai o ddim cofio rhif y car a doedd Leo ddim eisiau pwyso gormod arno.

'Mi ddo i â'r boi draw p'nawn 'ma,' meddai. 'Dwi'n meddwl y bydd o isio prynu.'

Pan gyrhaeddodd yn ôl i'w garej ei hun, ffoniodd y rhif yn Detroit eto. 'Car Bradford ydi o, does dim amheuaeth am hynny. Do, mi welais i'r papura. Nhw ydyn nhw, yn bendant. Chev du, gweddol newydd. Wn i ddim beth yw'i rif, roedd o'n methu cofio. Roedd o'n meddwl 'u bod nhw'n mynd tua'r gorllewin. Iawn. Mi ddylan nhw fod wedi teithio tua phum can milltir erbyn hyn. Iawn. Hwyl.' Rhoddodd y ffôn i lawr, a mynd yn ôl at ei fusnes ei hun; roedd car y tu allan yn disgwyl am betrol.

* * *

Ymestynnai'r ffordd o'u blaenau fel afon goncrit, syth a llydan. Gwibiai ceir a lorïau heibio iddyn nhw, cyrn yn canu a distewi wrth i'r traffig ddiflannu i'r gorwel. Gyrrai Karl cyn arafed â phosib; allen nhw ddim fforddio cael damwain rŵan. Roedd y gyrru'n feichus a diflas; diffoddodd y radio oherwydd fod ei cherddoriaeth aflafar yn ei gwneud hi'n amhosib siarad yng nghanol sŵn byddarol y pla o geir. Gyda'r nosau, roedden nhw'n stopio yn un o'r gwestai mawr amhersonol, yn talu am stafell ac yn cysgu'n drwm, wedi llwyr ymlâdd.

Roedd eu perthynas yn newid, yn mud gorddi heb iddyn nhw sylwi; freuddwydiodd o erioed y byddai modd teimlo'n ddyfnach yn feddyliol a chorfforol amdani hi, ond dyna oedd yn digwydd. Dechreuodd deimlo hedd anesboniadwy. Nid pinaclau pleser yn unig oedd cariad bellach; roedd o'n meddwi ar ei chwmni hyd yn oed pan oedd hi'n cysgu wrth ei ochr yn y car, efo un fraich wedi'i chyrlio am ei gorff, ac yntau'n trio'i orau glas i fygu'i gobaith a gwneud iddi wynebu'r gwirionedd am eu dyfodol gyda'i gilydd. Doedd o ddim am ffoi byth eto. Roedd o o ddifrif ynglŷn â hynny. Allai o byth wneud hyn eto, beth bynnag fyddai canlyniadau peidio; roedd o wedi colli'i symbyliad. Thérèse yn unig oedd yn ei yrru ymlaen, yn darllen y mapiau, yn cynllunio dyfodol ac yn gwneud iddo chwerthin. Roedd hi'n hawdd iddi hi siarad am Bortiwgal a'u bywyd newydd. Doedd ganddi hi, yn ei diniweidrwydd enbyd, ddim syniad beth oedd ceisio byw heb gymorth miliynau o ddoleri.

Siaradai'r ddau ohonyn nhw am Bortiwgal fel petai'n gyfystyr â diogelwch. Dyna ddywedodd o wrtho'i hun yn Efrog Newydd hefyd, cyn sylweddoli nad oedd fan 'no ddim mymryn diogelach na Buenos Aires. Doedd nunlle yn y byd yn ddiogel iddo. Gallai fyw'r naill fywyd newydd ar ôl y llall, meddwl am y naill enw newydd ar ôl y llall, ond gallai'r celwyddau i gyd gwympo'n ddarnau'n ddirybudd unrhyw funud, a gadael Alfred Brunnerman yn noeth a diymgeledd.

A byddai'n rhaid iddi hithau ddysgu rhannu'r gofid a'r ansicrwydd hwn efo fo. Teimlai'n aml mai marwolaeth oedd yr unig ddihangfa rhag hynny. A dyna pryd y sylweddolodd o faint a grym ei gariad tuag ati. Roedd o'i hun wedi hen anobeithio; doedd o ddim yn dymuno marw, ond hi oedd yr unig beth a wnâi'i fywyd yn werth ei fyw. Ac roedd yr un car Pontiac coch wedi bod yn eu dilyn nhw fel cysgod ers deuddydd. Sylwodd arno'n fuan ar ôl gadael gwesty Stay Way ar gyrion Bismark; gallai gofio'i weld yn y bore, ar ôl iddyn nhw dynnu i'r ochr i fwyta'u cinio, a sylwodd arno wedyn yn y prynhawn. Roedd o'n dal ar eu cynffon nhw pan stopiodd mewn gwesty gyda'r nos; roedd hwn yn llai o le, a ddim hanner mor llachar; roedd teimlad anghynnes ynglŷn â'r lle a doedd y stafell ddim yn arbennig o lân. Awgrymodd eu bod nhw'n bwyta yn y caffi am fod y stafell mor ddigalon, a phan aethon nhw yno, roedd dau ddyn yn eistedd ac yn bwyta yno'n barod. Cododd y ddau'u pennau a syllu arno am eiliad; yna sibrydodd y naill rywbeth wrth y llall. Doedd o ddim wedi teimlo ofn fel hyn oddi ar iddo ddianc efo'r fyddin o ddwyrain Ewrop. Eisteddai hi gyferbyn ag o, ei llaw hi ar ei law yntau. Siaradai, a dywedai o 'ia' a 'na', tra'n gwylio'r ddau ddyn arall. Chododd yr un ohonyn nhw'i ben eto. Pan aeth y ddau'n ôl i'w hystafell, gwelodd fod y Pontiac coch wedi'i barcio y tu cefn i'r gwesty.

Cychwynnodd y ddau ar eu taith yn gynnar fore trannoeth; talodd y bil i'r porthor oedd yn hanner cysgu a thaflu'r allweddi tuag ato. Roedden nhw ar eu taith yn y Chev cyn iddi wawrio'n iawn. Gwibiodd y lorïau heibio fel rocedi ar gyfeiliorn; doedd dim golwg o gar arall yn unman. Roedd Thérèse yn hanner cysgu wrth ei ochr, trodd ati a'i thynnu'n nes ato er mwyn ei chynhesu. Gwthiodd ei droed yn galed ar y petrol ac erbyn deg o'r gloch roedden nhw wedi lladd dau gant a phedwar ugain o filltiroedd. Roedd mwy o draffig ar y lôn erbyn hyn ac roedd rhaid iddo yntau arafu ychydig; bu'n gyrru fel cath i gythraul am bron i bum awr. Ganol dydd, gwelodd y Pontiac coch yn ei wydr eto.

'Be' sy', cariad?' holodd Thérèse.

'Dim.'

'Pam wyt ti'n sbïo cymaint yn y gwydr 'ta — be' sy'?

'Ma' 'na gar tu ôl i ni; dwi'n ama fod y gyrrwr 'di bod yn yfed. Dwi'n mynd i dynnu i'r ochr i ada'l iddo fo basio. Dydan ni ddim isio achosi damwain tasa fo'n trio'n pasio ni, nac oes. Tania sigarét i mi, 'nei di?'

Gwnaeth yn union fel y gwnaeth o'r diwrnod hwnnw yn Chapaggua, pan oedd eu cariad nhw ond yn dechrau blaguro; rhoddodd y sigarennau yn ei cheg a thanio'r ddwy. Am ryw reswm llifodd y diwrnod hwnnw'n ôl i'w meddwl rŵan, er ei bod hi wedi tanio'i sigarét fel yna ddegau o weithiau oddi ar gadael Boston. Wrth i'r mwg ddechrau treiddio i'w hysgyfaint gallai deimlo gwewyr ei chariad tuag ato'n pigo'i chalon a'r llifddorau'n gadael i bob cof am bleser ruthro'n ôl i'w meddwl. Pan dynnodd y car i'r ochr a stopio, gafaelodd yn dynn ynddi a'i chusanu'n nwydus; wrth iddo'i gwasgu i'w fynwes gwyliodd y car coch a'i ddau gydymaith yn gwibio heibio. Yn yr eiliadau diamddiffyn hynny, dewisodd lwybr ei ddyfodol, ac yn ystod yr oriau o yrru cyn cyrraedd y gwesty nesaf penderfynodd sut i ddilyn y llwybr hwnnw.

★ ★ ★

'Dr Kaplan?'

'Ia,' atebodd y llais ar ben arall y ffôn.

'Karl Amstat sy' 'ma.' Yn ystod yr eiliadau o dawelwch meddyliodd fod rhywun wedi rhoi'r ffôn i lawr. 'Helô? Dr Kaplan — ydach chi yna?'

'Ydw. Pwy sy'n siarad eto?'

'Karl. Karl Amstat. Mi ydach chi'n siŵr o fod yn fy nghofio i, mi'r ydan ni 'di cyfarfod sawl gwaith yn Efrog Newydd.'

'Siŵr iawn, wrth gwrs 'mod i'n 'ych cofio chi. Mi oeddach chi i fod i ddŵad yma i swpar, a'r peth nesa glywson ni oedd 'ych bod chi 'di cymryd y goes.' Hyd yn oed dros y ffôn, gallai Karl synhwyro'r cynnwrf yn ei lais. Roedd ei reddf o'n iawn. Dewisodd yr unig Iddew roedd o'n ei nabod, ac roedd trefnu'i dynged yn mynd i fod yn llawer haws nag a feddyliodd. Roedd Joe Kaplan yn un ohonyn nhw. Allai o ddim cuddio'r emosiwn yn ei lais ei hun chwaith.

'Ma' arna i angan 'ych help chi,' meddai.

'Wrth gwrs, beth bynnag y medra i 'i 'neud. Be' ydi'r broblem?'

'Alfred Brunnerman ydi'n enw iawn i, a ma'ch pobl chi, yr Israeliaid, ar fin 'yn lladd i. Ydi hyn yn gneud synnwyr?'

'Ydi.' Doedd dim rhagrith yn y llais rŵan. Atebai'n gwta a di-lol. 'Yn gneud lot fawr o synnwyr. Pam ydach chi'n ffonio? Be' ydach chi isio — maddeuant?'

'Na,' meddai. 'Ma' gen i fwy na digon o betha i gywilyddio o'u herwydd nhw, Dr Kaplan, heb ychwanegu llwfrdra at 'y mhechoda. Ma' Thérèse yma efo fi, ac ma' gen i isio taro bargen. Fedra i 'neud hynny efo chi, ne' fedrwch chi drefnu hynny i mi? Chi ydi'r unig Iddew dwi'n 'i nabod.'

'Fedrach chi ddim nabod gwell un, fel ma' hi'n

digwydd bod,' meddai Joe Kaplan. 'Mi fedra i daro unrhyw fargen cyn bellad nad ydach chi ddim yn rhan ohoni.'

'Ma'ch dynion chi ar 'yn sodla i,' meddai Karl. ''Di bod yn fy nilyn i ers deuddydd. Os dria nhw 'ngha'l i, ma' peryg i Thérèse ga'l 'i brifo. 'Sgen i'm isio hynny, ydach chi'n deall? 'Sgen i'm isio i ddim byd ddigwydd iddi hi. 'Sgynnoch chi'm dadl efo hi — a dwi am i chi addo y bydd hi'n ddiogel.'

'A be' ydi'r pris ydach chi'n fodlon 'i dalu am hynny?' holodd Joe.

'Mi wna i gyfarfod 'ych pobol chi mewn lle arbennig; mi ddo i allan, ac mi gân nhw 'neud be' fynnon nhw i mi.'

'Lle ydach chi rŵan?'

'Yn Helena, Montana. Mi ddylan ni fod yn Spokane erbyn nos fory ac mi fyddwn ni'n aros mewn gwesty ar ymyl priffordd 10 — lle o'r enw Rock-a-bye Motel. Mi fedran nhw ga'l gafa'l arna i'n fan 'no.'

'Iawn,' meddai Joe. 'Mi fydd yn rhaid i mi ddeud wrthyn nhw. Ac mi arhoswch chi yno?'

'Mi fyddwn ni yno o nos fory ymlaen. Mi ddo i allan o'n stafall ar ben un ar ddeg — ar 'y mhen fy hun. Fydd gen i'r un gwn. Dwi'n addo hynny.'

'Mi'ch coelia i chi,' meddai Joe.

'Ac eith neb ar gyfyl Thérèse? Cheith hi mo'i brifo? Ydach chi'n addo hynny?'

'Addo,' meddai Joe. 'Cyn bellad â'ch bod chi'n cadw at y fargen. Dŵad allan ar 'ych pen 'ych hun ar ben un ar ddeg. Heb wn. Dim ond cerdded allan.'

'Mi fydda i yno,' atebodd Karl.

'Mi fyddwn ninna'n disgwyl.'

Hyrddiodd y ffôn i lawr, ac yn lle gadael y ciosg, arhosodd ynddo am funud a thanio sigarét. Doedd yr hyn a drefnodd ddim wedi bod yn ormod o orchest; yn llawer haws na thanio bwled drwy'i ben ei hun; methu gwneud hynny wnaeth o, flynyddoedd yn ôl, pan oedd ei euogrwydd yn pwyso'n rhy drwm ar ei ysgwyddau. Doedd dim euogrwydd rŵan; doedd Lodz ddim yn bwysig bellach. Roedd y meirwon yn farw; y gwaed ar goll yn y pridd a'r esgyrn wedi pydru'n ddarnau dibwys. Doedd o'n teimlo dim bellach, ddim hyd yn oed dewrder am ei fod o wedi'i gondemnio'i hun i farwolaeth gynnar er mwyn achub Thérèse. Rhyddhad oedd yr unig gyffro yn ei berfedd, rhyddhad am fod arswyd yr oriau diwethaf wedi llonyddu. Fflachiai hunllefau o flaen ei lygaid — gwelai ddrws y stafell yn ffrwydro'n agored a'r ddau ddyn yn rhuthro efo'u gynnau a cholbio corff diymgeledd Thérèse efo'u bwledau didostur a hithau'n disgyn yn ddarnau mân fel dol degan i'r llawr. Ond fyddai hynny ddim yn digwydd rŵan. Pan ddaeth allan o'r ciosg a cherdded yn ôl ati i'r caffi, roedd o'n chwibanu; yn teimlo'n hapus unwaith eto. Roedd y ras bron ar ben, ac roedd ganddyn nhw wyth awr a deugain o ddiogelwch diarswyd efo'i gilydd.

* * *

Ar ôl i Joe Kaplan ffonio Detroit, ceisiodd ffonio Julia; roedd yn rhaid iddo siarad efo rhywun, ond doedd neb yn ateb yn ei fflat. Roedd hi wedi mynd o'r tŷ. Ymddangosai'r cwbl fel breuddwyd; allai o ddim â llwyr gredu'i fod o newydd siarad efo Alfred Brunnerman. Ffantasi, dymuniad wedi'i wireddu, breuddwyd hanner effro wedi'i hachosi gan boen a rhwystredigaeth y diwrnodau diwethaf oedd y cyfan. Roedd y tîm arbennig o Israel wedi colli'u trywydd yn llwyr. Yr adroddiad o lannau llyn Itasca oedd yr adroddiad olaf iddyn nhw dderbyn am Alfred Brunnerman, a throdd yr unig westy dan berchnogaeth Iddewig ar gyrion y briffordd i fod yn faen melin yn hytrach na chonglfaen. Roedd y gŵr a'r wraig yn ganol oed. Iddewon Americanaidd. Ar ôl holi mân gwestiynau iddyn nhw gofynnodd yr Israeliaid am help.

'Americanwyr ydan ni; 'sgynnon ni ddim isio maeddu'n dwylo efo'r busnes lladd 'ma. Edrychwch ar yr holl siarad creulon amdanan ni ar ôl cipio'r boi Eichmann 'na, a phawb yn gweld beia arnan ni Iddewon, ac yn deud 'yn bod ni'n meddwl 'yn bod ni uwchlaw'r gyfraith. A dydi cipio ddim yn iawn chwaith. Ylwch, ma' ugain mlynadd 'di llithro heibio ers 'yn doe erchyll ni — fedrwn ni ddim casáu am byth. Dydan ni ddim isio bod yn rhan o unrhyw ddial. Dydi llofruddio'n datrys dim — os oes gynnoch chi dystiolaeth yn erbyn y dyn 'ma, ffoniwch yr heddlu!'

Dim; dim cydweithrediad o gwbl. Nhw oedd y cyntaf mewn llinach hir o wrthodiadau. Ac yng nghanol hyn i gyd, collwyd Alfred Brunnerman a'r ddynes, a chyrhaeddodd y chwilio rhyw draeth diobaith; roedd y dynion yn Detroit yn dechrau meddwl eu bod nhw wedi troi tua'r de, er mwyn drysu'r helfa. Roedd y tîm o Israel yn dal i ddisgwyl. Yna derbyniodd yr alwad ffôn, yr alwad ffôn yna hanner awr yn ôl. Dyna'r rhan wallgof, ffantasïol. Roedden nhw wedi llwyddo i ddianc, tridiau arall a byddai'r ddau yn ddiogel dros y ffin yng Nghanada. Pwy bynnag oedd Alfred Brunnerman yn feddwl oedd yn ei ddilyn o, nid yr Israeliaid oedden nhw. Hon oedd y ddolen anghredadwy mewn cadwyn amhosib. 'Ma'ch dynion chi ar 'yn sodla i. 'Di bod yn fy nilyn i ers deuddydd.' Dau ddyn busnes ar eu ffordd i drefnu busnes fwy na thebyg. Gallai Joe fod wedi gweiddi chwerthin wrth feddwl am eironi'r sefyllfa. Roedd o wedi'i fradychu ei hun mewn camgymeriad. Ac

242

oherwydd fod dynes roedd o'n ei charu wrth ei ochr; feiddiai o ddim peryglu ychwaneg arni hi.

Daliodd Joe i eistedd wrth y ffôn er iddo anghofio ffonio Julia. Roedd o'n seiciatrydd, yn ddoctor meddwl, yn ddoctor cwac — neu'n beth bynnag arall fyddai'i gwsmeriaid bodlon ac anfodlon yn ei weiddi arno. Roedd o i fod i ddeall pobl, i ddeall digon ar eu problemau nhw a'u helpu i oresgyn eu hunllefau, i fod i fedru ail-greu personoliaethau coll ac i hudo'r person newydd allan i ganol y byd creulon.

Dyma broblem i chi, Doctor. Wnewch chi'i datrys hi i mi, plîs? Cymerwch ddyn galluog, addysgedig o gefndir dosbarth canol parchus, mab i Athro, a dywedwch wrtha i pam ei fod o wedi ymuno efo un o'r cyfundrefnau mwyaf melltigedig ar wyneb y ddaear. Sut mae dyn fel yna'n medru gweithio i'r Gestapo? Oherwydd ei fod o'n llofrudd, yn ofni'i gysgod ei hun, yn sadistaidd — dyna'r atebion syml. Ei dynged ydi gorchymyn i filoedd gael eu llofruddio efo'i gilydd. Dynion, merched, plant bach, yn crio yn yr eira, yn sefyll ar lan eu beddau eu hunain, a'i ddynion yntau'n paratoi'u gynnau wrth iddo fo sefyll yno yn eu canol, yn gwylio ac yn gwrando, yn disgwyl nes bod popeth yn barod, yn union fel y dylai pob swyddog Almaenig da ei wneud, ac yna mae o'n gweiddi: 'Saethwch!' Pedair mil o bobl yn syrthio'n farw; dim ond brycheuyn ar y domen o chwe miliwn o feirwon, ond y nhw oedd ei gyfraniad personol o i'r domen honno. Roedd o'n llofrudd, yn ofni'i gysgod ei hun, yn sadistaidd — y gwead yn berffaith heblaw am un pwyth. Mi fedrai o garu. Caru eu hunain yn unig mae gwallgofiaid. Meddwi arnyn nhw'u hunain mae'r drygionus, meddwi'n anfaddeuol heb boeni am neb arall. Lladdodd Alfred Brunnerman filoedd, ond allai o ddim gadael i un ddynes farw er mwyn achub ei groen ei hun chwaith. Ddylai o ddim fod yn gallu gwneud hynny; ddylai o ddim fod yn gallu caru a phoeni am neb arall, ond mi'r oedd o'n medru. Roedd o'r un mor barod i garu ag oedd hithau i farw. Atebwch hyn, Dr Kaplan, ac mi fyddwch chi wedi datrys dirgelwch dynoliaeth. Gweithredoedd anesboniadwy'r galon. Arhosodd tan brynhawn trannoeth cyn mynd draw i weld Bob Bradford ac i ddweud wrtho y byddai'n trefnu awyren iddo fynd i nôl ei wraig.

Doedden nhw ddim wedi torri gair ers dyddiau; pan gyrhaeddodd Joe, gofynnodd Bob iddo eistedd fel petai'n ddieithryn. Chynigiodd o ddim diod na sigarét iddo fo. Roedd o wedi gwelwi drwyddo ac roedd ei wyneb bachgennaidd, brwd, deniadol wedi diflannu am byth.

'Fyddai ots gen ti ddeud wrtha i be' 'ti isio yma?' meddai. 'Roeddwn i'n meddwl 'mod i 'di deud nad oedd arna i isio dy weld di eto tan y byddai Thérèse gartra'n ddiogel efo fi.'

'Dyna pam dwi yma,' meddai Joe. 'Yli, Bob, bydda'n rhesymol; ma' gen i gymaint o isio helpu Thérèse â sgen ti.'

'Yna deuda wrth dy lofruddion diawl am ada'l llonydd iddyn nhw!' gwaeddodd Bob Bradford. 'Deuda wrthyn nhw am gadw draw tan i ni'i ffendio hi! 'Rarglwydd, Dr Kaplan, os bydd rhwbath yn digwydd iddi hi, mi tynna i di'n ddarna! Mi wna i'n siŵr y byddi di a phob diawl arall sy'n rhan o hyn yn drewi hyd dragwyddoldeb mewn rhyw gell oer yn rhywla! Ac os wyt ti'n f'ama i, wel jyst disgwyl ac mi gei di weld!'

'Dwi'n coelio pob gair,' meddai Joe'n dawel. ''Ti'n ddyn cefnog, efo ffrindia pwysig mewn llefydd pwysig.

Ond ma' hi'n ddiogel ac mi wn i lle ma' hi hefyd; dwad yma i ddeud hynny 'nes i.'

Neidiodd Bob amdano fel llabwst direol; gafaelodd yn dynn yng ngholer côt Joe a'i ysgwyd yn ddidrugaredd. 'Lle ma' hi? Deuda wrtha i, Joe, lle ma' hi?'

'Yn Spokane, yn nhalaith Washington. Yn aros mewn gwesty o'r enw Rock-a-Bye.'

'A'r bastard arall 'na — yr Almaenwr? Joe, os ydi o 'di cyffwrdd pen 'i fys bach ynddi hi . . .'

'Paid â phoeni, fydd o ddim,' meddai Joe. 'Dyna'r peth ola 'neith o. Mae o'n mynd i' ildio'i hun i ni. Ma' diogelwch Thérèse yn rhan o'r fargen. Mi fydd hi'n iawn.'

'Ma' hi o fewn 'ych cyrraedd chi, felly?' Gollyngodd Bob ei gyfaill a chywilyddio am ei fod o wedi colli rheolaeth arno'i hun. Cafodd ei demtio i'w guro'n ddidrugaredd. Edrychodd Joe ar ei wats. Roedd hi'n chwarter i bump. 'Dim ond chwe awr arall ac mi fydd o gynnon ni,' meddai. 'Ma'r oed am un ar ddeg.'

'Y llofruddiaeth,' meddai Bob yn araf.

'Y dienyddiad,' atebodd Joe. 'Meddwl y buasat ti'n licio hedfan i fyny 'na i fod efo dy wraig. Dyna pam ddois i yma.'

'Joe,' safodd Bob rhyngddo a'r drws. Roedd o'n edrych fel dyn ar goll, yn ddigalon, ac arno gywilydd. 'Joe, mi fydd hi d'angan ditha hefyd. Ma'n ddrwg gen i am be' dwi 'di 'neud — am be' dwi newydd 'i ddeud hefyd. Dwi'n mynd i'w nôl hi adra, ac edrach ar 'i hôl hi. Dwi isio iddi anghofio hyn i gyd — yr hunlla uffernol 'ma. 'Nei di'n helpu i?'

Ddywedodd Joe yr un gair am funud, dim ond sythu'i gefn ac estyn ei ddwylo mewn ystum o gyfeillgarwch.

'Bob, Bob, be' am ista am funud? Dos di i drefnu awyren tra bydda inna'n estyn diod i ni.'

'Ma' 'na awyren yn disgwyl,' meddai. 'Wedi bod yn disgwyl oddi ar iddi hi ddiflannu. Mi fedrwn ni fod ar 'yn ffordd mewn llai nag awr.'

'Mi 'neith hi gymryd saith ne' wyth awr i gyrraedd Spokane,' meddai Joe. 'Os cyrhaeddwn ni yno'n rhy gynnar, mi allai petha fynd o chwith. Ddaw dim rhwng 'yn dynion ni a'u gwaith rŵan. 'Stedda, yfa hwn a gwranda arna i, Bob. Er mwyn y cyfeillgarwch *fu* rhyngddon ni.'

'Be' 'ti isio'i ddeud?' holodd Bob. 'Deud 'mod i'n 'y nhwyllo fy hun? Deud na chafodd hi mo'i chipio, deud mai mynd efo'r brych o'i gwirfodd wna'th hi? Iawn, dwi 'di ca'l mwy na digon o amsar i feddwl, a dwi'n fodlon cyfadda ella dy fod ti'n iawn. Ond ma' hi'n sâl, Joe; 'di ca'l rhyw fath o bwl ar 'i meddwl.'

'Dwi ddim yn meddwl,' meddai Joe'n dyner. 'Dwi'n ama fod y rheswm yn symlach ac yn fwy cymhleth na hynna. Dwi'n meddwl 'i bod hi dros 'i phen a'i chlustia mewn cariad, Bob. Dyna be' weli di pan gyrhaeddi di yna. Nid y Thérèse 'ti'n 'i nabod fydd yno. Ond dynas sy' newydd golli'i chariad. Trio dy baratoi di ydw i, Bob.'

''Mharatoi i at be'?'

'Go brin y daw hi'n ôl efo chdi.' Ceisiodd Joe dorri'r garw mor garedig â phosib. 'Go brin y bydd 'ych gorffennol chi'n golygu dim iddi hi rŵan. Ddim hyd yn oed yn haeddu diolch. Dwi ddim yn meddwl y daw hi adra efo chdi.'

'Dwi ddim yn dy goelio di,' gwaeddodd Bob. Cododd. 'A dydw i ddim yn mynd i wrando ar air arall o dy gelwydd di chwaith, Joe. 'Titha 'di drysu hefyd. Dos di a lladda'r boi 'na, ond gad Thérèse i mi. 'Sgen i'm isio dy help di 'di'r cwbwl. Dwi'n mynd rŵan. 'Ti'n gwbod lle ma'r drws.'

★ ★ ★

Gellid gweld y Rock-a-Bye Motel dair milltir tua'r gorwel; roedd yr arwydd lliwgar, beiddgar yn gwahodd y gyrwyr blinedig yno am bryd o fwyd a gwely. Trodd y Chev du i gyfeiriad y gwesty a pharcio o'i flaen. Helpodd Karl Thérèse i godi allan o'r car a chariodd y bagiau i mewn. Aeth at y ddesg i holi am stafell a thalu ymlaen llaw fel arfer. Arweiniodd yr hogyn nhw i stafell wyth, ac agor y drws.

'Ydach chi isio rhwbath i' fyta? Deudwch wrtha i rŵan; ma'r caffi'n cau mewn ugain munud.'

'Dwi ar lwgu,' meddai Thérèse. 'Ma' hi'n tynnu am naw, cariad. Be' am ga'l tamad? Brechdana i mi plîs, rhai ham ar fara brown.'

'Dwy frechdan ham ar fara brown i'r wraig,' meddai Karl. 'A'r un peth i minna hefyd. A photal o wisgi.'

'Chwartar awr,' atebodd yr hogyn wyneb plorod, un ar bymtheg oed efo gwallt seimllyd golau. 'Mi fydd yn rhaid i chi'i nôl o'ch hun, mêt; mi ydan ni braidd yn brysur heno.'

'Iawn.' Doedd Karl ddim yn edrych arno; helpodd Thérèse i dynnu'i chôt. 'Chwartar awr.'

Roedd hi'n stafell lân efo dau wely wedi'u gorchuddio efo plancedi brethyn coch llachar a gwyrdd, stafell ddigon tebyg i bob stafell gwesty arall — gwag a digymeriad. Roedd y stafelloedd ar lannau llyn Itasca'n wahanol hefyd. Ar ôl iddyn nhw gladdu'r brechdanau sychion a gwlychu'u tafodau efo wisgi a dŵr tap, atgoffodd Thérèse o am y deuddydd hynny.

''Ti'n gwbod, cariad. Dwi 'di bod yn meddwl. Byth ers i ni drafod y peth. Wyt ti'n siŵr mai Portiwgal ydi'r lle gora i ni fynd iddo fo?'

'Wn i'm. Ond pam lai? Wyt ti isio mynd yno?'

'Rhy agos i Ewrop,' meddai; roedd hi'n arfer crychu'i thalcen a rhwbio'r crychau efo'i bys pan oedd hi'n meddwl. 'Dwi'n meddwl mai aros yng Nghanada fyddai ora; rhywla tawal. Dwi hyd yn oed 'di bod yn edrach a chwilio am lefydd ar y map 'ma; sbïa, mi ddangosa i i chdi.'

Estynnodd yr atlas teithio mawr, a rhoi'i bys ar ddau bentref bychan rhyw ddau gan milltir y tu hwnt i'r ffin. Llithrodd ei breichiau o amgylch ei wddf a chyffyrddodd eu hwynebau wrth iddyn nhw gloi am ei gilydd.

'Fiw i ti 'neud gwaith pensaer eto,' meddai. 'Ma'n nhw'n gwbod am hynny. Mi fydd yn rhaid i ni fyw'n syml, mewn pentra heb gymdeithas Iddewig ynddo fo — tre wledig fechan. Mi fedrwn ni agor busnas, siop ne' rwbath felly, efo'n pres. 'Sgen i'm isio mentro gneud cais am basport a thrio teithio eto. Go brin fod Portiwgal yn ddim diogelach na Ariannin bellach.'

'Does unlla yn y byd yn ddiogel,' meddai. Daliodd ei afael ynddi wrth iddi siarad a dangos y map iddo fo, ond roedd ei lygaid ar gau. Canada, Portiwgal, Ariannin. Doedd nunlle yn y byd yn ddiogel; roedd hi wedi troi deg o'r gloch, mae'n siŵr eu bod nhw'n cuddio yn y cysgodion y tu allan i'r gwesty'n barod. Yn barod rhag ofn iddo fo newid ei feddwl. 'Os wyt ti isio aros yng Nghanada, mi arhoswn ni yng Nghanada,' meddai. 'Rapid Creek — ma' fan 'na'n swnio'n lle braf. Mi awn ni i fan 'no, 'nghariad i.'

''Ti'n edrach 'di blino,' meddai, ei llais yn dyner wrth iddi fwytho'i wyneb a'i droi i edrych arni. ''Di blino'n arw. Ma'r cwbwl bron drosodd, Karl, dwyt ti ddim yn sylweddoli hynny? Dydyn nhw ddim 'di ca'l gafa'l arnan ni, dydyn nhw ddim yn mynd i ga'l gafa'l arnan ni. Un diwrnod arall ac mi fyddwn ni'n ddiogel yng

Nghanada. Yn barod i gychwyn bywyd newydd efo'n gilydd. Dim 'chwanag o redag.' Cusanodd o.

'Na,' meddai; gwenodd arni; gorchfygodd ei ennyd o wendid a rhoddodd y gorau i faglu dros ei eiriau. 'Dim 'chwanag o redag i'r un ohonan ni. Ma' gynnon ni weddill 'yn bywyda efo'n gilydd. Yn Rapid Creek.'

'Pam nad awn ni i'r gwely?' meddai. ''Ti 'di bod yn dreifio am yr holl oria 'na, ac yn edrach fel tasat ti 'di ymlâdd. Ty'd, 'nghariad i. Ma' fory'n disgwyl amdanan ni.' Dadwisgodd a llithro rhwng cynfasau'r gwely cul; rhoddodd ei breichiau dan ei phen a'i wylio fo; edrychai'n ifanc fel hyn, ac roedd cwsg yn dechrau trechu'i llygaid yn barod.

'Pam na 'nei ditha dynnu amdanat? Ma' hi'n hwyr.'

'Wn i.' Safodd wrth erchwyn y gwely ac edrych ar ei wats. 'Ma' hi'n un ar ddeg, Thérèse. Ma' rhaid i mi ga'l mymryn o aer cyn medra i gysgu. Tria gysgu cyn i mi ddŵad yn f'ôl. Addo hynny i mi.'

'Dwi'n addo. Cusana fi'n gynta. A phaid â bod yn hir.'

Eisteddodd ar y gwely, gafael yn dynn ynddi a'i chusanu'n nwydus. Gallai deimlo'r gwewyr yn brathu'i gorff, y gwewyr o orfod ei gadael hi. Doedd arno ddim ofn o gwbl chwaith.

'Dwi'n dy garu di, Thérèse. 'Di dy garu di 'rioed. Paid byth ag anghofio hynny.'

'Wna i ddim,' sibrydodd. 'Rydw inna'n dy garu ditha.'

Cododd a brasgamu tua'r drws; cyn iddo'i agor, trodd a syllu arni unwaith eto.

'Cysga rŵan,' meddai. 'Paid â disgwyl amdana i.'

Agorodd y drws a chamu allan. Roedd hi'n noson olau leuad braf a dechreuodd gerdded yn araf i fyd dieithr. Symudodd y cysgodion oddi wrth y coed a

249

dechrau cerdded at ei gysgod yntau. Ffrwydrodd bwledi'n ffyrnig am ennyd, ac yna tawelwch. Wnaeth yr hogyn penfelyn yn y swyddfa ddim mynd i'r drafferth o fynd allan i edrych; meddyliodd mai car oedd yn methu â thanio ac ailymgollodd yn ffantasi'i nofel.